海賊たちは黄金を目指す

日誌から見る海賊たちのリアルな生活、航海、そして戦闘

キース・トムスン　杉田七重［訳］
Keith Thomson　Nanae Sugita

BORN TO BE HANGED

The Epic Story of the Gentlemen Pirates Who Raided the South Seas, Rescued a Princess, and Stole a Fortune

東京創元社

海賊たちは黄金を目指す　目次

第3部　苦境

訳者まえがき

世界史の教科書では、十五世紀初めよりヨーロッパ人による海外進出が始まり、大洋を探検航海することで、彼らにとってそれまで未知だった世界各地の細部が、徐々に明らかになっていったとされている。そのいわゆる大航海時代も終わりに近い十七世紀後半に、バッカニアと呼ばれる海賊たちがいた。カリブ海でスペインの植民地や商船を襲撃した、イングランド、フランス、オランダの海賊である。彼らのなかには航海日誌をまめにつけている者もいた。本書は、ある海賊団に属していた七人の海賊のしたためていた日誌をもとに、彼らのリアルな生活、航海、戦闘の模様を冒険物語風に明らかにするノンフィクションである。

著者のキース・トムスンは、アラバマ州バーミングハム在住の作家。『ぼくを忘れたスパイ』、『コードネームを忘れた男』（ともに新潮文庫）といったミステリ作品が日本でも紹介されており、〈ニューヨーク・タイムズ〉紙に軍事問題やスパイ関連の記事も寄稿している。

本書で描かれるバッカニアたちの冒険は一六八〇年の春、現在の南米コロンビアと中米パナマの間に横たわる未開のジャングル、ダリエン地峡から始まる。

最初に登場するのは、その地域に先住するクナ族の王アンドレアス。スペイン人にさらわれた孫娘、美しいプリンセスを救出するために、サンタ・マリアにあるスペイン要塞を襲撃しようと考える。しかし部族の者たちだけでは心もとない。ならば援軍を雇おうと考えて頭に浮かんだのが、海賊だった。

たまたまその頃、カリブ海を根城にスペインの船舶や町を襲うバッカニアが、近くの島に大集結していた。前年の十二月からそこに集まり、パナマ北岸にあるスペインの港湾都市ポルトベロを襲ってかなりの量の銀を手にしたのだが、ダリエン地峡が太平洋（彼らは南海と呼んだ）への扉をひらくかもしれないという耳寄りの情報を手にしたことで、さらに欲を出していた。ダリエン地峡を渡れれば、パナマ湾から南海へ出ることができる。南海での略奪の初っ端《しょぱな》に、スペイン人が中南米各地から搾取した山のような金銀財宝が保管してあるパナマを襲撃すれば、想像を超える膨大な収穫を狙えるのだった。

しかし問題がひとつある。案内人をつけずに自力でダリエン地峡に入っていけば、迷うのはもちろん、生き残れる確率もゼロに近い。危険に満ちたジャングルがどこまでも広がっているのである。そこに、願ってもない案内人がやってきた。それがすなわち先述のクナ族の王、アンドレアスである。自分たちが案内をするから、サンタ・マリアの要塞に囚《とら》われているプリンセスの救出に手を貸してほしい、それが終わればあとは好きなだけ略奪を働けばいいと、じきじきに話を持ちかけてきたのである。

スペイン人という共通の敵を前に、クナ族の王と海賊たちの利害は一致した。すみやかに共同戦線が張られたものの、お互いをよく知らない即席の同盟関係には不安や猜疑心《さいぎしん》がつきものだ。何かあるたびに海賊たちの胸に疑念が沸き起こる。ひょっとしてクナ族はオレたちをスペイン人に引き渡そうと考えているのではないか……。

しかし、このプリンセス救出作戦は、物語の幕開きにすぎない。パナマ襲撃のあとも、バッカニアたちは南海航路を進みながら、スペインの商船や植民地を次々と襲って旅を続ける。途中仲間割れあり、叛乱《はんらん》あり、極度の飢えや脱水症状あり。激しい戦闘で命を落とす者もいれば、無人島に置き去りにされる者や、スペイン人捕虜と友情を育《はぐく》む海賊もいる。

「短いながらも愉快な人生」というのが海賊たちのモットーで、本書の原題 *Born to Be Hanged*（絞首刑になるために生まれてきた）に象徴されるように、絞首台に上がって早期に人生を終える者が多いなか、山ほどのお宝を持ち帰って陸にあがり、裁判にかけられて、驚くべき判決をいいわたされた海賊もいる。初めて原書を呼んだときには我が目を疑い、英文の解釈を間違えたかと、何度も同じ行を読み直したほどの衝撃だった。

そんな波瀾万丈《はらんばんじょう》の海賊たちの生活や戦いの模様が、当事者たちの記した日誌という、生の資料をつなぎ合わせて再構成されるのだから、面白くならないはずがない。

しかし海賊の日誌は悪事の記録であり、裁判では犯罪の明確な証拠となって、絞首台行きに直結することもある。そんな事情もあって、必ずしも事実が正確に記されているとは限らない。まずい部分はうやむやにする一方、自分の偉業をことさら大げさに書き立てるのは日常茶飯なのだ。

そこで著者は、どの事件に対しても、入手できた海賊たちの日誌の叙述をすべて突き合わせて、その異同をつまびらかにし、かつまた第三者の客観的な記録も参照して、そこから浮かび上がる真実を浮き彫りにしていく。

本書のベースとなる日誌の書き手のひとりに世界的な博物学者ウィリアム・ダンピアがいる。二〇二二年には、彼の著作『最新世界周航記』が岩波文庫で復刊されて話題となった。他の海賊たちが日誌に克明に記すパナマ湾の戦闘の模様を、ダンピアはあっさり一文だけで終え、代わりにプランテーンの説明に数ページを費やすなど、博物学者になる萌芽《ほうが》が見られて面白い。

そもそも、将来世界的な学者になる人間が、なにゆえ海賊船に乗りこんで略奪に手を染めていたのか。彼だけではない。ダンピアと仲の良い航海士、バジル・リングローズもまた、優秀な数学者であり、母国語の英語にくわえてラテン語とフランス語も流暢《りゅうちょう》に話す才人だ。適性に合った仕事は他にいくらでもあったろうに、よりによって、なぜ海賊になったのか。

このあたりの事情も、本書を読むとよく理解できる。主要な海賊については、教区内の洗礼や結婚などが記録されている教会区記録簿に当たるなどして、本人が日誌には記さなかった興味深い生い立ちまで掘り下げている上に、時代の空気が肌で感じられるように生き生きと描写しているため、彼らがどのような葛藤《かっとう》を経て海賊になったのかがわかるのである。

陸《おか》の厳格な階級社会とは違い、海賊の暮らしは平等主義が基本で、船長の選出や罷免《ひめん》は投票によって民主的に決められる。遠征に出発する際には契約書も作成され、そこには労働災害に対する補償までが細かく定められているのだから驚かされる。

階級の壁を越えられぬ社会で下層の人々が覚える息苦しさと、世界には知らない土地がまだ果てしなく広がっているという時代の開放感。本来なら相容れぬふたつの要素が、本書では個性豊かな海賊たちの活躍によって絶妙にブレンドされ、血湧き肉躍る物語が生まれた。

世界の国々が未分化状態で、いわばなんでもありのロマンあふれる時代の空気を見事に表現している本書を手に、読者のみなさんも今すぐ海賊船に乗りこんで、南海の旅に出発してほしい。

航海の友は、前述のウィリアム・ダンピアやバジル・リングローズをはじめ、クナ族の文化に心酔する船医のライオネル・ウェイファー、二十代の若さでありながら勇壮な活躍を見せて老若問わず仲間たちからの信頼が厚いリチャード・ソーキンズ船長、お宝によく鼻がきく有能な策士でありながら、飲んだくれで感情のコントロールがきかないバーソロミュー・シャープなどなど、一癖も二癖もあるキャラの立った海賊たちだ。

彼らと懇意になれば、建物の四軒に一軒が酒を飲ませる店か娼館だという、海賊たちがこぞって集まる都市、ポート・ロイヤルの話もじかにきけるだろう。〝新世界のソドム〟とも呼ばれた、社会の制約から解き放たれた港町には、ほかにはない妖《あや》しい魅力がある。ただしこの時代はまだ梅毒の治療法は確立されておらず、尿道に水銀を注入されて苦しむことになるので、はめをはずしすぎないように注意したい。

海賊たちの活躍する舞台は海ばかりではない。ときにカヌーに乗って決死の川下りをしたり、クロコダイルやアナコンダが生息する茶色い水のなかを歩いて渡ったり。途中負傷して仲間たちについていけなくなれば、こちらを敵視する先住民の村に置き去りにされて、生きながら焼かれる覚悟を強《し》いられる場合もある。また、海賊船にも船医が乗っていることが多いが、船医がいない場合には医者の仕事が割り当てられるのは船大工であり、四肢切断には船の修理につかったのこぎりが、そのままつかわれることも覚えておこう。

一六八〇年の春から始まって、一六八二年春に幕を閉じる、およそ二年にわたる長い冒険の旅。つねに命の危険にさらされているから、まず退屈はしないはずだ。

海賊たちは黄金を目指す

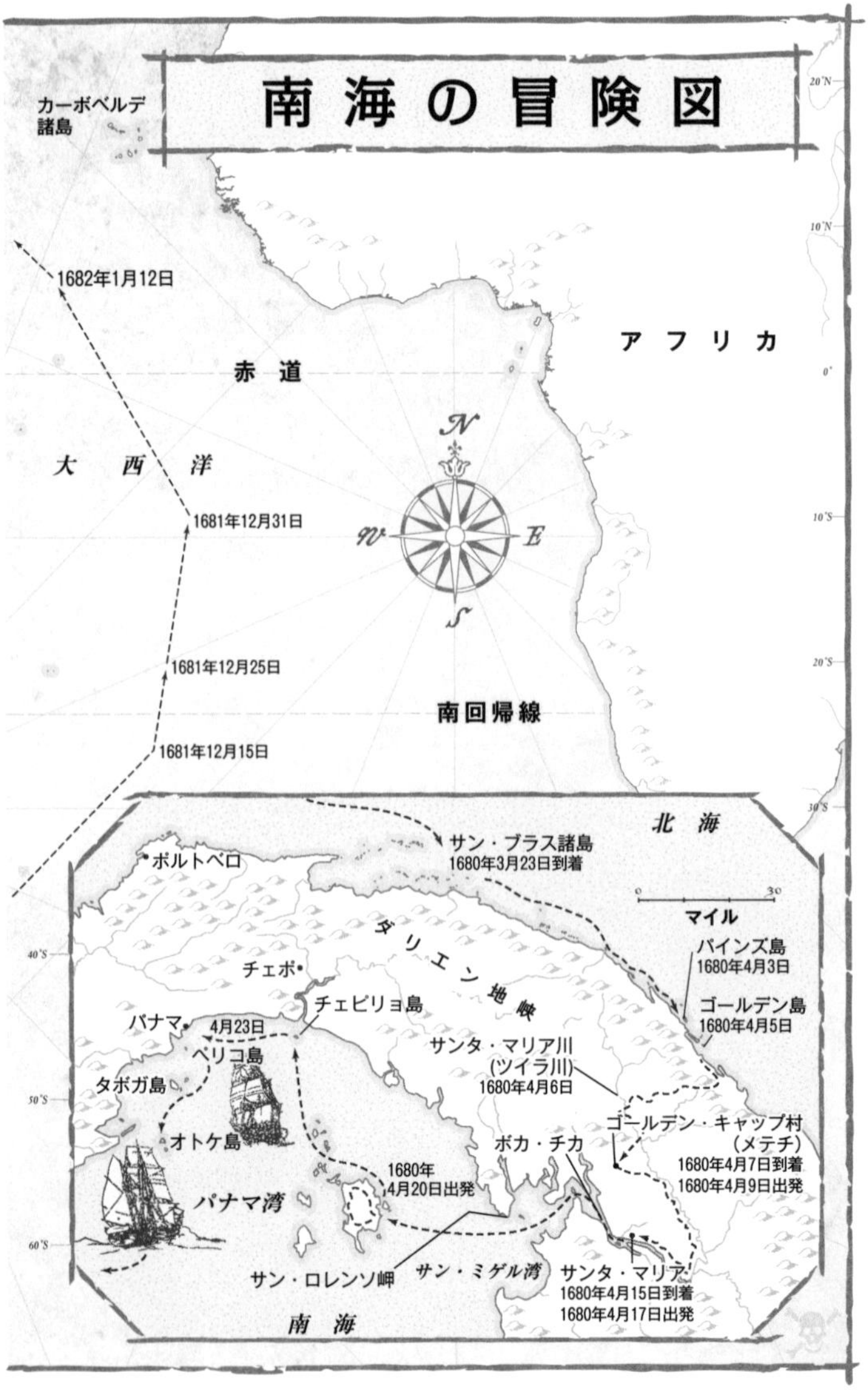
南海の冒険図
カーボベルデ諸島
1682年1月12日
赤道
アフリカ
大西洋
1681年12月31日
N
W
E
S
1681年12月25日
南回帰線
1681年12月15日
北海
サン・ブラス諸島
1680年3月23日到着
ポルトベロ
0
30
マイル
ダリエン地峡
パインズ島
1680年4月3日
チェポ
チェピリョ島
ゴールデン島
1680年4月5日
パナマ
4月23日
ペリコ島
サンタ・マリア川
(ツイラ川)
1680年4月6日
タボガ島
ゴールデン・キャップ村
(メテチ)
1680年4月7日到着
1680年4月9日出発
オトケ島
ボカ・チカ
1680年
4月20日出発
パナマ湾
サン・ロレンソ岬
サン・ミゲル湾
サンタ・マリア
1680年4月15日到着
1680年4月17日出発
南海
20°N
10°N
0°
10°S
20°S
30°S
40°S
50°S
60°S

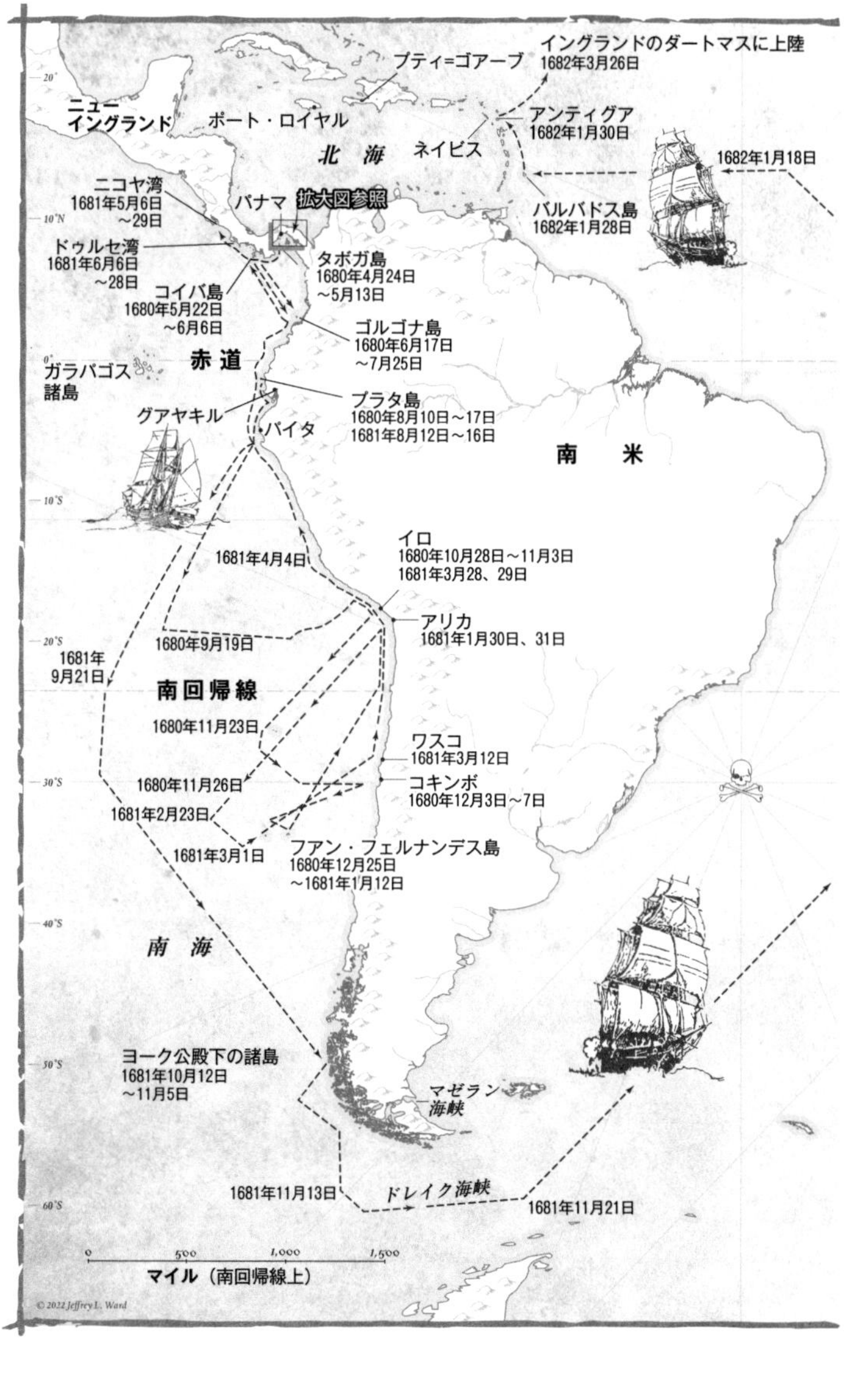
イングランドのダートマスに上陸
1682年3月26日
プティ=ゴアーブ
アンティグア
1682年1月30日
ニュー
イングランド
ポート・ロイヤル
北　海
ネイビス
1682年1月18日
ニコヤ湾
1681年5月6日
〜29日
パナマ
拡大図参照
バルバドス島
1682年1月28日
ドゥルセ湾
1681年6月6日
〜28日
タボガ島
1680年4月24日
〜5月13日
コイバ島
1680年5月22日
〜6月6日
ゴルゴナ島
1680年6月17日
〜7月25日
赤道
ガラパゴス
諸島
プラタ島
1680年8月10日〜17日
1681年8月12日〜16日
グアヤキル
パイタ
南　米
1681年4月4日
イロ
1680年10月28日〜11月3日
1681年3月28、29日
アリカ
1681年1月30日、31日
1680年9月19日
1681年
9月21日
南回帰線
1680年11月23日
ワスコ
1681年3月12日
1680年11月26日
コキンボ
1680年12月3日〜7日
1681年2月23日
1681年3月1日
フアン・フェルナンデス島
1680年12月25日
〜1681年1月12日
南　海
ヨーク公殿下の諸島
1681年10月12日
〜11月5日
マゼラン
海峡
1681年11月13日
ドレイク海峡
1681年11月21日
0
500
1,000
1,500
マイル（南回帰線上）
© 2022 Jeffrey L. Ward

トラウザーに捧げる

第1部　黄金への渇望

1　プリンセス

その名前は歴史に埋もれている。わかっているのは、パナマのダリエン地方に先住するクナ族の娘であるということ。風貌は、ヨーロッパの兵士や冒険家たち——その誰もが、本人と妹たちを目にしたとたん結婚を申しこんだという——の日誌から拾うことができる。灰色の目は「生き生きと輝き」、「腰のある硬い黒髪は長くまっすぐ」で、「銅色」の浅黒い肌には、クナ族の風習に則《のっと》って赤い絵の具で縞《しま》が描かれている。太い鼻輪をつけ、細身で「メリハリのきいた」身体には、ときに多色のビーズを巻きつける。父親は地方のかしらで、祖父は事実上クナ族の王。父親の館からさらわれたプリンセスは、一六八〇年の春、スペインの要塞で性奴隷となっていると、そうクナ族は考えた。

当時それは珍しいことではなかった。新世界、すなわち南北アメリカ大陸のほぼ全土を支配していたスペイン人は、先住民を隷属させるのは慈悲であると嘯《うそぶ》いていた。十六世紀の随筆で、あるスペイン史料編纂官《へんさんかん》が述べている。「根っから劣等な」先住民は、スペイン人による教育とキリスト教への改宗によって恩恵を受けられるが、そのためには、あらかじめ隷属させたほうが楽なのである、と。

しかし、隷属させた先住民の扱いを見れば、スペイン人が標榜《ひょうぼう》する利他主義というのは、はなはだ怪しい。イスパニョーラ島の鉱山で働く女奴隷は、子どもが生まれたのを理由に、ある朝スペイン人の監督に休暇を願い出たところ、監督はすぐさま赤ん坊を抱き取った。そうして岩に赤ん坊の頭を叩きつけて割り、これにて問題解決とのたまったという。コンキスタドール（スペイン語で征服者の意味で、特に十六世紀初頭に南北アメリカを征服した者を指す）が、人間の命より黄金に高い価値を置いていたことがわかる典型的な例だが、スペイン人の黄金に対する欲望は実際凄まじいもので、インカ族の王、マンコ・インカは、「たとえアンデスの雪が黄金に変わったとしても、連中は依然として満足しないであろう」といっている。

一五〇一年にスペイン人がパナマを発見したとき（とはいえ、発見時より何千年も前からそこには人が住みついていたのだが）、そこの先住民は比較的幸運だったといえる。なぜならその支配は、コンキスタドールのなかで最も優しいロドリーゴ・デ・バスティーダスが主導していたからだ。スペイン人による支配の草創史において、バスティーダスは「アメリカ先住民を人間らしく扱うという希《まれ》な特質を持つ紳士」と記述されている。もっとも、パナマに到着してちょうど一年後、自身の船二隻が沈む憂《う》き目に遭うと、バスティーダスは黄金や真珠は救い出したものの、鎖につながれたクナ族の奴隷は見殺しにしたという。

しかしこれはまだ序章に過ぎない。それから二世紀にわたって、パナマの先住民は奴隷にされ、大量虐殺に遭い、ヨーロッパから持ちこまれた疫病に苦しめられたのである。表面上は平和に見えたときでさえ、両者の関係はネコとネズミに等しい。クナ族の多くはダリエン地方の奥地へ逃げ、パナマの東の国境に広がる山ばかりの五千平方マイルの土地で暮らしていた。パナマを完全に離れて、大西洋岸のすぐそばに浮かぶサン・ブラス諸島に身を落ち着ける者たちもいた。

一六八〇年四月三日、その諸島の東端に位置する珊瑚と砂とヤシの木から成る小島、ゴールデン島で、プリンセスの祖父は孫娘を救出する計画を編み出した。彼のスペイン名はアンドレアスで、その名前は、自身がスペイン人の奴隷だった頃の名残《なごり》だった。スペイン人の支配を逃れて以来、アンドレアスはサン・ブラス諸島でクナ族を束ねるかしらとなったばかりか、ヨーロッパにおける王に等しい地位にまで登りつめ、その領土はダリエンの奥深くまで及んだ。そして彼は世界屈指の優秀な弓矢の射手たちをいくらでもつかえる立場にあった。イングランドからやってきたある訪問者の証言によると、クナ族の少年たちは八歳にして、二十歩離れたところに立てた杖を射抜くことができるばかりか、その杖を確実にまっぷたつに割れるという。

しかしながら、孫娘を救い出すためにアンドレアスがスペインの要塞に射手の一団を差し向けたとしても、なす術《すべ》なく敵の砲撃にやられて早々に木《こ》っ端微塵《ぱみじん》にされるのはわかっていた。それでも援軍のあてはあった。スペイン人をしのぐほどではないが、その者たちもスペイン人に匹敵する射撃能力を持っている。アンドレアスが援軍にふさわしいと考えた相手、それは海賊だった。

アンドレアスの斥候《せっこう》が持ち帰った情報によると、カリブ海を根城にスペインの船舶や町を襲う、バッカニアと呼ばれる海賊が三百六十六名、ゴールデン島の数マイル北にあるパインズ島に上陸しているらしい。

そのほとんどはイングランド人で、パナマ北岸にあるスペインの港湾都市、ポルトベロを襲う目的で一六七九年十二月に団結したという。襲撃の結果、一団はかなりの量の銀を手にしたが、最も価値あるお宝は、スペイン商人がスペインの植民地統治者に宛てて書いた手紙だった。商人は手紙で再三にわたり、当時「南海」と呼ばれていた南太平洋に面した植民地の脆弱性《ぜいじゃくせい》を嘆いていた。南米の最南端を通過するのは不可能に近いため、イングランドの海賊が入ってくることはめったにな

イングランド人の海賊

い。しかし、大西洋と太平洋に接するパナマの細長いダリエン地峡が、「南海への扉をひらく」ことになるかもしれないと、商人はそう警告していたのである。

　結果、新たな遠征計画が、カリブの酒場や娼館をはじめ、バッカニアたちのたまり場に行き渡った。参加者たちはパインズ島で落ち合い、そこに船を残してカヌーでダリエン地峡へ渡り、上陸したら徒歩で地峡を進んでいってパナマ・シティ（当時は単にパナマと呼ばれていた）を襲うという計画だった。パナマの地は、スペイン人が中南米から搾《しぼ》り取った金銀宝石の宝庫だった。

　しかしバッカニアたちが地峡へ入るには、現地の案内人が必要だった。ガイドなしに入っていけば、ダリエンで生き残れる確率は少なく、ましてやパナマにたどりつくのは不可能だとわかっていた。

十年近く前にパナマを最後に襲撃した一団は、伝説の船長ヘンリー・モーガン率いる千二百人の海賊たちであるが、パナマを渡り歩くあいだにひどい飢えに苦しみ、革袋まで取り合って食したという。

バッカニアに案内人として雇ってもらおうと、アンドレアスはゴールデン島からカヌーに乗ってパインズ島に向かった。彼の売りこみ口上は、歴史に初めて登場するバッカニアとして名高いバジル・リングローズが記録している。優秀な数学者であり航海士でもあるリングローズは、母国語にくわえてラテン語とフランス語も流暢《りゅうちょう》に話した。同じ船に乗る仲間のほとんどが無能なやくざ者で、その経歴は絞首刑執行人の目しか引かないのと違って、リングローズなら西インド諸島で引く手あまたのはずだった。しかし、これまでずっと意に染まぬ単調な仕事ばかりに人生を費やしてきた二十七歳の彼が、一念発起して貧困から抜け出そうと考えたとき、チャンスをくれたのは海賊業だけだった。

フルーツと鹿肉を斧やまさかりに交換しようと、アンドレアスより先にクナ族の男女がパインズ島に渡り、三日月形の湾に投錨《とうびょう》するバッカニアの船七隻にカヌーで近づいていった。このときのことをリングローズは驚きをもって記録している。「このあたりの男たちはみな裸で、金や銀や木の皮でつくった、なかが空洞で先のとがったキャップに一物《いちもつ》を収め、そのキャップを胴体に紐で結わえつけている」彼の日誌は、毎日の冒頭にたいてい地図が描かれているのだが、網状の陰影を正確につけた、その几帳面《きちょうめん》な地図の筆遣いとは打って変わって、この日の書体は飾りの多い、少々浮かれ気味の筆記体で書かれており、堅物《かたぶつ》のイングランド人が海賊の一員になるに至ったロマンティックな精神の片鱗《へんりん》をうかがわせる。「彼らは半月に似せた金や銀のプレートを鼻に飾り、飲食をするときは片手でそれを持ち上げ、もう一方の手でカップを持ち上げるのである」と記している。

濃い銅色の肌に黒い髪というのが、一般的なクナ族の特徴であるが、そのなかに少数、「ヨーロッパ系の白人以上に白い肌で、極上の亜麻のように真っ白な髪」の者がいるとリングローズは書いている。リングローズとのちに親友になる、バッカニアで外科医のライオネル・ウェイファーは、こういったアルビノの「インディアン」（バッカニアは新世界の先住民のほぼすべてをそう呼び習わしていた）は「白馬によく似た肌を持ち、量の多少はあるものの、おしなべて乳白色の短いうぶ毛で全身を覆われている」と書いている。過去にも現在にも、色素欠乏症が世界の他民族の百五十倍以上も多く発現するクナ族において、アルビノは幸運をもたらすと見なされていた。それは、クナ族のあいだに伝わる、ふたつの珍しい信仰に基づいている。ひとつは、月食というのは天空のドラゴンが月を食そうとするために起きるというもの。そしてもうひとつは、アルビノは夜間視力に優れるというもの。そこへきてクナ族は昔から矢を射ることに長《た》けているので、アルビノが夜空に矢を放って、ドラゴンを追い払えると考えたのである。

リングローズとウェイファーをはじめとして、パインズ島で団結したバッカニアのうちの七人は、当時航海日誌をつけるか、のちに自分の経験を書き残している。そういった資料を集めていくと、黄金のマントを身にまとった威厳たっぷりの長老アンドレアスのイメージが浮かびあがる。「年齢は百歳を下らない」とバッカニアの船長のひとり、バーソロミュー・シャープが書いているが、それは言いすぎで、実際は六十近くといったところだろう（ちなみに、これとは別の箇所には、当時の船員は一日に一ガロン以上のビールか、一パイントのラムを消費したという記述がある。つねにラムの瓶を片手にしている海賊のイメージを定着させるのに、シャープが一役買っているのは間違いない）。

　バッカニアの通訳が流暢に操るスペイン語を通じて、アンドレアスは自分が案内役を務めようと、バッカニアたちに話を持ちかけた。サンタ・マリア（ダリエンのピノガナ地区にある、今日《こんにち》のエル・レアル・デ・サンタ・マリア）に自分の孫娘が囚《とら》われており、まずはそこに案内しようとアンドレアスは申し出た。そこで好きなだけ略奪すればいいし、それで満足できなければ、次はパナマへ案内してやるという。しかしもちろん、サンタ・マリアだけでも十分すぎるはずだった。中米で最も豊かな金鉱からの金を独占できるばかりか、そこではパンニング（川底の砂を椀と呼ばれる皿状の道具に入れて水中でゆり動かし、砂金を選別する方法）やスルーシング（樋に水を流して小石や砂と砂金とを比重によって選別する方法）も大々的に行っているのだった。例年雨期のあいだに山から流れてきた砂金を、十二月から四月の乾期に、スペイン人の監督下で先住民がパンニングをし、一万八千ポンドから二万ポンドの金を集めるという。もし孫娘を救い出してくれるなら、そのすべてをバッカニアにやると、アンドレアスはいった。

　バッカニアたちはアンドレアスの申し出について議論したあと、投票を行った。当時バッカニアは、時代に先んじて民主主義を標榜しており、平等主義に基づいて生活していたのである。階級差別への恨みもあったし、これまでヨーロッパの軍艦や商船に乗りこんで、階級が上の人間から、やたらと鞭《むち》を振るわれた経験からも、それが望ましいと考えたのだ。アンドレアスはバッカニアたちにとって、単なる案内人の枠には収まらなかった。ダリエンの土地勘があるだけでなく、そもそもアンドレアスはクナ族であって、先の十五年間でスペイン人たちへの憎悪を募りに募らせている。敵意を有しているのは、その大半が報酬目当てで戦うバッカニアたちも同じで、同一の敵を前にして両者のあいだに非公式の同盟関係が生まれていたのである。さらにありがたいことに、バッカニアたちにスペインとの戦いへの協力を取りつけたことで、クナ族のかしらは彼らをプライベーティアの地位まで押しあげた。プライベーティアとはすなわち私掠船《しりゃくせん》のことで、他国の船舶を略奪する免許を政府から公式に与えられた船のことだ。その船に乗っていれば、船長も乗組員も政府公認で略奪に励むことができるのである（バッカニアという用語は、イングランド・フランスの植民地長官が、イスパニョーラ島やトルッガ島で猪や雄牛を狩るboucaniersとして知られる猟師たちに、委任状や他国商船拿捕《だほ》免許状という呼び名で知られる免許を発行しはじめた十七世紀後半に端を発している。boucaniersという語は、肉を料理するのに猟師が好んでつかった木製のグリルを意味するフランス語のboucanに由来――もとはブラジルの先住民トゥピ族がつかっていた――というのが大方の説であるが、「堕落した人間たちとつるむ」とか、「下劣な雄山羊のような振る舞いをする」という意味のフランス語の動詞boucanerからきているという説もある）。

彼らより前に私掠船に乗って活躍していた海賊たち同様（ほとんどがイングランド人、フランス人、オランダ人）、パインズ島で団結したバッカニアたちも、国に代わってスペインと戦うのだという立場を取りたかった。しかし一六七〇年代に入って、ヨーロッパ強国のあいだで平和交渉が盛んに行われてから、私掠船に合法の許可を与える慣行はほとんど影を潜めていた。それでも、どんなに脆弱なものでも構わないから、バッカニアたちは、海賊行為に携わるうえで何かしら大義名分が欲しかった。でないと、いざ裁判になったとき、国家に存在を正当化してもらえず、古代ギリシャ時代から海でのさばり続けるpeiratēs（ラテン語でpirata）と同じだと見なされる。無差別に略奪する紛れもない海賊だと判断されてしまえば、行き着く先は絞首台しかない。

そのとき、バッカニアたちが持っていた唯一の許可状は、プティ＝ゴアーブ（フランス領イスパニョーラ島の一地域）で購入したもので、許可は許可でも、スペインが支配していた新世界の領土、スパニッシュ・メイン（大航海時代におけるカリブ海周辺のスペイン領）の特定地域でロッグウッドを伐採してもよいという許可だった。許可状はすでに期限切れになっていたが、日付を改竄《かいざん》すれば裁判所の目はごまかせると思っていた。しかし、ロッグウッド伐採のためにカリブ海沿岸のポルトベロにいたというなら信じてもらえるだろうが、その目的のために、ダリエン地峡を六十マイル集団で移動してサンタ・マリアまで行ったところ、スペインの要塞から攻撃を受けたので正当防衛として銃撃戦に至るしかなかったと信じてもらうには、世界一同情的な陪審員が必要だろう。他国商船拿捕免許状か、そうでなくても、アンドレアスが与えてくれる何か公的な書類のほうが、伐採許可状よりずっと役に立つのは間違いなかった。

しかし、たとえ許可状が手に入らずとも、プリンセス救出という難事が待っていようとも、一万八千から二万ポンドの黄金ときけば、バッカニアの目は眩《くら》んでしまう。「ピース・オブ・エイト」の呼び名で知られる八レアル銀貨で四百万以上のピース・オブ・エイトの純益が一団にもたらされ、ひとり頭《あたま》、一万二千ピース・オブ・エイト近い稼ぎになる。当時、農場労働者や水夫が丸一年働いて稼げる額が、わずか百ピース・オブ・エイトだった。今度のお勤めだけでバッカニアたちは大規模な農場を購入することができるし、二百トンの最新式オランダ船をつくらせても、まだ長持に四千ピース・オブ・エイトが残る（実際には長持ひとつでは収まらない。硬貨の大きさは直径一・五インチで、カジノのポーカーチップほどもあった）。

最大の難関はサンタ・マリアのスペイン要塞だった。アンドレアスによると、そこに四百人の兵士が配備されているという。そうであればバッカニアたちは、マスケット銃の銃弾を雨あられと降らせてくる敵軍に向かって前進していくことになる——いや前進というより、ジャングルからよろけながら出ていくといったほうが正しい。敵と対峙《たいじ》するのは、沼地や山地ばかりの、ほとんど通行不能の鬱蒼《うっそう》としたジャングルのなかを九日から十日にわたって行軍したあとなのだから（今日《こんにち》でも、その難攻不落のジャングルは、「ダリエン・ギャップ」と呼ばれて、アラスカからアルゼンチンまで一万九千マイルに及ぶパンアメリカンハイウェー唯一の切れ目となっている）。前進するバッカニアをクナ族の射手が援護するにしても、要塞を攻略するには、高いバリケードをのぼって壁を越えねばならず、そのあいだにも真上から銃撃を受ける。なんとか壁を乗り越えられたとしても、万全の防備を固めて待ち構える、たっぷり休息を取った大規模な軍をどうして負かすことができるだろう？　まったく狂気の沙汰というしかなかった。

にもかかわらず、バッカニアたちは決定を投票に委《ゆだ》ねた。その結果と、結果に至るまでの過程については、また別のバッカニア、ニューイングランド地方出身のひょうきん男、ジョン・コックスの日誌に明らかである。

達成不可能と思われる冒険に男たちを駆り立てたのは、黄金への渇望だった。魅力的な餌に食いつかずにはいられない陽気な男たちの群れは……危険を顧みずに、どこへでも雇われていき……西インド諸島屈指の裕福な君主、ダリエンの王に仕えることにしたのだった。

2　黄金の剣士

バジル・リングローズには選択肢が三つあった。ひとつ、サンタ・マリア遠征に参加する。ふたつ、今回は手を引いてほかのバッカニアたちともっと分別のある冒険に乗りだす。サン・ブラス諸島には物資の補給と船舶のメンテナンスのためにバッカニアたちが定期的に立ち寄っており、次の一団が来るのも時間の問題だった。そして最後に、短期間でもこの一団に関わった事実はなかったことにして、ロンドンの家にもどるという最も良識的な選択肢だ。今回集まった一団は危険をまったく顧みないというより、危険に異常なまでに引かれる性向があると、リングローズは早くに見抜いていた。日誌ではしばしば多言を費やす彼が、今回の決断については一言も記していない。とはいえそれも珍しいことではなく、彼には自身について語るのは興ざめだと考える節があった。日誌のなかにわずかに見つかる、彼自身に関する言及は、かつてカレーに行ったことがあるとか、ラテン語が話せるとか、ストロベリーが好きだという、その程度でしかない。

それでも、古い記録をひもとくと、その当時リングローズがパインズ島で何を考えていたのか、ヒントをもらえるかもしれない。リングローズの日誌はバッカニアがサン・ブラス諸島に集結したのちの一六八〇年三月から始まっており、それ以前に彼がこの世に存在したことを示す証拠はひとつしかない。「バジル・リングローズ」が一六五三年一月二十八日にロンドンのセント・マーチン教会で誕生したという、教会区記録簿（教区内の洗礼、結婚などに関して記録したもの）に記された一文である。それ以降は、ラテン語や高等数学のカリキュラムを有するいかなる教育機関の名簿にも、彼の名前や彼に相当すると思える変名を見つけることはできない。

　おそらくリングローズ家には、そういう場所へ息子を入れる余裕はなかったのだろう。バジルが生まれてから二年後、父親のリチャード・リングローズは、課税額を決定する資料になる地元住民格付け帳簿に「貧困家庭」と記されている。同じ帳簿の一六五六―五七年度の延滞者欄にリチャードの名が記されており、そのあと一家はウエストミンスターのハイストリートから転居している。裁判所の記録には、リチャードは「刀剣製造人」で、チャリングクロス通りにある小さな店、〈ゴールデン・スウォード〉の経営者でもあると記されている。居酒屋二軒とワイン醸造《じょうぞう》業者と馬小屋の並びに、こぢんまりと構えられた店舗だった。敷地面積はわずか二百平方フィートしかなかったものの、「在庫が非常に豊富で、あらゆる種類の刀剣、短剣、細身の刀剣《レピアー》」をずらりと並べていたという。溶解した青銅の反射光を浴びて燃えるように輝く、真新しい刀剣の群れを見ながら、いつの日か自分もそれらを手に敵と切り結び、富と栄光への道を切り拓こうと、少年時代のバジルが夢見ていたであろうことは想像に難くない。

　思春期に入り、父親への弟子入りを考える段になると、バジルはふたつの選択肢を秤《はかり》に掛けたようだった。自分でつくった刀剣を豪胆な客に売って細々と生計を立てていくのと、自分で剣を振ることを職にするのとどちらがいいか。一六七二年に、リチャードは息子ではない少年を弟子に取っている。その頃バジルは海に出て、スーパーカーゴという職に就いていた。職名こそ、どこか勇壮な響きがあるものの、supercargoという語は、船の事務長である「パーサー」を表すスペイン語sobrecargoからきており、要するに「船の積み荷監督人」だ。つまりリングローズは、剣を振るうのではなく、そろばんをはじくことになったのだ。裁判所の記録によると、彼はその職を通じて「海の向こうの地域へ」何度か航海に出たという。報酬はなかなかのものだったが、どんなに景気がよい年でも、その職から得られる年収は、バッカニアならジャマイカのポート・ロイヤルにあるラム酒場で一晩飲んだらおしまいという額だった。

一六七二年から一六七七年のあいだに、リングローズはロンドンにもどって結婚をしている。相手はグッディスというファーストネームと田舎の出だったということしか知られていない。一六七七年には夫婦に子どもも生まれた。ジョナサンと名づけられたその子は、二十五年前に父親が洗礼を受けたのと同じウエストミンスター礼拝室で洗礼を受けた。バジルの日誌には、グッディスの名もジョナサンの名も出てこず、別の洗礼記録と考え合わせると、結婚生活は暗礁《あんしょう》に乗りあげたと思われる。一六八一年三月十一日にバジル・リングローズと名づけられた子どもが洗礼を受けたという記録があるが、父親として記名されているバジル・リングローズ・シニアは、少なくともその十三か月前にイングランドを出て、まだ帰っていない。子どもは普通、生まれてから八日以内に洗礼を受けるので、もしバジル・ジュニアの父親が本当にバジル・シニアなのだとしたら、歴史に残る長い妊娠期間となるだろう。

リングローズが海賊に転向したのにはまた、読んでいた本の影響もあった。アレクサンドル・エスケメランが著した『アメリカのバッカニアの歴史』である。外科医であるエスケメランが海を荒らしまわった体験記で、一六七一年に参加したパナマの略奪のことも書かれている。一人称の語りから海賊の内実をうかがい知るなど、これまでの読者にはあり得ないことだった。それも当然のことで、いったいどんな犯罪者が自身の犯罪記録を公《おおやけ》にしたいと思うだろう？　結果、その著作は一大センセーションを巻き起こした。数か国語に翻訳され、爆発的な需要に印刷所が追いつけないほどだったという。この著作により、アレクサンドル・エスケメランはたったひとりでヨーロッパの海賊熱に火をつけ、結果的にリングローズやウェイファーといった教養ある若者へ、冒険の道をつけてやることになった。その頃ウェイファーはちょうど二十歳。時宜《じぎ》を得てポート・ロイヤルで外科医としての地位を確立していた。何しろここの人間は山ほどのあぶく銭を持っている。さらに水のようにラム酒をあおるし、ヨーロッパ出身の人間が海に出ればまず間違いなく熱帯性の疫病のひとつやふたつをもらってくる。そこで外科医として開業しているのだから、目の前に黄金の道が延びているようなものだった。しかし、生まれながらの冒険家には、そんな予測可能な人生が袋小路のように見えていたのだ。

もうひとり、エスケメランに感化された若者がパインズ島にいた。二十八歳のウィリアム・ダンピアである。この世界的な博物学者はイングランドでは郷紳であり、結婚もしてドーセットにカントリーハウスを所有している。海賊の生い立ちとしてはまったくの異例だが、ウェイファーと同様、ダンピアもまたポルトベロ遠征に参加していた。四日間にわたる密林での苦しい行軍や、ひとり頭《あたま》百ピース・オブ・エイトを稼ぎ出したドラマチックな襲撃をはじめ、数々の冒険に身を投じたのである。

しかしリングローズにとっては、このサンタ・マリア遠征こそが、冒険に挑む生涯に一度のチャンスだった。彼がそこに成功の兆《きざ》しを見たのは、このプロジェクトに参加するバッカニアたちの多くが持つ、華々しい経歴だったかもしれない。三十歳のバーソロミュー・シャープは海賊歴十四年で、飲んだくれではあるものの、お宝によく鼻がきき、航海技術は一流、戦場の策士としても評判を取っていた。船長のリチャード・ソーキンズもバッカニアのあいだでは有名な人物で、スペイン人相手の略奪はもちろん、危険な脱出劇でも勇名を馳《は》せた。ソーキンズはこの遠征に参加するため、ポート・ロイヤルにあるイングランドの刑務所を脱獄し、海軍が接収していたかつての乗船、ブリガンティーン帆船の責任者の大尉を脅し、船をまんまと取り返していた。この二十代の若者の類《たぐ》い希《まれ》な度胸に、倍の年齢のバッカニアたちもすっかり心酔し、彼を船長と仰いだのだった。そしてもちろん、古参のバッカニアもいた。ピーター・ハリス船長と、船団を率いる司令官ジョン・コクソン（前述の乗員、ジョン・コックスとは別人）で、一六七七年、現在のコロンビアにあるサンタ・マルタのスペイン人街を襲った、あの有名な奇襲作戦でパートナーを組んでいた。

もちろん、バッカニアの輝かしい勇名は不朽ではなく、戦闘中に命を落とすか、捕虜になって処刑されるか、いずれにしろ早々に消え去ることが多い。「短いながらも愉快な人生」という海賊たちが仲間内で唱えていたモットーには、それなりの理由があったのだ。結局、「愉快な人生」にリングローズは背中を押されて、サンタ・マリア遠征に参加を決めたわけだが、それでも、ほかのバッカニアたちとは違って、彼には危険を配慮することができたから、自分はみすみす人生を短く終わらせはしないと、そう考えていたに違いない。

3　地峡

遠征は一六八〇年四月五日の夜明けに始まった。アンドレアスほか、五人のクナ族、三百三十一人のバッカニアがカヌーに乗りこみ、竿を突いてゴールデン島から出発した。あとには、イングランド人バッカニアの船長ふたり——アレストンとマケット——のほか、三十三人が残って船を守る。ダリエン地峡は前方四分の三マイル先に聳《そび》え、それだけ距離があいていると、低くたなびく積乱雲のようにしか見えないが、カヌーが近づいていくにつれて、白い砂と緑地にくっきり分かれていく。緑地は鬱蒼《うっそう》を通り越して固く凝っているかのようで、密林というより一頭の巨大なオオトカゲだ。そいつがまさに今汗をかいて、むんむんとしたジャングルの熱気を発散している。

上陸してカヌーを岸にひっぱりあげたとたん、波の音に代わって、凄まじい叫喚《きょうかん》に耳をつんざかれる。昆虫の羽音と、野鳥の甲高い鳴き声と、正体不明の獣《けもの》が発する血を凍らせる叫び。それらがひとつに混じり合って、まるでジャングルそのものが、ここに入ってくるなと、バッカニアたちに警告しているようだった。案内人たちからは、ヘビに気をつけるようにといわれている。とりわけその攻撃態勢からフェルドランス（槍の先）と呼ばれている、猛毒を持つヘビは要注意だと。茶色味がかった灰色の鱗《うろこ》に黒い縞《しま》、三角の頭が特徴で、森の地面に見事に溶けこんでしまうので、どこに潜んでいるかわからない。同様に、濃紺のジャングル・サソリや、パナマ・ブロンドの名で知られる、樹皮の色そっくりのタランチュラも、森に溶けこんで一体化している。ダリエンの生き物で最も危険とされるダート・フロッグは幸いにも目につきやすいが、そのストロベリーレッドの小さな両生類の一匹に触れたら、どんなバッカニアも数秒以内に呼吸麻痺を起こし、あっというまに死んでしまう。そのため先住民たちは手持ちの矢の矢尻や投げ矢《ダート》の先を、このカエルの毒に浸すわけで、名前の由来はそこからきている。

アンドレアスが案内するといっても、長い行軍であるから、隊員がいつ道をはずれて迷子になるとも知れない。それに備えてバッカニアたちは七つの部隊に分かれ、隊はそれぞれ隊長の旗を携えている。シャープ、ソーキンズ、エドモンド・クック船長がそれぞれ一隊ずつ率い、ハリスとコクソンは二隊ずつ率いる。コクソン隊が携える、飾り気のない血の色のペナントは、敵船の乗員に「命乞いはしない」と宣言するもの。捕虜にされて部屋と食事を与えられるより、殺される道を選ぶというわけだ。悪名高いジョリー・ロジャー、すなわち黒地に白いドクロと大腿骨《だいたいこつ》二本を組み合わせた旗が登場するのは十八世紀初頭になってからだが、これの先駆けといっていいのがクック隊の旗で、こちらは赤と黄色の横縞を背景に、カトラスを振るう筋肉隆々の腕が描かれている。

アンドレアスがみんなを率いていったジャングルは、主としてマングローブと、パナマ特有の円柱状の高木と、天に向かって葉を伸ばす、羽箒《はねぼうき》そっくりのマニカリアというヤシから成っている。低く垂れる枝や蔓《つる》植物は、ときに人間の腕ほどの太さがあり、それらをよけて歩きながら、進路を阻む灌木《かんぼく》やシダや下生えを叩ききらねばならないため、バッカニアたちは片時も気が抜けない。着ているのは、きめの粗いシャツと、麻かキャンバス地でできただぶっとした膝までの半ズボン。頭はスカーフで巻くか、現代の野球帽のように前方のつばが長く張り出している帽子をかぶっており、これらは日差しを遮ることにくわえて、長い髪をまとめておく役目も担っていた。それでも髪が落ちてきて目に入り、海では船の索具に引っかけることもあったから、ポニーテールに結んだり、タールを少々塗りつけたりする者もいた。

牛の生皮やブタ革の靴を履いている者がいれば、裸足の者もいる。ここで注意すべきは、このときブーツを履いている人間はひとりもいなかったという点だ。海賊といえば、膝上まである乗馬用ブーツを履いているのがお決まりだが、そういったものを彼らが履くようになるのは二十世紀初頭に入ってからで、映画用の身ごしらえといっていい。同様に、カラフルなタトゥーも誰ひとり施《ほどこ》していない。例外的に、「染料」をつかって、ぞんざいな図柄を肌に刻む者も少数いたが、この染料というのが、たいていは火薬に唾液を混ぜたものに過ぎず、それをナイフや帆縫い針をつかって皮膚の下に入れこんでいた。ウェイファーが書いているところによると、この遠征で彼の最初の患者となったのはブルマンという老齢の男で、「頬に刻みつけた絵柄のひとつを取り除いてほしいといってきた」。どんな絵柄だったかは書かれていないが、当時ならさしずめ、名前の頭文字か、×印か、棒人間が剣を振るう絵といったところだろう。ブルマンの顔にどんな絵柄が刻まれていたにせよ、ウェイファーには取り除くことができず、「肌をとことん引っ掻いて、ひどく損傷しただけで終わった」と記している。

しかし海賊お決まりの道具カトラスは、このバッカニアたちも実際に携帯していた。あのやや反り身で幅の広い、片刃の短剣だ。それにくわえて一丁のピストルか、あるいは火打ち式マスケット銃を二丁、各自が携帯している。いかついマスケット銃は五フィート近い銃身に木製の銃床《じゅうしょう》がついており、棍棒としてもつかえるものだった。バッカニアたちの熟練した手に握られると、マスケット銃はまさしく魔法の杖となり、それゆえ丁重に扱うのが習いだった。毎回の遠征でバッカニアたちが同意する船員雇用契約書、または chasse-partie（捕獲物の分配という意味のフランス語）と呼ばれるものにはよく、このマスケット銃の扱いに関する規定が記されている。武器をつねにきれいに保ち、いつでも戦闘に臨む用意をととのえていない者は、捕獲物の取り分を失うとともに、船長や仲間が決める懲罰を受けることになる。さらに、敵船へ乗りこもうとする仲間の援護射撃にあたるべきところを、マスケット銃の主ぜんまいが錆《さ》びついていたために撃てなければ、その者はただでは済まされないとも書いてある。

しかしここでは誰ひとり、銃をつかうことはできなかった。この遠征に関する匿名作家の年代記によれば、「たとえ命の危険が迫っても、いかなる人間も森のなかで銃を発砲してはならない」と、バッカニアたちは厳命されたらしい。「インディアンをはじめとするならず者たちが我らを裏切って先に走っていき、スペイン人に知らせぬとも限らないから」と。あとで理由は明らかになるが、この年代記の執筆者は、エドワード・ポウヴィーであると見てまず間違いない。お尋ね者ではあるが、その文章で絞首刑を免《まぬが》れられるほど、筆の立つイングランド人男性なのである。

行軍のあいだ、武器以上に価値があるのは糧食だ。ひとりあたり三個か四個の揚げ団子（一個半ポンドの小麦粉でできた揚げ菓子）を小かばんに入れ、たいていはペリカンのくちばしでつくった容器に、タバコを一パック入れて携行した。水と追加の食料はクナ族が旅の途上で調達する。少なくとも、計画ではそうだった。

まもなく木々がまばらになってきた。改めてあたりを見まわすと、そこは湾を取り巻く小さな森のはずれだった。ここからは毒ヘビと戦う必要はなく、湾岸を一リーグ（語源はラテン語のleuga。人が一時間かけて歩く距離の単位で、およそ三・四五マイル）近く行軍するだけでいいと、リングローズは見積もった。

湾岸を進んでいくと、やがて樹木の茂った谷に出た。行軍にうってつけの小道が通っている。午後二時には七マイル消化して一日の目標を達成し、おおむね乾いている川床で野営をすることにした。見ればそこここに、吉兆を示す金色に輝く石がある。頭上を飛ぶ一羽のアホウドリや、バナナ（腐りやすく、長い航海で不吉をもたらすと考えられていた）を積んでいない船と同様に、ささいなことではあるものの、バッカニアのあいだでは昔から縁起のいいものと考えられていた。

リングローズにはまだエネルギーが残っており、同じように元気な仲間たちとともに寝場所にするテントをせっせと張った。ここが悪名高いダリエン地峡であることを考えれば、その日の行軍は楽なものだった。二か月前にポルトベロ襲撃のために三日三晩かけて命からがら六十マイルを踏破したコクソン、シャープ、クックの隊員たちにおいては、なおさらそうだ。しかし新参者の多くは、歩くといっても、普段は調理室からビールをもう一本取ってくるぐらいのことしかなかったから、疲弊しきって地面にじかに転がって眠る者もいた。今にも雨が落ちてきそうな空模様も、「巨大ヘビ」（ダリエン地峡に生息するアナコンダで、全長四十フィート以上、体重は千ポンドを超える）に気をつけろというクナ族の警告も、てんでおかまいなしだった。

宵闇が落ちてきたとたん、沈む夕日がスイッチを押したかのように、突然耳を聾《ろう》する音がジャングルから流れてきた。虫の鳴き声のようでもあるが、これほどの大声で鳴く虫がいるとは信じがたく、さらにそこに拷問部屋からもれてくるような絶叫が混じっている。じつは声の主はホエザルだった。身体は猫ほどの大きさしかないが、洞穴状の喉頭と、分化した大きな舌骨（首にあって舌を支えている）がマイクロフォンの役目を果たして、三マイル先まで縄張りを主張できるのである。

ダリエンにほとほと嫌気が差したバッカニア四人は早くもゴールデン島へ引き返した。もともとちっぽけな遠征隊は三百二十七人に減り、今後数日のうちに、さらに弱体化する恐れも十分にあった。

四月六日、遠征二日目にして、バッカニアたちはダリエン地峡に踏みこんだというより、呑みこまれてしまった。脈動する肥沃《ひよく》な闇によって、外の世界から完全に切り離されたのだ。頭上六十フィートの高みでは、日差しを求めて競い合う枝や葉や蔓ががっぷり四つに組み合わさって、文字通りの天蓋《てんがい》をつくっている。折々に、この天蓋に小さな穴があいて青空が覗き、下方に咲く、きら星のごとき花々が光のなかに浮かびあがる。紫の唇かと見まがうシソ科の花や、カモノハシのくちばしそっくりの鮮やかな黄花を咲かせるプラティポディウム・エレガンス。どちらもパナマ原産の植物だ。

気をつけるべきは、森の地面に触手のような根を広げているボンゴというずんぐりした樹木や、ヤギの角より大きく鋭い棘《とげ》が幹全体を覆うポチョテという樹木だ。これにのぼろうとするバッカニアは間違いなく、ずたずたに引き裂かれる。さらにたちが悪いのは、チュンガ・ヤシで、この木には人間を串刺しにするために用意されたかのような長い棘が生えていて、刺したものに感染症を引き起こすバクテリアを注入する。しかしこのチュンガ・ヤシでさえも、危険な実をつけるマンチニールという樹木と比べれば、まだ慈悲深いといえる。マンチニールの実は、「香りも色も、おいしそうなリンゴそっくりで、小さくじつにいい香りがするものの、強い毒性を持っている」とウェイファーが書いている。マンチニールの樹皮もまた、毒性のある乳白色の樹液を出すために避けなければならない。バッカニアの船がサン・ブラス諸島に向かう途上、ボカス・デル・トロ諸島で足止めを食らったとき、その木から滴《したた》る雨にあたった男を思い出して、ウェイファーが書いている。「まるでツチハンミョウ（有毒甲虫で、分泌物が皮膚につくと水ぶくれになる）をばらまかれたように、全身が水疱《すいほう》だらけになり、命だけはなんとかとりとめたものの、治癒したあとも天然痘《てんねんとう》にかかったようなあばたが多数残った」

警告をききのがしたか無視したのか、サンタ・マリアに向かう途上、マンチニールを口にしたバッカニアがいた。スペイン人が、マンサニリャ・デ・ラ・ムエルテ（死の小さなリンゴ）と呼ぶ死の果実。それは誇張ではなかったと、以降六か月間を苦しみ抜きながら、彼は学ぶことになる。そういうことがあったので、博物学者の卵ウィリアム・ダンピアは、「基本ルール」を提案した。すなわち、「初めて見る果実については、鳥が突っついていれば自由に食べてよいが、そうでない場合は、どんな鳥も食べないということなのだから、決して手を触れないこと」というものだ。

高温多湿のジャングルの大気もまた、悩みの種だった。降ったばかりの雨や泥やキノコの臭いは、男たちを苛立《いらだ》たせるようで、ひどい場合には病む者もいる。デング熱やマラリア、その独特の症状から「黒吐病」という異名を持つ黄熱といった、熱帯性の病気にかかる主たる原因は、地面が発散する毒気であると、大方のバッカニアは信じており、こんな生業《なりわい》についているゆえに、病気にかかりやすいのだと考える者もいた。実際ウェイファーをはじめ当時の医師の多くは、病気の主たる原因は罪だと教えられていたのである。

しかし当座のところ、最大の敵は夜明けからのぼりはじめた斜面だった。三時間経ってもまだのぼっている。ダリエン地峡には山がいくつかあるが、今バッカニアたちがのぼっている山は非常に高く、「妙に頭がくらくらするので、仲間にもインディアンにもきいてみたところ、自分たちも同じだと口をそろえていった」とウェイファーが記している。一行はまた、眼下にもくもくと広がる雲にも目を丸くしていた。雲霧林《うんむりん》として知られている熱帯樹林が引き起こす現象で、森の天蓋から発散される水分が原因なのだが、このとき人間のほうは完全な水分不足だった。「水がどこにも見つからず、一同は喉の渇きで死にそうだった」とポウヴィーが書いている。「あともう少し先まで行けば水はあると、インディアンたちはいう」

しかし、水らしきものをまったく見ないままに一時間後には頂上に到達した。さらに二時間、うだるような暑さのなかを歩いたが、状況はまったく変わらないまま、喉の渇きだけが増していき、それとともにバッカニアたちのなかに疑念が芽生えてくる。ひょっとしてクナ族はスペイン人と手を結んでいるのではないか。バッカニアの多くがそうであったように、リングローズもまた、「スペイン人とインディアンのあいだで講和条約が結ばれた」といううわさを耳にしていた。もしそれが本当で、その知らせがゴールデン島にまで及んでいたら、アンドレアスは孫娘との交換を条件に、喜んでスペイン人にバッカニアたちを差しだすことだろう。

ダンピアにはさらに心配があった。もしクナ族の案内人たちがジョン・グレットの運命について知ったなら、バッカニアたちは間違いなく闇討ちに遭うはずだったのだ。グレットは私掠《しりゃく》船団のイングランド人たちに迎え入れられたクナ族の少年で、ダンピアは彼の話を、その私掠船団の遠征に加わった三ダースの非イングランド人（フランス人、クレオール人、逃亡奴隷や解放奴隷）のうちのひとり、ミスキート族の男からきいていた。一六六五年、グレット——クナ族としての名前は知られていない——はサン・ブラス諸島でカヌーを漕いでいたときに、イングランドの私掠船船長ウィリアム・ライトの船とふいに出会った。ライトの乗組員たちはたちまち少年を気に入って、自分たちの仲間に加わるよう誘った。彼はその誘いに乗って彼らと行動をともにし、彼らの言語を学び、イングランド人と同じ格好をし、イングランド語の名を与えられた。そうして遠征の終わりにはイングランドへ来ないかと招かれる。しかしその遠征に加わっていたミスキート族のメンバーがイングランド人たちを説得し、グレットを連れてミスキート海岸（現在のホンジュラスとニカラグアの東海岸）の故郷に帰ったのだった。そこでグレットはミスキートの言語を学び、結婚し、一六七九年まで暮らした。が、その年グレットは、イングランドとクナ族とのあいだで友好を取り結ぶ仲介者としてライトに雇われる。グレットはサン・ブラス諸島にもどって、イングランド人と過ごした素晴らしい日々についてクナ族に語り、イングランド人というのは、残虐なスペイン人とは正反対なのだと、みんなに請け合ったのである。その結果、クナ族はイングランドの私掠船団の乗員たちを歓迎したばかりか、彼らをダリエンに案内して、チェポのスペイン植民地を襲撃させたのである。

事件はそれから数か月後に発生した。火種は、サン・ブラス諸島にやってきたイングランドのスループ型商船。この船を出迎えにグレットとクナ族の小さな代表団が出かけていくと、先方は喜んだものの、それは最近のイングランド人とクナ族とのあいだに流れる友愛とは似て非なるものだった。このイングランド人たちは、両者のあいだで友好が結ばれたことなど、露《つゆ》ほども知らない。彼らがサン・ブラス諸島にやってきたのは、先住民をつかまえて奴隷として売るためだった。これを知るとすぐグレットと仲間たちは船から飛びだし、泳いで逃げた。しかし途中で全員撃たれて死んでしまう。彼らの帰りを岸で待っていた友人や家族は、一向にもどってこない理由を、きっとまた新たなスペイン人襲撃に加わることになったのだろうと想像するしかなかった。それから数か月が経つ。銃弾で蜂の巣にされたジョン・グレットの死体が、もし岸に打ち上げられていたら？　彼がイングランド人の手で殺されたとクナ族が今知ったら、どうなるのか？

午後二時、一行は水を見つけた。サンタ・マリア川（現在のツイラ川）から流れこんでいる池だった。アンドレアスによると、この同じ川がサンタ・マリアの植民地を通って南海に流れているらしい。「われわれは盛大に水を飲み、大いに元気を回復した」とポウヴィーが記している。三時をまわったところで行軍が再開され、また新たな山をのぼりはじめた。今度は最初の山より傾斜が急で――リングローズは「垂直」と書いている――一度にひとりずつしか通れぬ細い道に難儀する。

午後七時に日が沈んでも一行はまだのぼり続け、全行程十八マイルを踏破して初めて、テントを張った。今夜ばかりは、ジョン・コックスの筆に普段の活気が感じられないのも無理はなく、「川岸にテントを張った」とだけ書いて終わっている。リングローズはそこに、「雨がいくらか落ちてきた」とわずかな詳細をくわえ、ポウヴィーは「（途中で）ひとり以上が疲れきって」ゴールデン島にもどったと記している。もしまだエネルギーが残っているか、あるいは今後の展開をわずかでも予想できたなら、もっと大勢が引き返したことだろう。

4　ゴールデン・キャップ

四月七日、遠征三日目のこの日、バッカニアたちは比較的平らで障害物もないサンタ・マリア川の岸を歩いていた。これまでのように急な斜面をのぼったり、下生えに足をとられたりすることもない。その代わりに、川はまるで大腸のように曲がりくねっていて、前進するためには何度も水のなかを歩いて渡る必要があった。水かさは腹部まであり、幅は二百フィートもある。さらにまずいことに、この川にはワニがうようよしている。世界のある地域では、全長十三フィートに達するものもいるという獰猛《どうもう》なクロコダイルだ。ダリエンにいるのはわずか六―八フィートだが、それでも人間のひとりぐらい楽に殺せるだろう。ダリエン地峡の水路がたいていそうであるように、この川もまた茶色く濁っていて、どこにクロコダイルが潜んでいるか、まったくわからない。そんなところへ踏みこんでいかねばならないバッカニアたちにとって唯一の慰めは、クロコダイルはアナコンダを食らうという事実。アナコンダもまた、この川に生息していたのである。しかし多くにとって、現時点で最大の脅威は水そのものだった。みな泳ぎを習ったことはほとんどなく、とりわけイングランドやフランスの海岸から離れた場所で育った人間はそうだった。川が蛇行している部分の水流は、体重二百ポンドの男も転がして、鋭い岩や川底の枝にぶつける勢いがあり、それらに挟まってしまえば、浮上できない危険もある。

それでもバッカニアたちは無事川からあがることができて、丸一日かけた行軍の果てに、家が四軒集まっている川岸にたどりついた。どの家もキャベツヤシの壁とヤシの葉で葺《ふ》いた屋根でできており、先住民の村の一部であるとわかる。家のなかからクナ族の人間ふたりが、プランテーン（料理用バナナ）、キャッサバ（タピオカノキ）、トウモロコシ、飲み物を運んで出てきた。この地域のクナ族のかしらからイングランド人への贈り物で、かしらは館でみんなを待ち受けているという。バッカニアは喜んで贈り物を食し、かしらのアントニオに会いに行くことにした。アントニオはアンドレアスの息子であり、バッカニアたちが救出を約束したプリンセスの父親だった。

その日の夕刻、短い行軍の末にアントニオの村（ピノガナ地区にある現在のメテチ近郊）に到着した。この村については、どの記録を見ても何も書かれていないが、のちにウェイファーが典型的なクナ族のコミュニティを絵で示している。それによると、農場がひとつと、百二十五フィートの「ウォー・ハウス」あるいは砦があり、そのまわりに「棒で壁の骨組をつくり、土を塗りこめた」二十四―二十五平方フィートの家々が散らばっている。各家の炉端にはハンモックが吊してあり、煙はヤシの葉で葺いた屋根のすきまから外へ逃げていく。夕暮れになると、赤、青、緑の鮮やかな色を見せて、森からコンゴウインコがすべるように飛んできて家の戸口へ入っていく。家族のペットで、夜になると家に帰ってくるのだ。「コンゴウインコは、インディアンの声ばかりか歌い方まで真似ている。そうして、チカリー・チカリーと、インディアンとそっくり同じように、自分たちの歌も歌うのだろう」とウェイファーは書いている。

アントニオの館については、誰も詳細を書き留めていないが、スペイン人の説明によると、それに匹敵するクナ族のかしらの館は縦四百五十フィート、横二百四十フィート（フットボールのコー

タバコを吸うクナ族

トが三百六十×百六十フィートであるのと比較してほしい）の広さがあり、丸太の梁《はり》を結び合わせ、石塀で補強しているそうだ。そういったことをバッカニアが何も書き留めていないのは、おそらく館の持ち主のほうに全注意を持っていかれたからだろう。無理もない。かかとまである堂々たる白いローブを着用しているのにくわえて、アントニオは、黄金でできた半月形のプレートを鼻から吊り下げており、両耳には直径四インチ近くある分厚い金のリングをぶら下げて、そのリングにもそれぞれ同じ大きさの金の円盤がぶら下がっていた。しかしそれ以上に驚いたのは王冠で、白いアシを編んで赤い絹で縁取りをしたそれは、黄金の花輪で取り巻かれ、オーストリッチの羽根三本と夥《おびただ》しい数の黄金のビーズで飾られている。スペイン人はアントニオを黄金の帽子《ボネテ・デ・オロ》と呼び、バッカニアは「ゴールデン・キャップ王」と呼んだ。

出迎えた人々のなかに王妃もいた。赤い毛布を一枚腰に巻き、もう一枚を頭から肩にゆったりかけている。抱きかかえている幼子のほかに、父と同じ白いローブに身を包んだゴールデン・キャップの息子三人と、その父親の存在など忘れてしまうほどにバッカニアたちを夢中にさせた「非常に見目麗《うるわ》しい」娘ふたりを伴っていた。リングローズは「結婚したくなるような」という言葉で彼女たちの描写を始めている。ポウヴィーが書いているところによると、豪華なレセプションとそのあとに続く余興のあいだ、「バッカニアの数人は、身振り手振りで、妻になって自分といっしょに暮らさないかと、娘たちに迫っていた」という。ここに至って、サンタ・マリアのスペイン要塞からゴールデン・キャップの長女を救い出すという目的は、俄然崇高なミッションとなったのである。

ゴールデン・キャップの村には、ほかにも魅力的な女性が数多くいて、バッカニアたちは興奮した。「住民はみな驚くほどの美形ぞろいで、とりわけ女性がそうだった」とシャープは書いており、クナ族の女性は「極めて人なつこく、よそ者も進んで抱擁する」としている。しかし彼の場合そう見えたのには、チチャ・コーパーと呼ばれる飲料の影響が多分にあったと思われる。強い甘みと高いアルコール度数で知られるこの飲料は、村の老女たちが唾液とよく混ぜてぐちゃぐちゃに嚙《か》んだトウモロコシを主たる原料としており、それを知っていたならシャープも固辞したに違いなく、おそらく知らなかったのだろう。

バッカニアのなかで比較的素面《しらふ》だったふたりは、それとはずいぶん違ったことを書いている。そのひとりリングローズは、クナ族の女性は「非常に快活で積極的なものの、夫がいるところでは、その嫉妬心をあおらぬよう、ひたすら身をつつしんで慎重である」と書いている。もうひとりのウエイファーは、姦通に対しては当事者双方が死罪となる旨を綴《つづ》っている。「それにくわえて、もし男が手を出した相手が処女だった場合、ペニスの導管にイバラのようなものを突っこまれ、十回から十二回ほど回転させられる。耐えがたい拷問であると同時に、これをされた人間はたいてい壊疽《えそ》を起こして死んでしまうが、自然治癒するなら、それはそれでよしとされる」

いずれにしてもその夜は、かつて陰鬱《いんうつ》なロンドンで夢想した、どんな甘い夢物語をもしのぐ陶酔の宴であったはずで、このときばかりは誰ひとり、ゴールデン島にもどるといいだす者はいなかった。

四月九日、バッカニアたちは行軍を再開した。ダリエンに入って五日目となるこの日、ゴールデン・キャップの面前で、彼の三人の息子と五十人の兵士がメンバーに加わったと、リングローズが記している。シャープの日誌では数が違っていて「百五十人のインディアンがわが隊に加わって戦いに向かった」とある（以前にシャープは、アンドレアスの年齢を「百歳は下らない」と書いていることから、この数についても疑いが残る）。実際の数がどうであれ、罠に導かれるのではないかというバッカニアの疑念を消し去るには、これでは足りなかった。ゴールデン・キャップの村で二日にわたって最高のもてなしを受けたことで、クナ族に対する疑いはずいぶん減じられた。しかしわずかな疑念が残っていたのである。

それがもとで、「論争」が起きたのかどうか、確かなことはわかっていない。それでもジョン・コクソン船長が銃の引き金を引いて、ピーター・ハリス船長の脳みそをボンゴの木にぶちまけたいと思うまでに、両者の対立は一触即発の状態となった。もちろん、武器を発砲すれば遠征隊の居場所を敵に知らせることになるのはコクソンも知っている。かつてのモーガンと同じように、このコクソンが先頭に立って秘密裏に行った襲撃は数知れない。一六七七年のサンタ・マルタ、一六七九年のホンジュラス湾、一番新しいところではポルトベロの襲撃が有名だ。そもそもダリエンの密林で銃を発砲した者は死刑に処する（この場合も無音で処刑されるのだろう）と定めたのもコクソンだった。悲鳴がひとつあがっただけでも、敵に居場所を知られかねない。ハリスをひっぱたいただけでも、当然悲鳴があがるだろう。

　ハリスのほうも、銃を突きつけてコクソンを撃ちたい気持ちはあっただろうが、慎重さが邪魔したようだ。ケント州で生まれ育った頑健な船乗りは、一六七一年に参加したモーガンの襲撃を皮切りに、人並みにこういった際どい場面に立たされており、勇猛と同時に思慮深さで定評があった。一六七九年の十二月、南海遠征の話をソーキンズからきく直前のこと。気がついたらハリスは三十二門の大砲を備えたイングランド海軍のフリゲート艦に追われていた。ハリスの百五十トンの船には二十五門の大砲が備わっていたうえに、射撃の名手として名高い百七人のバッカニアがマスケット銃を持って乗りこんでいる。それでもハリスは交戦には出ず、とことん追わせて浅瀬におびき出し、敵船を砂州で自滅させたうえで逃げたのである。

　コクソンのほうは慎重になどなれるはずもなかった。四月のダリエンは最低気温がカ氏七十五度（セ氏二十四度）で、最高気温はカ氏九十度（セ氏三十二度）を超えることもある。ただし夜間であっても湿度は八十パーセントを下まわることはめったにないため、体感温度はカ氏百度（セ氏三十八度）を超える。日中にダリエンのジャングルに踏みこむことは、着衣のままサウナに入るのに等しい。

　それにくわえて、虫である。ダリエンの悪名高い蚊の群れさえも、これに比べれば取るに足らないと思わせる強者がいる。目に見えないほど小さい身体で人間の毛穴や毛嚢《もうのう》に潜りこみ、血を吸い出すスナバエだ。蚊の刺し傷の四倍もある跡を残し、気がおかしくなりそうなほどのかゆみを起こす。さらに手に負えないのが黒ウマバエで、これは人間の皮膚に産卵して、卵は皮下で幼虫になって寄生相手を食っていくのだが、何十もの黒い棘《とげ》を持つために、取りだすには激痛を伴う。そのまま にして三週間が過ぎると、寄生された人間は、恐怖と安堵《あんど》を同時に味わうことになる。黒ウマバエの幼虫は、ジェリービーンズほどの大きさに成長すると、自分から皮膚を突き破って外に出てくるのである。

こういった悪条件が重なって、コクソンはまともに考えられなくなったのだろう。何が起きたのか知らないが、こうなったらもうハリスを撃つしかないと判断して銃を取りだした。おそらくマスケット銃であったろうから、複雑で多段階にわたる弾薬の装塡をしているあいだに、正気を取りもどす時間は十分にあったはずだ。にもかかわらず、ハリスの頭を狙って引き金を引いてしまった。何狙いははずれてハリスには何ら被害はなかったものの、鋭い銃声がジャングル中に響き渡った。何マイルも先にいるスペイン人の耳にも届いたはずで、彼らと同盟を結んだ原住民はまずきき逃さなかっただろう。ハリスは即座に反撃に出ようと自分の銃をつかんだが、そこへ「自分が仲裁に入って、大人しくさせた」とシャープが日誌に記している。

緩衝措置として、バッカニアたちをふたつのグループに分けることをゴールデン・キャップが提案した。片方はこれまで通り徒歩で進み、もう一方はカヌーで川を下るというのである。カヌーは手下に調達させたというから、おそらく近場の村で入手したのだろう。コクソンは承諾し、それからまもなく、リングローズ、コックス、シャープ、ポウヴィーを含む六十九人のバッカニアたちとともに、アンドレアスのあとについて川岸へ向かった。するとそこに、言葉どおりカヌーが待っていた。背の高いヒマラヤスギやカポックノキの幹をつかったもので、両側面を斧で平らに削って船体にし、上の面をくり抜くか焼ききるかして操縦席がつくられている。「木材は真っ赤で、見たこともない美しい木目を浮かびあがらせており、強い芳香を放っていた」とウェイファーがヒマラヤスギについて書いている。

バッカニアにくわえて、それぞれのカヌーにはクナ族が二名乗り合わせる。ひとりが水先案内人、もうひとりが操縦士を務め、竿をつかって船を進めていく。川の流れは「弓から放たれた矢のようで、流れに乗ればカヌーはすいすい下流に進んでいく」ものと、ポウヴィーは期待した。しかし、それだけ流れが速ければ、途中にある切り株や岩にわずかでも触れれば、粉々に砕けるとまではいかないまでも、カヌーはひっくり返ってしまう。見れば川の表面には木の幹や枝が浮かんでいて前途を塞《ふさ》いでいる。その数があまりに夥しいので、バッカニアたちは猜疑心《さいぎしん》を募らせた。ひょっとして自分たちの遠征を阻むために、スペイン人が木を切り倒したのではないか。あるいはスペイン人と共謀した原住民の仕業《しわざ》かもしれない。コクソンの放った銃声をきいた彼らは、バッカニアたちをここにとどめておいて、スペイン軍に奇襲をかけさせようと目論《もくろ》んでいるのだ。障害物がなくとも、この川は問題含みだったと、無数の滝やへアピンカーブを渡ってきたリングローズが、あとからふりかえっている。「どこを見ても、目と鼻の先に危険が待ち構えているものだから、何度も足止めを食らい、みんなでカヌーを運んで砂地や岩場を越えないといけなかった」

そんな毎日も二日目に入った夜、一行は川岸にキャンプを張った。疲れきっているのに眠ることができないのは、「トラ」がすぐ近くにいて、こちらを見おろしているからだった。おそらくそれはジャガーだった。アメリカ大陸に生息している猫科最大の動物で、その芥子色の体表に黒い斑紋があることから、よくトラと間違われる。マスケット銃を一発ズドンとやれば逃げていくだろうに、ここに至ってバッカニアたちにはそれができない。近くにスペイン軍が迫っているといううわさがあるからだ。そのうわさに、疲労と睡眠不足が重なって、バッカニアの胸にクナ族への疑念がふたたび燃えあがった。

ようやく朝になると、一行は川にもどったものの、「われわれの辛苦は減じられるどころか倍加した」とリングローズが書いている。カヌーを漕ぐのが「耐えがたい」うえに、孤立感が募っていく。徒歩で進んでいる二百五十六名の仲間たちと、もうとっくに合流していいはずだった。ここに至ってコックスは確信する。「インディアンたちはわれわれを故意に分割した。そのほうがスペイン人たちと共謀してわれわれを倒しやすいと考えたのである」

この期間、シャープの日誌は仲間たちとは対照的で、みんなでカヌーに乗って、のんびり船旅を楽しんでいるかのような書きぶりだ。リングローズが「耐えがたい」とした同じ日に、シャープは、「清流で快適な船旅」を楽しんだと記し、カヌーを陸に引き揚げる重労働でさえ喜びに感じている。「力仕事ではあるものの、これはわれわれにとって喜びといわねばなるまい。この遠征を無事終えたいという同じ願いのもとに、あらゆる者の胸に強い団結心が生まれている」とあり、トラやジャガーに関する言及はまったくない。その夜のシャープの日誌は、「ウォレと呼ばれる上等な肉質の野獣が料理され、これはイングランドのブタに味が似ていた。何もかもがすこぶる美味であった」と、アンドレアスの料理人が用意した夕食を絶賛するばかりで終わっている。しかしながら合流地点に徒歩組がやってくる気配が一向にないとなって、シャープは「非常に怪しい」と猜疑心を募らせるようになる。

バッカニアたちの猜疑心は、徒歩組を捜索するためにカヌーを一艘、別の支流に送りだしたアンドレアスにも向けられた。川辺にすわって日がな一日カヌーがもどってくるのを待っているシャープ、リングローズ、コックスとその仲間たちはやがて確信した。アンドレアスがカヌーを送りだしたのは、スペインの分遣隊にバッカニアたちが接近していることと、その人数を教えるために違いないと。しかし日没の一時間前、カヌーは徒歩組の数名を乗せてもどってきた。そちらもまた、クナ族の背信をずっと懸念していたらしく、そうではなかったとわかって心からほっとしているようすだった。徒歩組の残りは翌日、ダリエン遠征の九日目に到着した。仲間どうし喜びの再会を果たし、クナ族が忠実であったことも証明されて、川辺でちょっとしたパーティが開催された。シャープが記しているところによると、アンドレアスは「部族の民に命じて、カヌー数艘にウォレやプランテーンをどっさり積んで持ってこさせ、われわれを大いに鼓舞してくれた」という。クナ族はまた、五十四艘のカヌーを調達してくれたので、ここから先はバッカニアたちも一丸となって進める。

パーティのあとの時間は、サンタ・マリア襲撃のために休養を取り、武器をきれいにするのに費やされた。ゴールデン・キャップによれば、翌日の夜には現地に到着するらしい。

5　決死隊

四月十四日の夜明け、ダリエンに入って十日目となったこの日、三百二十六名のバッカニアがクナ族とともに、六十八艘のカヌーに乗りこんだ。それまでつかっていた竿に代わって、ここからは各自が間に合わせのオールやパドルを水に突っこんで全力で漕いでいく。それもこれも、サンタ・マリア襲撃の前に仮眠を取りたいと考えているからだ。襲撃は日の出と同時に始めるが、このタイミングが勝利の鍵を握っている。六時をわずかでも過ぎて目覚めれば、もう闇に乗じて攻め入ることはできない。かといって日の出前に出発しては、ターゲットが目視できない。敵の混乱に乗じるという意味でも、日の出と同時の襲撃には利点があった。「そんなわけで、考えられる限り最速で、われわれはカヌーを漕いだのである」とリングローズが記している。

クナ族はすでに戦闘服に着替えていた。ゴールデン・キャップが締めている「トラの歯のバンド」には、クナ族の信仰がこめられている。動物の特定部位は、それを身につけた者の技量を補完すると信じられており、トラの歯は強力な殺傷能力を付与する。父親と同じように、ゴールデン・キャップも全身を黄金で固めており、コックスによれば、「純金の帽子」をかぶり、「リングと、ザルガイの貝殻に似たプレート」を鼻からぶら下げている。黄金の装飾品はクナ族のエリートにしか着用が認められていなかった。ボディ・ペイントもまた、戦士の階級を示すもので、赤は魔力を体内に満たすと信じられている。黒いボディ・ペイントを施《ほどこ》している者もいて、これはウェイファーによると、「スペイン人などの敵を殺した男に与えられる紛れもない名誉の徴《しるし》」であるという。

それから十八時間が経過した深夜、もう眠っているはずの時間になっても、全員が必死になって漕いでいる。さらに二時間が経過した頃、とうとうクナ族が、その夜にキャンプを張ろうと考えていた土地の汀線《ていせん》を認めた。サンタ・マリアからわずか半マイルしか離れていない場所であり、その近さゆえに安全確保の面で不安は残る。しかし、こんな荒れ果てた場所までスペイン人が踏みこんでくるわけはないとバッカニアたちは判断した。「樹木が鬱蒼《うっそう》とする非常に不潔な低地で、川の流れが緩慢なため、泥の悪臭が立ちこめている」とウェイファーが書いている。

ようやく上陸を果たしたものの、鬱蒼とした森のなかでは寝場所をつくるにも道を切りひらいていかないといけない。寝るといっても、あと数時間もすれば明るくなってしまう。そもそも、この悪臭と、いつ見つかるかもしれない不安と、戦闘前の緊張のなかで、眠れるものだろうか。ところが蓋をあけてみれば、がむしゃらに二十時間もカヌーを漕ぎ続けた疲労が、強力な睡眠薬として働いたのだった。

次にリングローズが覚えているのは、一発の銃声で目が覚めたことだ。わずかに兆《きざ》した曙光《しょこう》が、闇のなかに野営地の輪郭を浮かびあがらせており、自分たちが眠りについた場所は驚くほど背の高い樹木に囲まれているとわかった。不思議なことに、硝煙はどこにもあがっていない。スペイン人の襲撃者もいない。クナ族とバッカニアが起きだして、銃声がきこえてきたサンタ・マリアの方角に頭を傾けているばかりだ。ひょっとして先の銃声は兵の交替の合図ではなかったか。その推理は当たっていて、まもなく断続的な太鼓の音がきこえてきた。さあ時間だ、寝床から出て勤務につけと兵士たちに知らせているのだ。

　太鼓の音はまた、ソーキンズ船長と四十八名の「決死隊」への突撃の合図にもなった。敵の防御陣地に乗りこんでいって、戦いの火蓋を切るのである。この隊には自ら志願したバッカニアもいたが、サイコロ投げで不運を被った結果、仲間入りをした者もいた。七時までには、シャープを含むソーキンズの一団は森のへりまで前進して、その向こうに広がる何もない野原を覗いていた。数百ヤード先に要塞があって、高さ十二フィートの矢来の壁が立っている。頑丈な木の棒が地面にずらりと埋めこまれており、要塞に入るためには、この壁を乗り越えるか、突破する方法を見つけなければならない。

　ソーキンズの突撃命令で、決死隊は野原へ飛びだした。その瞬間、要塞で銃声が激発した。秒速千フィートで一斉に飛んでくるマスケット銃の銃弾が木の幹に命中し、地面にめりこみ、噴きあがる芝と黒土が宙をまだらに染めていく。スペイン軍は明らかに、バッカニアたちの攻撃を予測していた。コクソンがハリスの頭を撃ち抜こうとした銃声。あれを斥候《せっこう》たちがききつけていたのだ。

　前進しようにも援護がおらず、敵にはつけこむすきもないとなって、ソーキンズが取るべき戦略はふたつに絞られた。ひとつは撤退命令を出すこと。奇襲攻撃において敵に気づかれた場合、即刻その場を去るというのがバッカニアの鉄則だった。もうひとつは、全員地面に伏せて敵に狙われにくくし、ふたり一組で敵の要塞へ近づいていくというもの。ひとりが撃っているあいだに、もうひとりはふたたび弾丸を詰められる。敵の銃撃を抑えつつ、矢来に突破口をつくるというのが最終目的だ。しかしソーキンズはどちらの戦略も却下した。代わりに、敵の要塞めざして全速力で走り続ける。「恐れ知らずの勇猛の士」という仲間の言葉に嘘はない。おまけにソーキンズは観察力も鋭かった。それからすぐ決死隊は森を出たわけだが、誰ひとり銃弾の雨を浴びていないことにソーキンズは気づいた。おそらくスペイン人たちの射程はおよそ二百ヤードで、自分たちはその圏外にいるのだと判断した。

ソーキンズはさらに、スペイン人たちが訓練を欠いていることも見抜いた。そうでなければ、一斉射撃ではなく各個射撃によって切れ目なく銃弾を浴びせてくるはずだからだ。あるいはバッカニアたちが射程距離に入るのを待つという手もある。ところが現状では、敵はマスケット銃の再装塡にひどく手間取っているらしい。撃鉄に安全装置を掛けた状態——あるいは半撃ち——にしておいて、弾薬箱から紙の弾薬筒を取りだし、そのなかの黒色火薬を少々火皿に詰めてから、当て金（火皿の火薬を覆うと同時に、火打ち石が火花を発生させる際の打撃面となる）を閉め、残りの火薬を銃身に注いでから、弾薬筒、銃弾を順次装塡していき、しかるのちに銃身の底からこめ矢を抜き、それを銃身に押しこんで銃弾を正しい場所に移して固定する。そこまでやって初めて、スペイン人たちは撃鉄を完全に引くことができ（そうしないで、中途半端なやり方で撃っても、銃弾は発射されない）、そこからターゲットを見つけ、狙いを定め、ようやく発砲するのである。熟練した人間なら、そのプロセス全体をおよそ二十秒で行うことができるものの、それはよほど条件がいいときである。戦いのさなかにあって、要塞の全員が一斉射撃に出て、黒い硝煙に目と肺を刺激されるという状況は想定していない。そしてもし、相変わらずスペイン人が、火縄で火を点火薬につける火縄銃（火打ち式マスケット銃の前身で、もっと大きくて重く、複雑な仕組みを持つ）のような旧式の火器をつかっているとしたら、再装塡には二倍の時間がかかる。

ソーキンズとその部下たちは、おそらくスペイン人たちがまだこめ矢をいじくっているであろうあいだに、要塞へ到着した。それでもまもなく敵は再装塡を完了するわけで、決死隊は頭上から至近距離で飛んでくる銃弾を避けながら、十二フィートの矢来をよじのぼることになる。後ろに下がって、仲間たちが壁をよじのぼるのを援護射撃する側にまわることはできる。しかし矢来のてっぺんにたどりついた人間が、顔に短剣か銃弾を受けるのは避けられない。

ソーキンズはそのいずれも選ばず、壁を突破することにした。地面に埋めこまれた矢来は、すきまにコケや小さな枝が詰まっており、継ぎ目は目板で塞《ふさ》がれている。砲火を浴びながら——ここに至って弾丸にくわえて矢も飛んできた——ソーキンズは二、三人の手下とともに棒杭の一本を地面から引き抜きにかかった。ほんのわずかに傾いただけだったが、それでも隣の棒杭が動かしやすくなり、そちらを力尽くで倒そうとするあいだに、ソーキンズは頭に矢を受け、その隣にいた人間は手を撃たれた。それでも戦線から抜けることはせず、ともに後ろに下がり、広がったすきまに身体を押しこんでいく仲間の援護射撃にあたった。

しかし、要塞内ではスペイン兵が銃を構えて待っている。こちらは飛びこんでいくのであって、敵は動く標的にそう簡単に弾を命中させられるとは思えないが、それでも恐ろしいことに変わりはない。誰だって銃弾の雨が降るなかに自ら飛びこんでいくのは気が進まないもので、バッカニアの船員雇用契約書はその点を考慮に入れて補償を定めている。たとえばヘンリー・モーガンのそれでは、「いかなる戦闘でも、敵の要塞に真っ先に飛びこんでいくといった目覚ましい活躍を見せた人間には……五十ピース・オブ・エイトを与える」と約束している。結局、矢来のすきまに身を潜りこませた男は、無傷で要塞内に侵入を果たした。おそらく侵入しながら発砲して敵の攻撃を抑えたに違いない。彼のあとに従って、同じように銃を発砲しながら、どっと雪崩《なだ》れこんできた決死隊に、スペイン人は避難場所をさがして逃げ惑った。

結果、四十八人から成る決死隊と二百六十人のスペイン兵が、要塞内で接戦となった。バッカニアは射撃の名手であり、しばしば通常の二倍から三倍量の銃弾を放つことができた。これは、こめ矢をつかわずに発砲する技術のおかげであり、銃の台尻を地面にガツンとぶつけるだけで、銃弾と火薬が正しい位置に収まる。

接戦の距離はまたたくまに狭《せば》まって白兵戦となり、剣が引き抜かれた。バッカニアは剣術にも優れており、独特な形状を持つ短剣カトラスが、海賊生活にはすこぶる使い勝手がいい。船上では、その重みと厚みのある短い刃で、キャンバス地やロープを易々《やすやす》と切り裂けるうえに、いざ戦いとなれば、敵の身はもちろん、軽量な剣の刀身も、それでぶった切ってしまえるのだ。残りの部隊が到着する前に、決死隊はすでに二十六名の敵を殺し、十四名を負傷させ、スペイン軍を降伏へと駆り立てた。バッカニア側の負傷者は、ソーキンズと手を撃たれた男、合計二名にとどまり、たった半時間で戦闘は片がついた。

ほかのバッカニアたちとともに要塞に入りながら、リングローズは首を傾げていた。守備隊の数があまりにも少ない。それが悪いというのではないが、こちらは四百人近いスペイン兵が待ち構えているものと予想していた。これは何かおかしい。バッカニアのあとから、アンドレアスとゴールデン・キャップをはじめ、クナ族の分遣隊が駆けつけてきた。戦闘の結果に対する彼らの反応も、プリンセス解放の詳細も、プリンセスの名前同様、歴史に埋もれている。バッカニアたちは戦利品のことで頭がいっぱいで、クリスマスの朝のように、サンタ・マリアの町めざしてひた走った。

プリンセスが父親や祖父と再会した場面については、リングローズの記録しか残っていない。

「われわれは（ゴールデン・キャップの）長女を見つけ、救出した。彼女はスペイン守備隊の男によって、父親の家から無理やり連れ出されたようだった」とあり、その男とは、ホセ・ガブリエルというスペイン兵だった。リングローズはまた、サンタ・マリアの状況に何か怪しいものを感じはじめたこともほのめかしている。救出されたプリンセスにおいては、喜びに泣きぬれて祖父と父に抱きつくといった、当然予想される反応がない。何か心的外傷を受けているのだろうか？　あるいは、サンタ・マリアの町が好きになったとか？　彼女が妊娠しているのを見てとったクナ族のリーダーたちはしかし、相手さがしに奔走《ほんそう》することはなかった。近場にいるスペイン兵たちを森へ引きずっていって、かたっぱしから刺し殺したのである。

そのときにはリングローズはバッカニアの一団とともに、スペインの植民地へ期待に胸を膨らませて飛びこんでいた。植民地特有の豪邸があちこちにあって、極上の食品やワインが食べ放題飲み放題で、どの家にも黄金や宝石をちりばめた肖像画があふれている……はずだった。ところが来てみれば、籐《とう》でできた藁葺《ぶ》き屋根の粗末な家が五軒ほどと、つまらない教会がひとつあるだけ。サンタ・マリアの町は、「町」などではさらさらなく、最低限の機能を提供するだけの、駐屯地の付随施設だとバッカニアたちは気づいた。それらの家々を覗いても、「財宝と呼べるものは皆無で、飢えて骨と皮になったわれわれの旺盛な食欲を三、四日満たせるだけの糧食さえないのだった」とシャープが書いている。

しかしながら現時点においては、糧食以上に黄金への渇望を満たすのが先決で、一行はすぐさまサンタ・マリア川沿いに延びる砂金の選別所へ走った。リングローズによれば、「その川幅はロンドンのテムズ川の二倍」、つまり約二千フィートあったそうだが、驚いたことに、そこに残っていたのはカボチャのワタをくりぬいた容器に貯蔵された、ほんのわずかな砂金のみだった。それからほかの場所もしらみつぶしにさがした結果、五千ピース・オブ・エイトに相当する二十ポンドの金が見つかった。全員で均等に分ければ、ひとりあたり一頭の雌牛を買える計算だ。ワニがうようよいる川に踏みこんだ危険に見合うだけの報酬とはとてもいえない。いったい残りの黄金はどこにいったのか？

捕虜となったスペイン兵はしぶしぶ情報を提供した。長持四つ分の砂金のほかに、鉱山から掘り出した三百ポンドの金鉱石が、ちょうど三日前にパナマへ船で送られたという。悪い知らせはそれで終わらなかった。サンタ・マリアの総督は、バッカニアが接近しているとの警告を事前に受け、黄金を持ってパナマへ避難したと捕虜の話は続く。その際総督は、司祭や町の高官らも引き連れており、彼らを人質に取って身代金を要求するというあてもはずれた。残されたのは金鉱のみ。しかしこれについても、駐屯地にいた四百六十名の兵のうち二百名が、襲撃に備えて金鉱石を避難させるために急ぎ山へ駆けつけているという事実があった。駐屯地にはもっと多くの兵がいるはずだというリングローズの推測は当たったわけだが、少しも慰めにはならない。

バッカニアたちの戦利品には、わずかな黄金にくわえて、ワイン、ブランデー、パン、干し豚肉、そして衣類もあったに違いない。上着や帽子から始まり靴下に至るまで身ぐるみはぐのが、海賊の一般的な作法だ。それにしても、大きな期待を抱いていたわりに、収穫は誠にお粗末というしかない。「この地で大量の黄金を戦利品として持ち帰るという大きな希望は完全に潰えたものの、ここまで大変な苦労をしながら手ぶらで帰るというわけにもいかない。そう遠くない場所に大量の財宝があると思えばなおさらだ」とリングローズが記している。

金鉱はすぐ近くにあり、最近掘り出した鉱石は駐屯地からやってきた部隊が避難させていたものの、金の鉱脈はほぼ無限に残っていることにダンピアは気づいた。これは「ゴールデン・ドリーム」と自ら呼んでいるプランを実現する好機だと彼は思う。バッカニアたちがサンタ・マリアに残って河口を砦で固めれば、「ペルーにいるスペイン人たちが総力をあげて進撃してきても、守ることができる」と考えたのだ。バッカニア自らが砂金を集め、鉱石を掘り出し、彼らが北海と呼ぶ海、すなわち大西洋へ送りだす。そんな図式を夢見たのである。何千という「海辺の同胞」――カリブの海賊たちは自分たちをそう呼び習わした――が、その事業に加わろうとどっと押し寄せるのは間違いなく、遙か五百マイルほど南のエクアドルの首都キトに至るまで、あらゆる金鉱を支配することができるとダンピアは考えた。

しかしバッカニアのほとんどはサンタ・マリアに残ることに反対した。「鉱石を精練する技術を持つ人間がいない。一番よいのはスペイン王の紋章つきの金の延べ棒をさがすことだった」とコックスが理由を説明している。パナマは百二十マイル離れた先にあるものの、行程のほとんどはカヌーをつかって楽に横断できるうえ、そこには「黄金と財宝を渇望するわれわれの欲求を十分満たせるだけのお宝がある」とリングローズは書いている。彼は特に、丸ごと銀でできているといわれるポトシ山からの収穫に心引かれていた。高さ一万五千八百二十七フィートあるポトシ山（セロ・リコの名でも知られる）は、現在のボリビアに位置し、じつのところ、そのほとんどは頁岩《けつがん》でできている。しかし一五四五年に発見されて以来百年にわたって、この山から世界の産出量のほぼ半分の銀が取れるとずっと信じられ、以来その神話の霧が晴れることはなかった。鉱石はラマとラバを連ねて太平洋岸を運ばれていき、そのあと、一五〇〇年以来、ペルーとメキシコから掘り出されてきた百八十一トンの金と一万六千トンの銀と同じように、パナマへ船で運ばれた。もしパナマの襲撃が成功すれば、海賊史上最大の収益をあげることになる。いや、それをいうなら海賊に限らず、あらゆる略奪行為において、史上最大の快挙となるはずだった。

6　西半球で二番目に大きい都市

しかしパナマ襲撃はかなりの問題含みだった。サンタ・マリアへ向かう行軍のあいだに、すでに五人のバッカニアがゴールデン島にもどっているうえに、さらに十二人がサンタ・マリアの略奪品を持って、船を守っている仲間たちに計画の変更を知らせに帰らねばならず、この先の遠征は三百十四名で行わねばならない。西半球で二番目に大きい都市（一位はメキシコシティ）に、たったこれだけの人数で攻め入るのは無謀ではないかと、コクソン船長は早くから考えていたが、サンタ・マリアの総督がパナマへ向かっていることがわかってからは、なおさら疑念を強めた。こちらの動きは当然先方に見透かされているわけで、奇襲の旨味もないところへ少人数で攻撃を仕掛けて、いったいどれだけの勝算があるだろう。ヘンリー・モーガンが千二百名の手下を引き連れて一六七一年にパナマに乗りこんだときには、三千六百名から成るスペインの部隊に奇襲をかけ、たった五時間の戦闘で町を攻略した。しかし不意打ちを食らったとはいえ、その際スペイン人たちは町にある金銀財宝を大量に運び出し、一隻の船に乗せて出帆している。不意打ちではない今回の攻撃では、コクソンたちがパナマを目にするよりずっと前に、スペイン人は金銀財宝を避難させることができるだろう。

それでコクソンは、パナマは忘れてカリブにもどり、そこの海を荒らしまわることを提案した。

カリブ海には、まるで海賊に便宜を図るかのように格好の条件がそろっている。小島、礁《しょう》、中州、人目につかない海岸の裂け目が数多くあるから、再補給の機会はいくらでもあり、商船を待ち伏せして奇襲をかけることもできるうえに、船のメンテナンスに欠かせない、船体を片舷へ傾けての修理清掃や水がもらないようコーキングするといった作業もできる。それにくわえて、この広大な陸地を取り囲む海は、喫水の深い軍艦には水深が浅すぎて、バッカニアの小さな船を追いつめること は敵《かな》わないのだった。「軍艦に海賊の船を追わせるのは、雌牛に野ウサギを追わせるのに等しい」と、イングランド海軍のある司令官がいっている。南海には、そういう自然環境の利点がないため、たとえバッカニアたちがパナマを攻略して、そこにある黄金をひとつ残らず船に積んで逃げようとしても、強大なスペインの軍艦の格好の標的となり、どこまでも追いかけられるはずだった。そういった理由から、この海域にあえて入っていこうとするイングランドの海賊はサー・フランシス・ドレイクを最後に、それから百年にわたって皆無だったのである。

しかしコクソンの提案は仲間たちの心に響かなかった。みなが嫌って寄りつかないということは、手つかずの領域というわけで、「梨の木から実をもぎとるように、ピース・オブ・エイトが集められる」と彼らは主張する。そもそもコクソンが乗り気でないのは、ソーキンズに司令官の座を奪われる不名誉を回避したいからではないかと、仲間たちは疑っていた。以前から、みなに愛されていたソーキンズは、頭に矢を受けてもびくともせずにサンタ・マリアの勇者となり、今や大変な人気を集めている。もしパナマ遠征が決まったら、遠征への契約書を起草する際に、司令官を誰にするかは、もはや議論の余地はない。問題は、自分たちがソーキンズを選んだら、コクソンは怒ってゴールデン島にもどり、彼の正規の乗員九十七名もそれに従うということで、そうなると残ったわずかな人数だけでパナマを攻略するのは不可能になる。そんなわけで、パナマ襲撃に賛成する面々は、新たな契約において、引き続きコクソンを司令官とすると約束した。すると、果たせるかなコクソンは賛成にまわったのである。

そのほかの条項にどんな内容が含まれていたのかは、サンタ・マリア遠征のとき同様、歴史に埋もれているが、「海辺の同胞」のあいだで事実上の法令となっている慣習を踏襲したものと見てまず間違いない。そこで真っ先に定められているのは、「犠牲無くして報酬無し」の精神に基づいた、報酬に関する規定である。お宝を頂戴したあと、まずは船医や大工といった技術職にその職能に見合った報酬を渡し、残ったものをみんなで山分けする。船長や上級船員はその階級に合わせて追加報酬も分配された。またこの契約書には、砦に突破口をつくったというような目覚ましい活躍をはじめ、さまざまな功績に対するボーナス規定も盛りこまれている。さらに労働災害への補償も定められていて、左腕を失った者は五百ピース・オブ・エイトか奴隷五人を、右腕を失った者は六百ピース・オブ・エイトか奴隷六人を受け取ることができる。同様に、左脚は四百ピース・オブ・エイトか奴隷四人、右は五百ピース・オブ・エイトか奴隷五人。目や指はひとつあたり、百ピース・オブ・エイトか、奴隷ひとりの補償を受け取ることができる。

こういった補償やボーナスを受け取るには、各人が条項を遵守することを誓わねばならず、多くの船長は乗員たちに契約書への署名や十字署名（×印）を求めた。しかしながら、書面へのサインについては、リングローズ、ダンピア、ウェイファーといった比較的慎重な面々にはためらいがあった。署名すると同時に契約書は犯罪の証拠となり、署名者は遠征途上で犯したあらゆる犯罪行為の共犯者と見なされるからだ。しかも今回は、本人たちが考えている以上に、法的な正当性が問題局面だった。

というのも、今回の遠征はアンドレアス自らがバッカニアたちにサンタ・マリア攻略を委託しただけではない。リングローズが記しているように、ゴールデン・キャップにも率いてもらって、「自分たちの欲望を満たすために徹底的な略奪をする」のも許している。しかしサンタ・マリアとは違って、パナマはアンドレアスの支配が及ぶ圏外にあるわけで、イングランドの慈悲深い陪審はそこでの行為には一六七七年制定の海賊取締法をまず適用する。その法には、イングランド国民が「いかなる外国の君主や国家でも、その下で働くこと」は重罪であると明記されているのである。「報復的拿捕《だほ》許可状」に基づいた正当なる襲撃だと訴える手もある。すなわち、損害を取り返すために国境を越えて船を拿捕して貨物を押収することを政府が許可する書状だ。たとえば「腕とカトラス」のカラフルな図を旗印とする船長エドモンド・クックは、一六七三年の五月にスペイン人たちと衝突したために、このような許可状が発行されると約束されていた。彼は百三十トンの商船「ヴァージン」に乗ってジャマイカからロンドンへ向かっていたところ、スペインの沿岸警備隊グアルダコスタに代わって働く、アイルランド出身のフィリップ・フィッツジェラルドという男に船をとめられた。フィッツジェラルドはヴァージンに乗りこんできて、四十二トンのロッグウッドを密輸品として押収した。クックはロッグウッドを伐採する免許を持っていると反論したものの、これに対してフィッツジェラルドは何の説明もなくヴァージン自体も押収し、クックと手下の乗員たちを二週間分の糧食とともに一隻のボートに乗せて大海を漂わせたのである。

苦難の二か月を経て、ようやくジャマイカに着くと、クックは即座に「貿易と植民地に関する委員会（チャールズ二世王がイングランドの植民地を監督するために組織した委員会）」に賠償金を嘆願した。一年後の一六七四年七月三日、委員会はクックを「西インド諸島に交易に出て、スペイン人に野蛮かつ非人道的な扱いを受けて船と貨物を奪われ、拷問の苦しみを与えられ、殺されたイングランド商人のひとりである」と確認した。それで委員会は一万二千八百六十三ポンド（一ポンドは四ピース・オブ・エイトに相当する）の損害を回収するよう、彼をマドリードへ派遣するという通達を出した。もし、被害の回収が四か月以上遅れた場合には報復許可状が発行されると、追加条項も書かれていた。しかしそれから五年経っても、法廷では依然として審理が進まず、クックはまだファージング硬貨（四分の一ペニー）一枚たりとも受け取っておらず、報復許可状も発行されていなかった。ためにクックは借金の請求書を携えて、交易目的でふたたび西インド諸島へもどったのだが、ここでもまた、彼の船は沿岸警備隊――今ではクックも、それがスペインの海賊だとにらんでいた――に違法に押収されてしまったのだった。そういう事情を鑑みれば、イングランドの陪審は、まだ発行されていない許可状を盾にクックがパナマで正当なる補償金を手にしても、しぶしぶ見逃してくれるのではないか？　おそらく許されるだろうが、その場合、バッカニアがパナマで略奪できるのは、一万二千八百六十三ポンドに限定される。

　しかしモーガンは、もっと薄弱な後ろ盾でパナマを襲撃していた。彼が手にしていたのは、ジャマイカの総督に発行してもらったスペイン商船拿捕免許状だった。彼がパナマを占領したのは、新世界におけるイングランドとスペインのすべての紛争を解決するためにマドリード条約が結ばれた六か月後で、このような略奪行為に私掠《しりゃく》免許を発行する慣行は廃止されていた。結果、パナマからもどったモーガンは海賊行為を告発されてイングランドに連れていかれ、裁判に先だってロンドン塔に投獄された。モーガンは告発をまったく不当なことと訴えた。スペインの私掠船がイングラン

ヘンリー・モーガンの肖像

ドに対して度重《たび》なる攻撃を仕掛けてきたのに対して、自分は王に代わって返報したのだと、そう主張したのである。そもそも自分は、マドリード条約が結ばれたという知らせがジャマイカに届く前にパナマに出発していたと、そうつけくわえるのも忘れない。どちらの主張も怪しいが、イングランドでは陪審も法執行官も、スペイン人に恨みがある。新世界の支配について自分たちは「全能の神から許可を得ている」と宣言する堕落したカトリック教徒どもが、当然の報いを受けたのだと考える傾向にあった。モーガンは裁判を免《まぬが》れたのみならず、ナイト爵の身分を与えられて、チャールズ二世王の肖像つきの、ダイヤモンドをちりばめたかぎタバコ入れを王からじきじきに賜《たまわ》った。それからまもなくモーガンは、ジャマイカに副総督の身分でもどったのである。

しかし一六八〇年にリングローズ、ダンピア、ウェイファーが契約書にサインすることを考えたときには、イングランドとスペインのあいだに平和的関係が結ばれていた。そればかりか、相互の貿易をもっと盛んにしようと、両国ともに海賊撲滅に積極的に乗りだしていた。そしてモーガンもまたカリブ海で先頭に立って事にあたっていた。ジャマイカにおける連隊の司令官に任ぜられるとともに、代理海事裁判所（海事裁判所は海事事件について審理する一方で、代理海事裁判所は海事事件でも植民地関連の事件を扱い、陪審はいない）の判事にも収まっていたのである。この新しい役割についてモーガンは、「ダイヤモンドをカットする道具に、ダイヤモンドに如《し》くはない」とのたまった。

いったいその本意はどこにあったのか？　スペインの船舶や植民地を荒らしまわる同胞のバッカニアたちを、モーガンは本気で取り締まろうというのだろうか？　その答えは、一隻のスループ船にまつわる、ある風説から見えてくるかもしれない。夜間の闇に乗じてジャマイカのモンテゴ湾に駆けこんだその船は、見つからないよう岸から十分離れた沖合に錨《いかり》をおろした。にもかかわらず、イングランドの沿岸警備隊の船が一直線に向かってきて、乗船している十七人のバッカニアたちをぞっとさせた。ところが警備員は彼らを逮捕するのではなく、ジャマイカの副総督サー・ヘンリー・モーガンの夕食の席に招待するという。そういう誘いを断るのは心に疚《やま》しいものがある人間だけだろうと考えて、バッカニアたちは誘いを受けた。彼らとしては、キツネが鶏小屋の管理を任されたという、そのうわさが本当であることを祈るばかりだった。

一団が総督の豪邸にエスコートされていくと、そこにモーガンが待っていた。酒焼けした赤ら顔のウェールズの庶民は、落ち着いた環境に息苦しさを感じているようで、だからこそ、「海辺の同胞」である、みすぼらしい毛むくじゃらの男たちを歓迎しているのかもしれない。まるで長らく会っていなかった家族と再会したようだった。夕食は豪華な宴会となり、島の極上のラムが次々と注がれてゴブレットが空《から》になる暇がない。ポート・ロイヤルから遠く離れた沖に錨をおろしているところを見ると、ひょっとしてきみたちはバッカニアではないか、そうにらんだのだと、モーガンは語る。いや、そうであってほしいと願っていたんだ。何しろ「海辺の同胞」のゴシップに飢えていたからねと。自分はいつでも新しい「ビジネス・パートナー」をさがしていると、モーガンはそんなことも話した。バッカニアたちはいい気分になり、次第に口も軽くなってきて、モーガンが喜んだことに、まもなく次から次へ武勇伝を語りだした。モーガンのほうもまた、お返しに自分の海賊時代の逸話を披露する。盛りあがる話は深夜にまで及び、モーガンはバッカニアたちに、今夜は泊まっていったらどうだと誘う。ハンモックではなく、豪華な客室で我慢してもらえるならと。

翌朝、バッカニアたちは、ふかふかのベッドから起きあがるなり手錠をかけられた。これは何かの間違いだという訴えも笑い飛ばされ、兵士らの手で代理海事裁判所へと引っ立てられていった。それでも幸いなことに判事席には、我らが友、モーガンがすわっている。「審理の必要はない」というモーガンの宣言をきいて、バッカニアたちは胸をなでおろす。しかしその後モーガンは、「ここにいる男たちは、外洋で海賊行為を働いた罪で有罪である——すでに彼らは、わたしにそう自白している」と続けた。結果、バッカニアたちは処刑場であるガローズ岬へ引っ立てられていき、その日のうちに全員死んだ。

この逸話は眉につばをつけてきくべきかもしれない。イングランドの『アメリカ及び西インド諸島の植民地に関する政府関係書類一覧表』の四十万語から成る第十巻には、一六七七年から一六八〇年のあいだにイングランド政府がその地域で関わったあらゆる出来事について広範囲な索引がついているが、この件について触れている項目はない。それでも、パナマ遠征を考えているバッカニアにとって現実は非常に厳しいことに変わりはなかった。モーガンが一時的にその役職を肩代わりしたジャマイカの総督カーライル卿は、海賊を「貪欲《どんよく》な社会の害獣」と呼んで、貿易と植民地に関する委員会に苦々しげに苦情を申し立てている。モーガン自身も、イングランド南部局国務大臣サー・リオライン・ジェンキンズに「魔力にも似た力で人を引きこむ、大胆不敵な私掠船の成功以上に、この植民地の繁栄に脅威になるものはなく……増え続ける邪悪な蛮行を制圧するにあたって、わたしは一切の手心をくわえない所存です」と語っている。

二か月前にポルトベロで決行した襲撃により、コクソンとシャープはモーガンの害獣リストの筆頭に置かれることになった。結果、発行された令状には、ふたりを逮捕することにくわえて、次のような警告がふされていた。仲間であろうとそうでなかろうと、「匿《かくま》う、取引する、幇助する、救助する、援助する、情報を与える、連絡を取る」といった形で彼らと関係した人間には、「最も厳しい法的措置が科されるものとする」というのである。通達も書類も、各地に届くまでの日数は船の速度に制限され、この令状が発行されるのは一六八〇年七月五日となった。バッカニアたちは、その三か月前にゴールデン島を発っている。それでも、伝説の夕食会に見られるような熱心な情報収集活動により、どこへ行けば彼らが見つかるか、モーガンにはわかっていたのだった。

7　根っからの海賊

　バッカニアのなかで、パナマ遠征に参加するかどうかを一番悩んだのは、間違いなくウィリアム・ダンピアだろう。そのとき彼の頭に真っ先に浮かんだのは、小作農だった両親が息子にかけた夢と希望だったに違いない。両親はともに少年時代に他界しており、母親は大疫病、すなわちペストの爆発的な流行で亡くなった。しかしこの世を去る前に、息子が生まれ持った知性と洞察力を磨けるよう、最初のレールを敷いておくことを忘れなかった。その先は商売で成功するもよし、しかるべき社会的地位につくもよしと考え、まずは息子の奨学金を得ることに奔走《ほんそう》した。そのおかげでダンピアは、サマセットにあるキングズ・ブルートンという寄宿学校に入学が叶う。町の名士三名が一五一九年に設立した学校で、設立者にはロンドン司教も名を連ねている。そこでダンピアは一般教養を身につけ、社会的地位の高い仕事を自由に選べる切符を手に入れた。しかし彼の胸にはつねに「海への憧れ」があり、就職する前に一度とことん海とつきあってみたいと切望していた。

　一六六九年、ウィリアムはウェイマスの商船の船長に弟子入りし、十八歳で、フランスとニューファンドランドへ航海に出る。このときの経験にすっかり心を奪われ、それからすぐ、一六七一年に水兵として雇われて、ジャワ島へ向かう一年にわたる航海に出る。そしてこの経験が、「世界を見てみたい」という心のうちに潜んでいた欲望に火をつけた。航海の合間に家へもどれば、たちまち「陸にいる倦怠《けんたい》」に包まれ、陸から飛びだせるならどんなチャンスにも飛びつこうとする。しまいには志願して仏蘭戦争（イングランドはフランスと同盟を組んで戦った）に従軍。イングランドの軍艦ロイヤル・プリンス号に乗りこんで、スホーネヴェルトで二回にわたる戦闘（一六七三年六月に週を挟んで二回、オランダの海岸沖で戦った）に参加したのち、病に倒れて入院する。病名はわかっていないが、故郷へ帰って療養が必要になるほどだから、軽い病ではなかったのだろう。

回復してみると、ダンピアは岐路に立たされていた。海で過ごした日々のおかげで懐《ふところ》は干上がっている。何しろ船員の報酬は乏しく、それ以上に乏しいのが食料だという、船員のあいだで有名なジョークがあるほどで、食料を巡って叛乱《はんらん》を起こした場合、失敗した人間を吊そうにも、絞首刑にできるだけの体重がないというオチがつく。二十三歳になったダンピアには、田園にきちんとした邸宅を構えて家庭を持ち、両親の夢を実現できるような仕事が必要だった。いやその夢は両親だけでなく、何より本人の夢でもあったろう。そんなわけで、ジャマイカでプランテーションの管理者見習いという職につくことにした。ところが残念なことに、この仕事がいやでたまらない。「とにかくまったく性《しょう》に合わないのだ」と最初の六か月間について、ダンピアはそう書いている。それでもプランテーションの管理者になれば、生涯、人に誇れる立派な暮らしができるわけで、ここはしがみつくしかなかった。

そんな暮らしのなか、職場に近いポート・ロイヤルを冷やかすのが気晴らしとなった。英語の通じる植民地としては新世界で（ボストンに次ぐ）第二位の大きさを誇るポート・ロイヤルは、スペイン植民地特有の赤煉瓦《れんが》でできた高層建築が、風変わりな教会を中心にごみごみと集まった町だった。水深が深い至便の港には、あらゆる種類の船舶が入港する。大型船が係留された船着き場で船

ポート・ロイヤル

員たちが先を争って異国からの積み荷をおろしているかと思えば、船だまりでは商人が商品の名を叫びながら客を集め、次々と売りさばいている。町全体が活気づいて熱狂しているような案配で、その活気の源であるさまざまな階級の船員たちは、ダンピアにとって見慣れた者たちであるはずが、ここでは、かつて目にすることのなかった姿も見られたのである。風雨にさらされた、ごつごつした顔も、ゆらゆらした足取り（ゆれるデッキの上に長いことといた人間は動かない陸になかなか慣れない）も、いつでもロープをつかめるようにとの用意なのか、つねに半びらきにしている手も、これまで見てきた船乗りに相違ない。しかし、そういった男たちのなかに、ダンピアがよく知る、むさ苦しい船乗りたちとは一線を画した男たちがいるのである。優美なシルクのウエストコートに、きらびやかなサッシュを締め、金銀宝石で過剰なまでに飾っている。その装飾品はたとえば、「値段の想像がつかない規格外に大きな真珠を連ねたネックレスや、並々ならぬ美しさを誇るルビー」といった具合で、なかにはオウムやサルをアクセサリー代わりに肩にとまらせている者もいる。ジャマイカは新世界からスペインへ物資を運ぶルートに位置しており、イングランドのバッカニアたちが基地にするのも当然で、彼らの兄弟分であるフランスのバッカニアたちにとっても、略奪後の寄港先として最適だった。そこでbon butin（上物の戦利品）を商人に売って何袋ものピース・オブ・エイトに換金し、町へ出て金をつかうのである。

ポート・ロイヤルの女たちも、初めてここを訪れる者の度肝《どぎも》を抜く。スカートをたくしあげて色鮮やかなペチコートを人目にさらし、際どいところまでおろしたボディスから胸元を露《あら》わにしている。そこへきて、肌に貼りつくビスチェや、曲線を強調するコルセットである。ロンドンからやってきた旅行作家が書いているように、「腕を振りながらもったいぶった足取りで、しゃなりしゃなりと歩くさまや、ののしり言葉を多用する男勝りの口調や仕草」が劣情をそそって、男たちの目にますます魅力的に映る。町の空気には、女たちの香水が放つ花の香りが濃厚に立ちこめ、サイコロを振る音や玉突きの音が、無数にある居酒屋や宿屋から流れてくる。きっとダンピアも、進行中の決闘の声や、クマいじめや闘鶏を見物する群衆の、歓声やうめき声や悪態をきいたに違いない。ラム酒場は至るところにあるというのに、通りでは、「悪魔殺し」という名の地元産ラムを売り歩く商人のしゃがれ声も響いていた。

この町はまた肉欲の誘惑にも満ちていた。ポート・ロイヤルの建物の四軒に一軒が、酒を飲ませる店か娼館なのだ。ピース・オブ・エイトをどっさり懐に入れたバッカニアたちのおかげで、〝身持ちの悪い修道女〟とか〝コンビーフより美味なペグ〟とか〝極上の尻を持つジェニー〟といったスター級の娼婦がこの町に生まれた。もとはイングランドの女優だったと称するメアリー・カールトンは、〝床屋の椅子〟のあだ名で、西インド諸島でくまなく知られていた。「ひとりがおりると、また別の男がすわる」というのが、その名の由来だ。そういうわけで、ポート・ロイヤルには、〝新世界のソドム〟とか、〝この世で最も邪悪な町〟という異名がついた。それを非難と取るか、ほめ言葉と取るかは、受け取る側の考えによる。「一晩で二千から三千ピース・オブ・エイトを散財し、翌朝にはシャツ一枚残っていない上半身裸の海賊たちがいる」と、エスケメランがポート・ロイヤルについて書いている。彼はまた、自分がいっとき師と仰いだ人物についてこうも書いている。その男は夜の幕あけに、ビールの大樽か大樽に詰めたワイン（百二十六から百四十ガロン）ひと樽を購入して砂まみれの通りのどまんなかに置き、通りかかる人間にオレといっしょに呑んでいけと誘い、断るなら銃で撃つぞと脅す場合もあったという。

　要するにポート・ロイヤルは、ダンピアの両親の夢やキングズ・ブルートンの宗教の教えとは対極にある町なのだ。しかし親も学友も心配するには及ばない。彼はラム酒場にも娼婦たちにも、まったく近づかない。彼が引かれたのは、この町の気風だった。社会の制約から解き放たれた町の空気は、香水の匂いはさておき、呼吸がしやすかったのだろう。ダンピアはこの町を冒険への門口と見ていたに違いない。

　プランテーションを辞めたダンピアは、カリブ海やメキシコ湾近郊で商品や物資を売る、貿易商のもとで仕事を見つけた。そうしてその新しい仕事はポート・ロイヤル以上に魅惑的な場所へ彼を連れていった。つまりカンペチェ湾である。ベラクルスとユカタン半島のあいだに延びる六千平方マイルの屈曲した浅瀬は、湿地とマングローブの生える沼地に囲まれており、そこに二百五十人のイングランド人が住みついてロッグウッドを伐採していた。樹木の芯に緋色の結晶体を持つこの木からは、ほかのものでは出せない強烈な赤色の染料がつくれることから、ヨーロッパでは一トンあたり百ポンドで売れる。小麦なら同じ量が、わずか八ポンドでしか売れない。

高さ三十から五十フィート、幹周が六フィートもあるロッグウッドがふんだんに生えているのを見れば、ダンピアが学んだ高等数学の素養がなくても、「ここなら莫大な金が稼げる」という結論を導きだせる。ただしカンペチェ湾はスペイン領であり、イングランドの人間がロッグウッドを伐採すれば、沿岸警備隊に逮捕される危険もある。にもかかわらずダンピアは、一六七六年の早い時期に全財産を注ぎこんで、伐採道具や銃をはじめとする、ロッグウッドで一儲けするのに必要な資材を買い集め、カンペチェ湾のテルミノス湖のほとりで、藁葺《ぶ》き屋根の粗末な小屋に住みついたのだった。

ロッグウッドの木質は非常に固く、伐採者たちはレスリングさながらに木とがっぷり四つに組みながら、沿岸警備隊に見られていないか、肩越しにしょっちゅう後ろをうかがわないといけない。そうでなくても、ロッグウッドの花の安い香水に似た臭いで胸が悪くなり、高い温度と湿度であたりの空気は煮えたぎっている。突発性の豪雨が降ってきたときだけはほっと一息つけるものの、腿《もも》まで水に埋まるなかで作業をすれば、アリゲーターに襲われる危険があり、疫病を運んでくるキノコバエの群れや、食欲旺盛な蚊の襲来を受けることもある。男のこぶしほどもある蜘蛛《くも》や、人間のかかとの皮膚下に潜りこんで寄生するメジナチュウの存在も忘れてはならない。それなのにダンピアはこの仕事を楽しんでいた。

仕事休みはさらに楽しい。周囲を取り巻くサバンナや森林に覆われた尾根を探検してまわりながら、新しい発見をメモに取っていく。こういったメモのおかげで、ダンピアの名が将来オックスフォード英語辞典に記載されるようになる。アボカド、バーベキュー、カシューなどなど、一千以上の語を英語にしたのが彼だった。それを吸えば「眠気がずっと続いたり、陽気になったり、笑いの発作に陥ったり、狂気を発症したり」と、マリファナを吸った際の影響を印刷物で詳細に発表したイングランド初の人間もダンピアで、将来博物学者になる萌芽《ほうが》が、こんなところにも現れている。

おそらくカンペチェ湾の生活でダンピアが最も楽しんだのは、キャンプ生活そのものだっただろう。とりわけ、文明社会や道徳の縛りがない自由な生活が気に入ったに違いない。ロッグウッドの伐採に携わる者は、社会のはみ出し者、社会規範に従わない者、元バッカニアなどの寄せ集めであり、その集団にダンピアは自分と同じ匂いをかぎとり、仲間意識を感じたのかもしれない。

五か月もすると、海岸に一財産分のロッグウッドの山が築かれた。それを買い取ってくれそうな船が現れるのを期待して、ダンピアが遠くの海を眺めやったそのとき、どんどん暗くなっていく空に注意が引きつけられた。見れば、あらゆる海鳥が猛スピードで内陸へ飛んでいく。これはハリケーンの前兆だとダンピアは見てとり、いずれこういった現象を気象学者が予報の手がかりにつかうようになるだろうと、嵐に関する記録を残している。しかしこの時点において、ハリケーンは恐怖でしかない。キャンプを叩き潰し、せっかく集めたロッグウッドの山を海へ流し、伐採者たちを無一文にしてしまったのだった。

しかし、キャンプ生活を送る元バッカニアたちは気にしなかった。自分たちにはまだ海がある。待っていればスペインの船がやってきて略奪できると考えたのだ。教育のあるダンピアは悪事に手を染めるつもりはなかったし、バッカニアも自分たちのやっていることが犯罪だとは思っていなかった。その論理は、アレクサンドロス大王の前に引っ立てられた、ある海賊にまつわる昔話に見てとれる。「いったいどういうつもりで、わがもの顔で海を征服してまわるのか」と大王がきいたところ、海賊は誇らしげにこう答えた。「あなたさまと同じでございます。こちらはしがない船一隻ですから盗賊呼ばわりされますが、あなたさまは立派な艦隊を率いていらっしゃいますから王と呼ばれるのです」と。それから二千年の時を経て、当時のアレクサンドロス大王と同じ立場に、スペイン王カルロス二世を置いてみるとわかりやすい。ダンピアは結果的に「生活のために、私掠船《しりゃくせん》の仲間に加わるしかなかった」と書いている。厳密にいえば、「元」私掠船だ。カンペチェ湾においては、海賊行為が正当化される法律自体はなかった。しかし海賊行為防止法が制定される前であれば、襲った船がスペイン船ならば、イングランドの代理海事裁判所は、その海賊行為を「被害者無き」犯罪としたのだった。

その翌年以降、ダンピアはこういった私掠船の乗組員六十名とともに、カリブ海とメキシコ湾を荒らしまわる。その山場が、スペインの財宝輸送船団マニラ・ガレオンが中継地にしているメキシコ湾岸のベラクルス襲撃だった。しかし、モーガンのパナマ襲撃と同様に、戦闘が終わったときには、守備隊が財宝を避難させていたことが判明する。十人か十一人の犠牲者を出して、ダンピアが仲間たちとついに砦を攻略したときには、ケージに入れられたオウムが山ほど残っているだけだった。黄金ほどの価値はないものの、新世界においてオウムは地位の象徴だったから需要は大変に多く、一羽あたり五ピース・オブ・エイトで売れた。

ダンピアも十分な取り分を現金に換えてイングランドにもどり、それから二年は、すなおに地方の名士になる道を進んでいったようだ。アーリントンハウス（現在バッキンガム宮殿が建っている

ウィリアム・ダンピアの肖像

のと同じウエストミンスターの敷地にあった）に親戚のグラフトン公爵夫人と暮らしていたジュディスという名の女性と結婚し、それからまもなくドーセットシャーに小さな自邸を購入。あとは自分に合った仕事さえ見つかれば、彼の夢は実現するのだった。

その機会を狙っているあいだにダンピアはいいことを思いつく。イングランドでロッグウッドの伐採に必要な資材を調達し、カンペチェ湾で売って大儲けをしようというのだ。それで、のこぎり、斧、搬出に必要な道具などを購入し、大西洋を横断する船を予約すると、ジュディスをあとに残して急ぎ異国での商売の旅に出る。少なくともそれが最初の計画だった。ところが、ここでまたポート・ロイヤルが彼の人生を覆《くつがえ》す。そこで八か月を過ごしたダンピアは、それから――彼自身の言葉を借りれば――「短期間の通商旅行」に出発する。ところがポート・ロイヤルを発つが早いか、シャープ船長、ソーキンズ、コクソンなどのバッカニアたちと出くわした。商船に乗っていた乗員はバッカニアに加わる「しかなかった」とダンピアの記述は続く。実際ダンピアにも、仲間に加わるという選択肢以外、何も残されていなかったのだ。

そして今サンタ・マリアで、海賊の遠征隊に加わるという選択肢を前に、ダンピアは悩む。海賊行為は違法であり、いつの世でも危険と紙一重であることはわかっている。しかし、リングローズ、ウェイファーをはじめとする仲間たち同様、彼もまた、そのチャンスを見送ることはできなかった。

8 気楽なカヌーの旅

サンタ・マリア要塞で捕らえたスペイン兵たちは、パナマの防衛について知悉《ちしつ》しており、これからそこを攻めようというバッカニアたちにとって大切な存在だった。彼らから情報を得ようと、町から駐屯地へもどってきたコクソンと仲間たちは、すでに二十六人ものスペイン兵が処刑されたと知ってぎょっとする。

そんなクナ族の「残酷な行為」は、すぐさま自分たちが終わらせたとリングローズは書いている。しかしスペイン兵の知る限り、虐殺は一時的に休止しただけだった。パナマに関する質問に答えるか、それともクナ族といっしょに森に送られるか。選択を迫られたスペイン兵たちは喜んで質問に答え、パナマ襲撃の鍵となる情報まで暴露した。バッカニアたちは、サンタ・マリアの総督は三日前に船に乗って逃げたと思っていたが、実際に出発したのは二日前で、乗ったのは船ではなくカヌーだった。総督の連れは男ふたりと女ふたりのみ。腕のいい漕ぎ手にカヌーを漕がせれば、パナマに到着する前に追いついて、奇襲作戦に出ることができる。それで早速、ソーキンズが腕のいい漕ぎ手を十人集めてカヌーに乗りこみ、大急ぎで川を下った。

あとに残ったバッカニアたちに取り入ろうと、とりわけ一生懸命になったスペイン人がひとりいた。クナ族のプリンセスを妊娠させたホセ・ガブリエルである。リングローズは次のように書いている。「われわれが彼を置き去りにして、自分の価値をこれっぽっちも認めないインディアンたちのなすがままに任せるに違いない」と脅えていたのである。この時点まで無事だったのは、アンドレアスやゴールデン・キャップに見つからぬよう隠れていたか、あるいはクナ族のほうで今後大々的な見せしめにする予定で、それまでは生かしておこうということになったのか。いずれにしろホセは、もし自分の身柄を守ってくれるならと、交換条件を出した。「彼はわれわれを導くと約束し、それもパナマの町だけでなく、パナマの総督の寝室まで連れていく」というのである。それが叶うなら、スペイン兵がこちらの侵攻に気づく前にパナマを攻略できる。それでバッカニアたちは、ホセ・ガブリエルはつかえると結論を出した。

バッカニアたちはクナ族の案内なしには、パナマに到達できる見こみはまったくない。しかしクナ族が十日にわたってジャングルを進んでいったのは、ひとえにこの男の首が欲しいからだった。そこでクナ族と慎重に話し合った結果、先方から交換条件が提示された。もしバッカニアたちがサンタ・マリアの駐屯地、教会、あらゆる建築物をひとつ残らず焼き払ってくれるなら、アンドレアスもゴールデン・キャップも、ガブリエルへの復讐を潔《いさぎよ》くあきらめるというのである。これはバッカニアたちにとって少しも難しいことではなく、嬉々として町に火を放った。

一六八〇年四月十七日、サンタ・マリアの戦闘から二日経ったこの日は、予想外の展開で幕をあけた。スペイン人が自分たちの船を押収して捕虜にしてくれと、イングランドの海賊に懇願してきたのである。彼らはみな駐屯地で降伏した兵で、それが今イングランド人のパナマ遠征に加わりたい、もしイングランドに帰るなら自分たちも連れていってくれという。サンタ・マリアに残されてクナ族のなすがままにされないで済むなら、どこへでもついていくといった勢いだった。スペイン人が差しだす船のなかには、カヌーに交じって、ペリアグアと呼ばれる、帆を備えることが多い長艇が一隻含まれている。

しかし、これからパナマへ向かうバッカニアとクナ族の分遣隊にはすでに十分なカヌーがあるし、情報収集のための捕虜はホセ・ガブリエルひとりで間に合う。捕虜を増やせば情報がさらに増え、人質も増えて交渉にも有利になるが、ついこのあいだまで自分たちを殺そうとしていた百人もの兵士を連れていくというのは、そういった利点を上まわるだけのリスクがあった。それでも大変に慈悲深いというべきか、あるいは単に愚かなのか、コクソンをはじめとするバッカニアたちはこの申し出を受けたのだった。

ざっと三十五艘のカヌーとペリアグア一隻から成る小型船団は、バッカニア、クナ族、スペイン人、総勢四百五十人余りを乗せてサン・ミゲル湾をめざし、サンタ・マリア川を下りはじめた。サン・ミゲル湾は、川が合流して南海へ流れこむところにある。結果論ではあるが、リングローズが自分のカヌーを新しく入手したものに替えたのは賢明だったと、のちのちにわかることになる。三人のバッカニアと最も重要な捕虜ホセ・ガブリエルを引率する役目を負った彼に与えられたのは、ほかのカヌー同様、全長約二十フィート、幅約一・五フィートのカヌーだったが、見たところ、これが一番頑丈そうで、船体の厚みは六インチほどもある。しかし船体が重くなる分、スピードは減じられる。それに気づいたのは、カヌーを漕ぎだしてからで、出発してまもなく仲間たちから大きく引き離され、遠ざかる船団は視界からみるみる消えていった。

サン・ミゲル湾は、直線距離で西へ三十マイルのところにあるが、カヌーの場合、川の曲がりやうねりを勘定に入れねばならず、実質的な距離は五十マイル近くになる。さらに、理論上は川の流れに乗って進めば湾に出るはずだが、実際はそうではないことにリングローズは気づく。サンタ・マリア川の無数にある支流、分流、澪《みお》のほとんどが、本流と見分けがつかないのである。地図はなくても、クナ族なら迷わない。問題は、ガブリエルの身柄を預かっているので、リングローズのカヌーには彼の身の安全のため、クナ族の案内人を乗せられないという点にある。船団を見失ったあと、リングローズの一行は二マイルほどカヌーを漕いでから、うっかり袋小路にはまってしまったことに気づく。おまけに引き潮になって水位はどんどん下がっていき、「満潮になるまでカヌーを停止させなければならなかった」と日誌に記されている。「これだけ重いカヌーを潮に逆らって進めるのは完全に不可能だからである」

旅は長引いたものの、これにはうれしいおまけがついていた。じつはリングローズは遠征中にスペイン語を勉強しており、それがずいぶんと上達していた。ガブリエルのお守り役がまわってきたのも、たまたまではなかったろう。スペイン人と語り合うことで、パナマに関する理解を深めることを仲間たちから期待されたに違いない。海賊は、捕虜にした人間すべてにかたっぱしから質問をぶつけるのが習いだった。生まれ故郷のこと、都心のこと、地方のこと。その結果、各地の製造業、資産、防衛施設、軍事力、弱点といった情報が、いかなる諜報組織がまとめる調書にもひけを取らないほど充実する。海賊船はいわば海に浮かぶ国勢調査局なのである。ラテン語、身振り手振り、生かじりのスペイン語を交えて、リングローズはガブリエルと意思疎通を図るだけでなく、彼とのあいだに親密な結びつきも強めていった。その結果、ガブリエルがチリで生まれたことや、ゴールデン・キャップの娘は誘拐したのではなく、相思相愛で夫婦となったのだということまで知るようになる。しかし、リングローズは当座のところ、その事実を自分の胸に秘めておくことにした。ガブリエルからは、正しいルートをはじめ、パナマに関する役立つ情報を得られれば十分だった。

ようやく潮目が変わって、一行は旅を再開した。今度は船団に追いつくため、遮二無二《しゃにむに》カヌーを漕いでいく。「しかし、そんな努力もむなしく終わった」どこまで行っても仲間たちのいる形跡は一向に見つからない。きっとみんな、ガブリエルひとりを失ったところで大した損ではないと思っているのだ。あちらはスペイン兵の捕虜を山ほど引き連れている。その夜十時になると、「干潮となり、われわれはオールを川に突き刺してカヌーのなかで順番に眠った。一晩中降り続ける雨が、肌までしみこんできた」

夜明けと同時に、一行は下流に向かって出発した――少なくとも自分たちが下流だと考える方向へ向かった。サンタ・マリア川は、山から南海に注いでいるのは間違いなく、当然彼らは南へ向かっているものだと思っていた。ところが、太陽は川の右手の木立から顔を出しており、そうなると彼らは北へ向かっていることになる。方向感覚に極度の不安を覚えつつ、それから丸々二リーグ進んだところで、ふたたび川がねじれたかと思うと、いきなり目の前に船着き場が飛びだした。ペリアグア一隻とカヌーの群れが係留され、岸にあがった四百五十人余りの乗組員がテントを畳んでいる。たとえ四百五十本の金の延べ棒をそこに発見したとしても、リングローズたちはここまで喜びはしなかっただろう。

迎えてくれた仲間たちは開口一番、今すぐ内陸の池に走れという。これから数日間、黒く濁った川や塩水の海を進む。旅を続けるのに必要な真水を十分に取れるのはここしかないというのだ。リングローズたちは池に行き、ヒョウタンの中身をくりぬいた容器に水を入れると、大急ぎで船着き場に走った。ところがもどってみれば、カヌーは一艘だけ。自分たちが乗ってきたカヌーしか残っていない。またもや船団は消えてしまったのである。リングローズは激憤《げきふん》するものの、あまりの仕打ちにほとんど口がきけない。「やつらはこういうことを平気でする人種なのである。仲間の所在が不明となって置いてきぼりにしても、罪の意識がないのだ」と書いている。まるで繰り返し見る悪夢のようだった。一行は、ようやくおさらばできると思っていた重たいカヌーにふたたび飛び乗り、「限界まで力を振り絞って漕いだ。心はむなしいばかりだった」。

リングローズたちが取り残された日の前日、サンタ・マリアを真っ先に出発したリチャード・ソーキンズの一行は、サンタ・マリアの総督が自分たちより先にパナマに到着するのを全力で阻止しようとしていた。しかしこれは思った以上に困難を極める仕事になった。原因は、相手に先を越されたからというだけではない。問題なのは、その広すぎる川幅だった。ある場所では人間の視界がきくぎりぎりの三マイルにも及ぶ。さらに、総督のカヌーがその範囲に入ってきたとしても、ぎらつく日差しや靄《もや》やバンヤンの木の低く垂れる枝で見えないことが多い。もし総督の一行が岸にあがってマングローブの陰にカヌーを置いたなら、見つけることはまず無理だ。

しかし、ソーキンズの連れてきたクナ族の案内人には名案があった。サンタ・マリアからおよそ六リーグ下ったところに船着き場があり、湾に向かう船は必ずそこで停泊する。そこにある池が真水を得られる最終地点なのだという。ゆえに総督の一行は出発から二日目の夜にそこでテント泊をするはずで、彼らを捕らえるには、ソーキンズと選《え》り抜きの漕ぎ手十人が総督のカヌーより速いスピードでカヌーを進め、最初の夜にその船着き場へ着けばいいというわけだ。

努力の甲斐あって、ソーキンズの一行はその日の夜に船着き場へ到着することができた――このとき、リングローズたちはまだ何マイルも上流にいて雨に打たれながら眠っている――しかし、カヌーはどこにも見当たらない。総督がカヌーを岸にあげて隠したのかもしれないと思い、みんなで徹底的にさがしたものの、船着き場には人っ子ひとりいなかった。池も同じだ。そうなるとあとはもう、途中、知らずに総督の船を追いこしたのかもしれないと、そこに望みをつなげるしかない。もしそうなら、まもなく船着き場にやってくるはずだった。すると案の定、真夜中に一艘のカヌーが上陸した。ところがいまいましいことに、乗っていたのはバッカニアで、三ダースほどのカヌーから成る船団の最初の一艘が到着したのだった。このカヌーまでもが、知らずに総督のカヌーを追いこしたということはまずあり得ない。となると、総督のカヌーはもうとっくに船着き場を通過して、手の届かないところまで行ってしまったに違いない。

しかしその翌日、遅れを取ったリングローズたちがようやく動きだし、船団も順調な進行を続けるなか、ソーキンズたちは総督の連れらしいふたりの女と行き合った。ふたりとも川の随所に浮かぶ小さな島々のひとつで立ち往生しており、きけば「カヌーを軽くする」ためにちょうど今朝、ここで総督におろされたという。ソーキンズと選り抜きの漕ぎ手十人はまもなくサンタ・マリア川の河口に到達し、いよいよサン・ミゲル湾から南海へ出ることになった。もっとも、彼らにとって不運なことに、そこで総督のカヌーが視界に入ったとしても、水平線上の点にしか見えないだろう。晴天であってもそうなのだが、このとき湾内は荒れに荒れ、潮流も風も極めて強くなっていた。ソーキンズは追跡を思いとどまった。

そのとき上流にいるシャープは、目の前の光景をぎょっとした面持ちで見守っていた。七人のフランス人を乗せたカヌーが荒れ狂う水のなかでひっくり返ったのだ。バッカニアが必死の救出に当たったが、そこに神のご加護が加わらなかったら、「間違いなく死んでいた」。このときはもう、バッカニア全員が「極めて危険な状態に置かれ、ここで一撃を食らえば全員の命を持っていかれ、あとには何も残らなかっただろう」とシャープは書いている。

そんななか、唯一冷静を保っていたのが、負けん気の強いコックスだった。「絞首刑になるために生まれてきた人間は、溺れ死にはしないというのは本当だぞ」とコックスはいう。

9　漂流者たち

四月十八日。船団の残りのカヌーがサン・ミゲル湾に近づこうとして嵐に阻まれているとき、リングローズたちは、まだ遙か後方でもがいていた。まるで鏡の間に入りこんだかのようだった。サンタ・マリア川の下流域には草木に覆われた小島がひしめいていて、それらがガラスのような川面にくっきり影を落としている。ひとつの島がどこで終わり、どこから新たな島が始まるのか、まるで区別がつかない。くわえて、みっしり生えそろう樹木が壁の役目を果たして、島々の向こう側は一切見えなかった。ここに至って、またもや針路を見失ってしまったのだ。

「トラブル続きで、もう身が持たない」と、そのときの状況をリングローズは端的に綴《つづ》っている。それでも苦労の甲斐はあった。ついにボカ・チカ――サンタ・マリア川河口のスペイン語名――が現れ、その延長線上の向こう側にサン・ミゲル湾が、青、灰、緑に輝く巨大なモザイクのように姿を見せている。ここまで来れば、あとは沿岸伝いにカヌーを進めるだけで、数日もすればパナマ近郊の船団合流地点に到達すると、リングローズたちは考えた。しかし、あとほんの百フィートで湾に入れるという地点に来て、異変が起きた。海水が上昇して川にあふれてきたのだ。潮の干満が比較的少ないカリブ海と違って、南海は日々満ち引きを繰り返し、多いときには二十フィートの落差が出て、「小規模な洪水」と呼ばれる潮流を生み出す。カヌーにとってこれはダムの崩壊に遭ったに等しく、「水流は猛烈な勢いで向かってきた。問題の河口はすぐ目の前で、川幅も一リーグほどあるというのに、どうやっても近づけない」とリングローズは書いている。一行は岸にあがるしかなかった。今日一日ずっと悩ませてくれた、ひしめき合う島のひとつに上陸して、ボカ・チカが落ち着くのを待つことになった。

旅はまたもや遅れるものの、リングローズはこの機会を利用して、捕虜との関係をさらに深めていった。ここに至るまでのガブリエルはずいぶんと恵まれていた。ぎりぎりのところでクナ族の手から逃れて残虐な死を免《まぬが》れたし、サンタ・マリアの暮らしはまさに楽園で、着実に報酬が得られ、食事もワインもふんだんにあり、プリンセスとベッドをともにできた。それが、残忍なイングランドの盗賊たちのせいですべてふいになってしまった。おまけにこの連中は海賊だといいながら、船乗りとしてはまったく役に立たないことも判明した。そんななか、おそらくリングローズの優しさだけが、ひとすじの光であり、ガブリエルは感謝していたことだろう。

二時間余りすると潮が落ち着き、一行はサンタ・マリア川から抜け出そうとふたたびカヌーを漕ぎだした。そうして今度こそ、サン・ミゲル湾へ出るのに成功したのだった。これまで耳にした情報から考えて、その湾は「水車池のようなもの」で、水車をまわすために流れをせきとめた穏やかな水面をリングローズは想像していた。蛇行するサンタ・マリア川の激流を渡ってきた疲れをそこで癒やそうと考えたかもしれない。ところが予想に反して、サン・ミゲル湾は高波がぶつかり合う場所で、それを見てリングローズはすぐさま危機を感じた。何しろカヌーは全長およそ二十フィートあるものの、幅は一フィート半もなく、男たちがかろうじて腰をおろせるスペースしかない。さほど大きな波でなくとも、かぶってしまえば沈没は避けられない。結局、ふたたび岸にあがるしかなかった。

　一行は、湾に入るときに通り過ぎた小島に引き返し、そこで野営をすることにしたものの、これまた思いどおりにはいかなかった。「仲間とはぐれたうえに、命の危険が差し迫っている。わが人生をふりかえっても、これだけの悲痛を経験したことはない」とリングローズは綴っている。一晩中男たちを鞭打《むち》つ雨は、衣服に「乾いた糸一本」すら残さずに頭から足までびしょ濡れにしていく。火を熾《おこ》せば暖を取って身体を乾かすこともできようが、ようやく点《とも》った火花ほどの火は、またたくまに嵐に吹き消され、これでは休む暇もない。全員疲れきっているのに眠りが一向に訪れないのは、自分たちの置かれた境遇を考えれば考えるほど不安になってくるからだった。「人間としての生活を快適にするものを一切奪われたうえに、片側を広大な海に取り囲まれ、反対側にはスペイン人という強大な敵が控えているのである」もっと辛いのは、この状況から永遠に抜け出せないかもしれないという恐怖だった。「視界に入るのは巨大な海と高い山と岩ばかり」。そのさなかにいて、自分たちは船に乗っているのではなく、壊れやすい卵の殻に閉じこめられている」とリングローズは記している。

　その日は翌日に比べれば平穏で、これといった事件も起きなかった。あくる四月十九日はいつものように、リングローズと仲間たちが重たいカヌーを運んで水に入れるところから始まった。身体は濡れて寒いものの、運よく湾は静まっていた。それでも少なくとも誰かひとりは、カヌーにたまった水を外にくみ出す作業に追われている。二マイルほど進むと、森林が鬱蒼《うっそう》と茂る小島の連なりに入り、そのとたん目の前に大波がざんぶと立ちあがってカヌーがひっくり返った。海に投げ出された五人の男たちは、カヌーが次の波にさらわれるのをだまって見ているしかなかった。泳いでカヌーを追いかけることは死を意味する。それどころか、今はとにかく岸にあがるしか助かる道はないのだった。

一番近い島（おそらく八十九エーカーのコネホ島）の岸にようやく這いあがるが早いか、湾がカヌーを吐きだして岸に転がしてきた。ささやかだが、サンタ・マリア遠征が始まって以来、最初の幸運だった。しかも、もどってきたのはカヌーだけではない。カヌーの内側に固定しておいた武器や弾薬も無事だった。蠟で完全に固めておいたため、すぐにつかえる状態になっている。ただしパンや真水は流されてしまった。

それでも三人のバッカニアはもうこの遠征にうんざりしていた。これ以上先に進まないで済むならなんだってすると、リングローズに訴える。ゴールデン島にもどりたいが、それが無理ならクナ族とともに暮らすとまでいいだした。それに対してリングローズは、リスクを大きく上まわる莫大な報酬が得られるのだから、もう少し頑張ろうと説得にかかり、「少なくともあともう一日前進してみて、それでも仲間が見つからなかったら……きみたちの案に自分も喜んで従う」という線に落ち着いたのである。

しかし今後の計画が練りあがる前に、一行は新たな困難に直面した。スペイン兵をぎっしり乗せたカヌーが、まるで海のしぶきから生まれたかのように、どこからともなく現れたのだ。こちらの島をめざしているようだったが、そこで彼らもまた、バッカニアたちを陸に揚げたのと同じ大波のワンツーパンチを食らうことになる。最初の大波にカヌーがひっくり返され、次の大波でスペイン兵たちは海の泡に呑まれた。彼らの乗っていた細身のカヌーは島を取り巻く岩礁《がんしょう》に叩きつけられて木っ端微塵《こっぱみじん》になり、それを見ていたリングローズはここで初めて、遅れを取った元凶である、自分たちの乗ってきた厚さ六インチのカヌーに感謝するのだった。

　漂流していた六人のスペイン兵たちはなんとか岸にあがったものの、顔をあげたとたん、その切羽詰まった目にイングランド人が手にするマスケット銃の銃身が飛びこんできた。いったい何のために、ここまで死に物狂いで泳いできたのかと、そう思ったことだろう。だからこそ、そのあとの展開には度肝《どぎも》を抜かれたはずだった。リングローズに、いっしょに夕食を食べないかと誘われたのである。彼にしてみれば、イングランド人対スペイン人という敵対関係はここでは意味を持たない。地の果てともいえるこの荒廃した岩場においては、生き残るために両陣営が助け合ったほうがいいと考えたのだ。

　スペイン兵たちは誘いを受けた。彼らが火を起こしているあいだに、バッカニアたちは狩りに出て獲物を調達する。それから、「インディアンやそのほかの敵による奇襲に備えて」ひとりが見張りに立ち、ほかの十人は仲良く火を囲んで肉――おそらく猪――を炙《あぶ》り、それを頬張りながら、互いに意思の疎通を図った。リングローズが理解したところによると、スペイン兵はガブリエルを知っており、サンタ・マリアの戦闘でクナ族の捕虜となったあと、古いカヌーに乗って逃げてきたらしい。夕食の話題の中心はもちろん、真水をどこで入手できるかということ。この島にはこれまでのところ、真水が出るような場所は見つかっていない。船が転覆したときに、うっかり飲んでしまった潮水以外、ここにいる誰ひとりとして、水分を口にしていないのだった。

　そこへ見張りが飛びこんできた。インディアンがひとり侵入したという。危険ではあるが、これで真水問題が解消できるかもしれない。ところが、そのインディアンは大勢が集まっているのに驚き、くるりと背を向けると一目散に森へ走っていってしまった。リングローズはすぐさまバッカニアふたりを追っ手として送りだした。真っ暗なジャングルを舞台にドラマチックな追跡劇が始まるかと思いきや、そうはならなかった。うれしいことに、その侵入者は「われわれに味方するインディアンのひとり」であることに、バッカニアふたりが気づいた。つまりそのクナ族はアンドレアスの手下だったのだ。先方もバッカニアたちに気づき、自分のあとについてくるようにいって、ふたりを岸へ連れていった。そこにはアンドレアスの分遣隊のメンバーである七人のクナ族が、大きなカヌーといっしょに待っていた。きっとアンドレアスが救助隊を差し向けてくれたのだと、バッカニアたちはそう願った。

ふたりのバッカニアは八人のクナ族を連れて火を焚いている場所にもどった。リングローズはクナ族に――「身振り」をつかったと本人は書いている――バッカニアの仲間が今どこにいるのか、所在を知らないかと尋ねた。すると、自分たちについてくれば、遅くとも明日の朝にはアンドレアスとバッカニアの仲間たちに追いつくだろうという。それをきいたときのうれしさは「並ではなく、心の底から喜んだ」とリングローズは書いている。

しかし喜びのときはいきなり終わりを告げた。リングローズのかたわらに六人の新顔がすわっているのにクナ族が気づき、スペイン人は皆殺しにするべきだと宣言したのである。リングローズは反論したものの、クナ族は譲らない。ガブリエルは捕虜として価値があると認めたものの、それ以外のワンカーズ――クナ族の言葉でスペイン人を意味する――に価値はなく、遠征に支障を来《きた》さぬよう、この六人には死んでもらうという。しかしリングローズは「そんなことに同意はできない」わけで、最終的にクナ族に思いとどまらせるのに成功する。しかしどうやらそれは彼の思い過ごしだったようだ。

それからしばらくして、リングローズが背中を向けているとき、「悲しげな悲嘆の声」がスペイン語で響いた。ふりかえれば、仲間のバッカニアたちがスペイン兵ふたりを隔離して、クナ族に手招きしているのだった。スペイン兵を守ろうとリングローズはとっさにそちらへ走っていく。このとき彼は、スペイン兵を守る側にまわることで、自分は仲間たちと反目することになると気づく。仲間たちは「インディアンに従う」のは必須だと考えている。そうしなければ真水が手に入らないのはもちろん、この荒れた島から脱出することも叶わない。それを邪魔立てしようというのだから、仲間の怒りを買うのは当然だ。それでもリングローズは、スペイン兵の命は助けるべきだといって譲らず、ついにみんなを説き伏せるのに成功する。しかし、そのためにひとつ、辛い譲歩をすることになった。「スペイン兵のひとりを、奴隷としてクナ族に差しだすことになったのである」

ほかのバッカニアたちがクナ族のあとについてカヌーの置いてある場所へ向かっても、リングローズはガブリエルとともに焚き火を囲んでぐずぐずしていた。おそらくガブリエルは通訳として残ったのだろう。ここでリングローズは、残った五人のスペイン兵に、自分たちが乗ってきたカヌーをつかってできるだけ早くここから逃げるようにと勧めた。「容赦ないインディアンたちが約束を違《たが》えぬとも限らないから」と。

リングローズとガブリエルも、そのあと仲間たちのもとへ向かい、二十人の男が乗れるクナ族の頑丈なカヌーに乗りこんで、漂流生活は幕を閉じた。このカヌーにクナ族は帆を立て、一行は強風に運ばれて一気に進んで島をあとにする。「辛苦の日々からようやく抜け出せた。天にものぼる心地とはまさにこのことで、心底安心した」とリングローズは書いている。しかしその有頂天が運命の女神たちを怒らせたようだった。突然、雨が「猛烈に」降りだした。あたりは闇に落とされ、墨《ぼく》汁《じゅう》と化した海にカヌーはどっぷり浸かっている。やがて本土から突き出したサン・ロレンソ岬が見えてきた。あそこでほかの仲間たちがキャンプをしているはずなのだが、ここに至って潮流はぐんと力を増して、「海から巨大な波が次々とせり上がり、それをかぶってカヌーはほぼ満水」になってしまう。

と、ふいに闇に穴が穿《うが》たれたかのように、右舷の舳先の遙か遠くに、またたく炎がふたつ見えてきた。キャンプファイヤーに違いないとクナ族は大喜びした。カヌーは白波を切り裂きながら岸へ近づき、みんなはアンドレアスとゴールデン・キャップの名を大声で呼んだ。それに応えて森のなかから人が飛びだしてきた。六十人のスペイン兵が、棍棒を振りまわしながら、ザブザブと海に入ってくる。

リングローズは銃を取りだした。カヌーが方向転換するあいだ、それで襲撃者を寄せつけないでいられると思ったのだ。ところが発砲する前に、四、五人が一斉にリングローズに飛びかかった。ほかの面々はカヌーのへりをがっしりつかんで岸へ引っ張っていく。リングローズは助けを求めて仲間たちをふりかえったものの、三人のバッカニアは茫然自失の体《てい》で、目を大きく見ひらいてへたりこんでいる。ガブリエルは解放される立場にあるから反撃する必要もない。唯一動いたのはクナ族で、船べりを飛び越えて波を突っきり、森のなかへ消えた。

カヌーが岸へ引きずられていくあいだ、リングローズは必死に頭を働かせた。棍棒を振りまわすスペイン人たちはいったい何者なのか？　人っ子ひとりいないはずのこんな場所に、なぜ大量のスペイン兵がいるのか？　フランス語か英語が話せる者はいないかと、リングローズは彼らにきいてみる。答えはどちらも「ノー」だった。次にラテン語を試してみると、少しずつ事情がわかってきた。この者たちはサンタ・マリアの駐屯地にいた兵士で、捕虜としてパナマへ連れていってほしいとバッカニアに懇願し、いっしょに出発した。しかし途中コクソン船長と仲間たちはだんだん不安になってきた。ひょっとしたらスペイン兵のひとりが逃げて、同郷人にパナマ襲撃の報を届けるかもしれない。そこでバッカニアたちは、スペイン兵をサン・ロレンソ岬に置き去りにすることにした。荒海と通行不能のジャングルに囲まれたそこなら、まず逃げだすことはできない。

スペイン兵たちは岸に着くと、リングローズと仲間たちをカヌーから降ろし、「歓喜の大声を張りあげた」。バッカニアたちを捕獲できたのがうれしいのだ。わざわざ遠方からやってきて、自分たちのサンタ・マリア要塞を攻撃し略奪に及んだ。こうなったらとことん痛めつけてやろうと発奮しているのが、リングローズにもわかった。仲間たちから引き離されて、リングローズひとりが、兵士たちに突《つつ》かれながら、枝組みの小さな小屋へ向かう。兵士たちが自分で建てたその小屋で、これから「取り調べ」が始まるのだ。もちろんそれは婉曲表現で、実際に行われるのは「スペイン異端審問」に等しいものとわかっていた。ラテン語で話しかけたのは致命的なミスだった。スペイン人は自分を拷問にかけて、パナマ襲撃計画の詳細を逐一絞り出そうと考えているのだ。

会話の糸口として、サムスクリュー（親指をねじで締めつける拷問具）や、やっとこがつかわれるのは覚悟していた。あるいは吊し刑の刑具がつかわれるかもしれない。後ろ手にロープで縛って滑車でつり上げるのだが、一気にやって責め苦が減じられぬよう、一度に一インチずつひっぱりあげていく。あるいは、トルメンタ・デ・トカ、すなわち「布の拷問」かもしれない。架台に縛りつけて頭を足より低い位置に置いたところで、大きなフォークのような金具をつかって口をひらき、麻布の切れ端を喉の奥へ落とす。そこへ水を注いでいくと、布が膨張して溺れ死ぬような苦痛を与

スペイン兵のいう「取り調べ」

えることができる。スペインの審問で最もよくつかわれた、今日《こんにち》でもよく知られている水責めである。
スペイン兵のリーダーの前に立って、リングローズは自分の運命と平然と向き合った。そのあとどんな尋問が始まったのか、日誌では何も明らかにせず、ふいにホセ・ガブリエルが小屋に飛びこんできたとだけ記している。ガブリエルはそこで、リングローズがどれだけ親切にしてくれたかをリーダーに語りだした。自分だけでなく、漂流したスペイン兵もリングローズのおかげで「残虐なインディアンたちに殺されずに済んだのだ」と。話を最後まできいたリーダーは、リングローズにつかつかと歩み寄り、驚いたことに彼を抱きしめた。夕食の席でリーダーは、本当は全員捕虜にしようと思っていたが、リングローズが同郷人に示してくれた優しさに免じて、仲間たちを含め、命を助けて自由にすると告げた。結局クナ族も許されて、明日の朝には「どうかこの場を去ってほしい」とリーダーがいって、全員の解放が約束された。

その時点ではもう夜も更けて、天気も荒れてきたものの、リーダーが心変わりしないうちに出発するのが一番だとリングローズは考えた。しかしその前に、近くの森に逃げたクナ族をさがしたかった。ほかのバッカニアたちは一刻も早くここから逃れたくてうずうずしていたから、インディアンに情を掛けるのをうれしく思えるわけがない。それでもリングローズはなんとかクナ族を見つけ、解放されたというニュースを伝えた。しかし彼らを従えてカヌーにもどってくると、スペイン兵のリーダーと部下がこちらに走ってきた。やはり心変わりかと、リングローズは危ぶんだ。ところが実際はその逆だった。「最初のときはカヌーを陸に引き揚げられたが、今度は陸から海へ押し出されたのである。まったく不思議な運命の逆転だった」と記している。

さらに不思議なことに、ホセ・ガブリエルは引き続きバッカニアについていくという。彼にどんな動機があったのか、はたまた彼やバッカニアを解放することはスペイン兵のリーダーにどんな旨味があったのか、そのあたりについてリングローズは何も記していない。おそらく、最初は命を助けてもらうのと引き換えに「パナマ総督の寝室」まで案内するといっていたガブリエルに、成功の暁《あかつき》には報酬が与えられることになったのだろう。あるいはホセ・ガブリエルは、パナマでバッカニアが成功すれば、自分がその手伝いをしたことでクナ族の目には贖罪《しょくざい》したと映り、ゴールデン・キャップの村で妻との再会を許してもらい、生まれる子どもとも会えると、そう考えたのかもしれない。

ひとたびスペイン兵たちから離れて安全な場所までやってくると、カヌーに乗った一団は、激しい雨にもかかわらず西へ漕ぎ続けたが、サン・ロレンソ岬近辺で陸にあがることはしなかった。夜を徹してカヌーを漕ぎ続け、ほかの仲間たちと合流する約束のパナマ近郊の地点まで、七十五マイルの距離を少しずつ消化していった。朝になると、帆とオールとパドルを順次使い分け、記録的ともいえる連続四時間、これといったどんでん返しもなく航行を続けた。と、まもなくこちらへ向かってくる一隻の船が目に飛びこんできた。「考え得る限り最速で」進んでくる。もしあれがスペインのしかるべき船だったら、リングローズたちにできることはほぼ何もなく、ふたたび捕虜になるのを待つしかない。

近づいてきたのは、見たところカヌーのようだった。射程距離まで来ると、乗っている人間の顔に見覚えがあった。蓋をあけてみれば、近くの湾にバッカニアの船団が隠れていたのだった。先方は、やってきたカヌーにクナ族が乗っているのを見て、スペインのペリアグアが攻撃しにきたと思ったらしい。「ふたたび会えたことに双方大喜びした。仲間たちは、わたしも含めこちらのカヌーの乗員が全員死んだものと思っていたらしい」とリングローズは書いている。

かようにして災難続きのカヌー旅もようやく終わった。リングローズはこれから、南海史上最も残忍といわれる戦闘に参加することになる。

10 奇 襲

同じ四月二十日の午後、再結集して引き続きサン・ミゲル湾を航行していたバッカニアたちは、水平線上に隆起を認めた。近づいていくと、それは青と灰と緑の色を見せ、クジラのような形をしている。さらに近づくと、緑樹のような緑一色になり、表面に峡谷《きょうこく》や突出部が見えた。あれはプランテーン・キーに違いないとみんなは期待した。パナマ湾の入り口に浮かぶ小島だ。もしそうなら正しい航路を進んでいるといえる。しばらくすると、そこに生える緑樹は主として、ヤシに似た木であることがわかった。ただし葉がカヌーのような形をしていて、異様に大きい。プランテーンの木だとダンピアが気づいた。西インド諸島で暮らしていた時代にすっかり魅入られた木で、「あらゆる果実の王」と彼は呼んでいる。

樹木が特定できたようなので、やはりあそこはプランテーン・キーだとバッカニアたちから「フッザイ！（バンザイ！）」と歓声があがった。この十七世紀の船乗りがよくつかった言葉「フッザイ」は、「揚げる」を意味する「ヒーズ」からきていると信じられている。しかしその島にもう一度目をやったとき、「フッザイ！」は悪態に変わったことだろう（通常、悪態は「ダム！」で、「アーハー！」という言葉は一九五〇年の映画『宝島』が上映されてから見られるようになった。それ以前にそういう悪態を海賊がつかった記録は残っていない）。その島の一番高い丘に、まがうことなき見張り台が建っている。パナマ湾の入り口を一望できる、またとない立地を最大限に活用したと見える。今頃はもう、見張りがその屋根にのぼり、のろしに火をつけているに違いない。それ用に薪の山がちゃんと準備されていた。本土にいるスペイン兵に、海賊の脅威が迫っていると知らせるのだ。

コクソンも仲間たちも、見張りをとめる必要があるとわかっていた。少なくとも、兵士たちが察する前に火を消し止めないといけない。それでカヌーやペリアグアを島の北岸に固定して、急な丘をすぐさまのぼりはじめた。そのあいだ、いつ奇襲されるか、頭上から発砲されるかわからず、ずっと気を張っている。しかし敵が隠れている気配はどこにもなく、見張り小屋に飛びこんでみれば、老いぼれた見張りがひとりいるだけ。単身でここに暮らし、船団がやってきたのにも気づいていなかった。みすぼらしい見張り台を見てダンピアは、ポルトベロで入手した手紙が、南海の防備が危ういと訴えていたのは本当だったと納得する。しかし、スペイン人にとっては役立たずではあっても、この見張りはバッカニアにとって非常に貴重であることがわかった。海賊の襲来を予期して、パナマがいかに防備を固めているか、詳細を知っていたのだ。

口をひらかせるために、バッカニアのほうでもスペイン兵と同じように残酷なメソッドを各種用意していた。親指、または睾丸を万力で締め上げるとか、身体の一部を火にかざすというのもそのひとつ。しかしこの年老いた見張りをつかまえたとき、そういったメソッドはまったく必要がなかった。南海に海賊がやってきたと知ったのはついいましがたで、窓を覗いたら、むさ苦しい男たちが銃やカトラスを持っているのが見えて、初めて気づいたと、尋問するとあっさりいったものだから、バッカニアはもうこの男に疑念を向ける必要もなかった。スペイン兵もまた、海賊が襲撃に来るなどとは思っていないと男はいう。そうでなかったら、昨日ここへ立ち寄ったサンタ・マリア総督の一団が、海賊について何かしらしゃべっているはずだからと。ここからパナマまで二十リーグ。その途上で、総督は簡単につかまるだろうと男はいい、これをきいて、ソーキンズと選《え》り抜きの漕ぎ手チームが自分たちのカヌーに急いでもどった。

見張り台まであがってきたバッカニアたちは、そこからパナマ湾を一望したことで、もうひとつ貴重な情報を得ることになった。ちょうどそのとき、プランテーン・キーへまっすぐ向かう船が見えた。三十トンのバークと日誌には書かれていて、このバークは小型の帆船全般を指す。ここに来てまた幸運の女神がバッカニアたちに微笑んだようだった。スペイン人がパナマの金銀を避難させるのを阻止するために、ああいう船こそが欲しかったのだ。太陽が沈んで、とりわけ暗い夜になると、帆船はプランテーン・キーの南岸に錨《いかり》をおろした。そこからだとバッカニアたちのペリアグアと三十三艘のカヌーは見えず、これまた幸運なことだった。

リングローズは帆船を捕獲するために組織された小さなチーム――メンバーはおそらく十人――に入った。誰が見ても、彼に恐れるようすがまったくないのは、おそらく「停泊中の奇襲」として知られる作戦を練るので頭がいっぱいだったせいだろう。この作戦では最初に情報を集める必要があった。狙う船の戦力や弱点、乗りこんだときに予想される反応といったものをつかんでおくのだ。しかし残念ながら現時点では、闇と、狙う船の岸からの距離が邪魔して偵察には出られない。もし出れば最も重要な奇襲の効果を失ってしまう。

リングローズたちは二艘のカヌーに分乗して出発し、人目につかないよう岸伝いに帆船の停泊している方向へ前進していった。闇が接近するカヌーを隠してくれるうえに、この時間は多くの乗員が甲板の下で眠っている。夜は奇襲に最適な時間帯だった。とりわけこの夜、敵は無人島沖に停泊していることから、脅威は皆無だと思って、見張りは最小限でいいと考えたに違いない。そこを、「まるでマナティーをさがしているかのように、そっと」パドルを動かして帆船に近づいていったと、ダンピアは記している。一行は、通常最も低く、海からあがりやすい船の中央部の川下側をめざす。そこなら波と風をよけながら、鉤竿《かぎざお》や引っかけ鉤をがっちり船にかけて、よじのぼることができる。

一番理想的な筋書きは、見張りに立つ乗員を完全な不意打ちにすることだ。そうであっても、甲板下にいる乗員たちとは戦わねばならず、そうなると、船内を熟知している敵のほうが俄然優勢となる。乗員の大半を戦闘から締め出すために、バッカニアはドア、舷窓、ハッチをできる限り早く閉めて固定する必要がある。その次にやるべきは船長を無力化すること。これによって乗員たちに、人体から頭部を切り落とされたような効果を与えることができる。今回狙うような商船の場合には、特にこれが効果的だった。

リングローズもほかのメンバーも、どんな武器を携行していったかは明らかにしていない。しかし奇襲の場合、海賊は機動性を重視して身支度は身軽にするもので、マスケット銃の代わりに各自ピストルを一丁か二丁持っていったことだろう。斧を持っていくのも得策で、見張りに立つ人間を瞬時に片づけることができる。ひとたび乗りこんでしまえば、カトラスが主要な武器となる。接近戦ではこぶしものをいい、同様に、肘、膝、頭——頭突きにつかう——のほかに、ありったけの歯も武器にする。敵の股間に蹴りを入れるのも結構だし、背中を刺すのも実用性が高い。命のかかった勝負なのだから、どんなに卑怯な手口もつかう。味方どうしで刺し合ったり、撃ち合ったりしないよう、海賊は見てはっきりわかるバンドやスカーフを腕に巻いている。

帆船にたどりつくと、リングローズと仲間たちは船にあがりはじめた。見張りに立っていた人間は確かに驚いたが、それでも勇を奮って襲来者に発砲した。しかし弾は水に当たるだけで、圧倒された乗組員は数秒のうちに降参した。続いて行った尋問で、バッカニアたちは幸運続きであることが判明した。通常は乗組員にくわえて大勢のスペイン兵を乗せているはずなのに、たまたま今回は週のはじめに兵士が全員下船していた。「国のあちこちでひどいことをした特定のインディアンや黒人と戦って封じるため」だという。ということは、パナマでは海賊が襲撃しにくるなどとは露《つゆ》ほども疑っていない。バッカニアたちは興奮しつつ、そう結論を出した。


獲得したバーク船、すなわち小型の帆船には、三百十四人のバッカニアのうち百三十七人が乗れ、彼らはパナマまでの残り三十リーグを漕がずに進んでいくことができた。優先的に乗船できたのは、三十三艘のカヌーのうち遅れを取っている者たちだった。今度は自分たちは遅れ組ではなかったと、リングローズは書いている。三日後に三艘目のカヌーに乗り換え、それは「それまで乗っていたものより幾分小さいものの、同乗者に恵まれた」という。日誌にはウェイファーの名もダンピアの名も出していないものの、そのふたりがそれぞれに、リングローズ――バズ（バジルの愛称）と呼んでいる――との友情が芽生えたことを日誌に書いており、四月二十一日にまた別のスペインのバーク船を認めたときにも三人一緒だった可能性が高く、「即座に追いかけた」と記されている。

このときばかりはダンピアも、プランテーン・キーのプランテーンに関するうんちくなど披露している暇はなく、必死になってカヌーを漕いだことが容易に想像できる。回顧録である『最新世界周航記』でダンピアは、ダリエンの行軍とサンタ・マリアの襲撃についての記述に、たった二十九語しか捧げていない。「およそ九日間歩いてサンタ・マリアに到着し、そこを攻略して三日ほど滞在してから、南海の岸へ向かった」と。それでいてプランテーンについては、左記を含め、一千語以上を費やしているのである。

その殻――あるいは外皮や袋――は柔らかで熟すると黄色くなる。形はブタの腸詰めに似て、皮を剝《む》けば、冬のバターほどの固さの果実が現れて、このうえなく純粋な黄色いバターとそっくり同じ色を見せる。繊細な味わいで、口のなかで（マーマレードのように）とろける。

公平を期すためにいうと、すでに出版されているリングローズの日誌にサンタ・マリアでの詳細な記録が記されているので、同じことを繰り返すのは無駄だと思ったのだろう。もっとも自らを有罪に導く詳細な記述を避けるのも当然ではある。ダンピアにとって海賊業は主たる収入源であったが、本当にやりたいのは博物学の研究だった。

彼よりもリングローズとウェイファーのほうが、外海でバーク船を捕獲する必要を痛感していただろう。投錨《とうびょう》している船に奇襲をかけることはさまざまなリスクを伴うが、このときはさらにパナマ襲撃計画を察知される危険と、そしてもちろん海それ自体がもたらす危険もある。敵が降伏しないとなれば、甲板にいる乗組員を一掃せねばならず、バッカニアたちは波にもてあそばれるカヌーから、動く標的に向かってマスケット銃を発砲することになる。しかもそのあいだずっと敵の砲火にさらされているのだ。リングローズたちが狙いを定められる位置まで接近する前に、ピーター・

ハリス率いるカヌーがさっと横を通り抜けていった。帆船と横並びになったと見るや、二十人の敵とたちまち交戦状態に入った。リングローズはそれを「激しい抗争」と記し、十五分後には、ハリスとその仲間は帆船に乗り移り、船を掌握したという。

リングローズたちに次のチャンスが訪れたのは、その翌日四月二十二日。パナマからわずか十リーグしか離れていない地点だった。しかしここでふたたび、別のカヌーに先を越される。今度はコクソンだった。リングローズのカヌーを抜き、弱い風を利用して敵の船に追いついて横に並んだ。コクソンと仲間たちはカヌーからマスケット銃を一斉射撃する。しかし甲板に立つ敵には痛くもかゆくもない。今回攻撃を仕掛けたのは、弱体な商船や渡し船ではない。「軍艦の補給船」で、軍艦のあいだを行き来して情報や命令を伝え、火薬や食料を補給する百戦錬磨《れんま》の船だった。おそらく乗組員たちはマスケット銃とペドレロを持っていたことだろう。ペドレロは乗り移ってきた敵を撃退するためにつくられた全長四フィートから七フィートあるレールを備えた回転銃だ。ぶどう弾、散弾、鉄釘弾、ボルトや釘や金属の破片など、たまたま手近にあった鋭い物体をなんでも発射させることができる。鉄釘弾の一斉射撃を身に受けながら死なずに済んだ者がいたとしても、その後感染症にかかるのは必至で、たいてい命をとられる。「ペドレロ」は当時英語で、「殺人者」と訳された。

補給船から放たれた最初の一斉射撃により、コクソンの部下五人が負傷し、ひとりが致命傷を負った。リングローズは彼をミスター・ブルとしている——おそらくブルマンと同一人物だろう。ウエイファーがタトゥーを取ってやろうとして、うまくいかなかった男だ。こうなれば、コクソンの部下たちがなんとか二回目の一斉射撃から逃れるか、リングローズの一団が参戦して銃を発砲するか。選択肢はふたつしかない。それより早く風が強くなって補給船が急いで立ち去ったのは、おそらくただの幸運だった。向こうがその気になれば、何の苦もなく二艘のカヌーを木っ端微塵《こっぱみじん》にすることができたはずなのだ。それでも補給船はパナマ方面に向かっており、先着されると奇襲作戦の望みは潰え、仲間全員を危険にさらすことになる。

その夜、合流地点――チェポ川河口にあって、パナマから六リーグ離れた無人のチェピリョ島――で、バッカニアたちはミスター・ブルと奇襲作戦、ふたつの死を悲しんだ。何らかの理由で、軍艦の補給船がパナマで警報を伝えなかったとしても、サンタ・マリア総督が知らせるのは間違いなかった。ソーキンズと仲間たちが、またもや総督のカヌーに追いつけなかったという知らせを持ってもどってきていたのだ。次にどう出るか、仲間たちが頭を悩ますなか、ダンピアだけは暗い気持ちとは無縁だったらしく、「チェピリョはパナマ湾一快適な島である」として、その風景、土壌《どじょう》、植生について、「あり得ないほど美味な」プランテーンのことも含め、詳しく記している。

パナマは常時千五百人の守備隊が守っており、バッカニアが襲撃しにくると向こうがわかっている今、そこへ攻めていくことには、骨折り損の結果しか待っていない。どんなに無謀な計画にも平然と乗りだすソーキンズであっても、さすがにこれには賛成しかねた。しかし、その一方でこんな考えもあった。もし今すぐチェピリョ島を発って、夜明けまでにパナマに到着したらどうだろう？　町を守っている軍艦を奇襲することは可能ではないか？　もし軍艦をすべて掌握できれば、波止場を封鎖してパナマを包囲できるのではないか？　スペイン側は、まさかバッカニアが、バーク船二隻とわずかなカヌーで軍艦と対戦するなど、想像もしないだろう。まさに無謀の極みといってよく、しかしそれこそソーキンズが好むものだった。結果、バッカニアの大半がこの考えに活気づいた。

しかしそこには問題がふたつあった。まずは人数の問題。一団からは百三十八名が減っていた。シャープが水をさがす旅にそれだけの人数を引き連れていったのだ。もし戦闘が始まるまでに彼らがもどってこなかったらどうするのか？　いや、百三十八人足りなくても挑戦する価値はあるというのがソーキンズの考えで、その士気に押されて全員が納得した。そちらの問題が片づくと、次は捕虜の問題が浮上した。まさにその日、不運にもチェピリョ島に上陸したスペイン人十四名を捕虜に取ったばかりだったのだ。もし彼らを放っておけば、パナマへ行ってバッカニアの計画を暴露しかねず、すべてが無に帰する危険がある。

リングローズだったら、もう少し慈悲深いやり方の二、三は思いついただろうに、みんながこれと決めた解決方法は、剣闘士のショーに近いものだった。つまりクナ族に捕虜と戦ってくれるよう頼んだのである。「というより、（彼らを）みんなの目の前で、殺害、虐殺するよう頼んだのである」とリングローズは書いている。クナ族は喜んでこれに応じた。ところが捕虜たちは身を守る武器を何ひとつ持たされていないにもかかわらず、ひとりを除いて全員が森に逃げるのに成功した。クナ族は逃げ遅れたひとりを殺害したあと、残りの捕虜をさがしに森に入っていった。シャープがもどってくるのを待って島に残っているあいだに、全員ではないにしても、数人はさがしあてて殺したに違いない。

しかしながら、できるだけ早くパナマへ到達しなければならないバッカニアには、こういった捕り物劇を見物している暇はなかった。「夜を徹してひたすら漕ぎ続け、そのあいだ、にわか雨に絶え間なく打たれた」と、リングローズの日誌にはそれしか書かれていない。

11　ドラゴン

常軌を逸した無謀な挑戦を思いとどまらせんとするかのように、自然はバッカニアの真っ向から北西風をぶつけ、降り募る雨を一斉射撃に変えた。それでもこの激しい天候が、軍艦補給船の到着を遅らせると同時に、サンタ・マリア総督を岸にあげるだろうと思い、彼らは一晩中漕ぎ続けた。朝になると、まるで母なる自然がバッカニアたちの決意の固さに心打たれたように、ふいに闇が退散して晴れあがり、まぶしい光景が目に飛びこんできた。白い石造りの建物や、赤いタイル屋根を持つ煉瓦《れんが》造りの洒落た家々が、さまざまな建設途上にある教会とともに、すべて碁盤の目状に配置されている。どの建物も狭い街路にバルコニーを張り出しているから、歩行者が雨に濡れることもない。ダンピアはこの都市を「これまで見たなかで最も洗練された都市で、アメリカ大陸では最高の部類に入る」と記している。

地元ではニュー・パナマとして知られ、かつて壮麗な教会や市庁舎や何千という数の家々があったオールド・パナマから、西へ五マイル行った先にある小さな半島に広がっている。オールド・パナマは一六七一年のヘンリー・モーガンの襲撃によって火が放たれ、有名なセント・アナスタシウス聖堂と、ウェイファーが記す「ゴミの山と貧民の暮らす数軒の家」を残してすべて焼けてしまった。リングローズの目には、八千人の人口を有するニュー・パナマのほうが立派で大きく見え、実際、こちらは海岸線に沿って一・五マイル半の広さにわたっている。しかし今ソーキンズと、船団のほかより早くに到着した五艘のカヌーに乗っていた三十四人のバッカニアとともに、この都市全体に目を走らせるリングローズは、これから迫り来る襲撃するにあたって、スペイン人の備えに関心が向くのであった。

一番の心配は、堂々たる防御施設である。あまりに高額な費用がかかったため、町を取り囲む城壁は銀や金でつくったのかと監査役が問うたというわさがあるほどに豪華なのである。実際には石でできているのだが、高さは二十フィートから四十フィート、厚みは十フィートあって、陸側の前面は深い濠が、海側の前面はサンゴ礁《しょう》が取り巻いていて、二百フィートから三百フィートごとに、「夥《おびただ》しい数の大砲」を備えた見張り塔が設置されている。大砲の筒先はすべて陸側のサバンナに向けられており、今そこでは雌牛や雄牛の群れが草を食《は》んでいる。スペイン人が予測したとおり、モーガンは陸から襲撃してきた。しかし海から襲撃されることも考えて、パナマは、バルコス・デ・ラ・アルマディリャという、ずんぐりした形状の頑丈な百トンのバーク船三隻から成る艦隊を持っており、そのどれもが、バッカニアの持つバーク船の三倍以上の大きさがあった。

パナマから二リーグ南に固まっている三つの島のひとつペリコ島に、半ダースの商船が係留されており、そのなかにリングローズは、スペインのバーク船三隻が交じっているのに気がついた。ペリコは商業港であり、スペインの宝物を入れた倉庫がたくさん並んでいる。リングローズが島々を眺めまわしているそばから、そのバルコス・デ・ラ・アルマディリャが錨《いかり》を揚げ、帆が追い風を受けて、カヌーめざしてまっすぐ走りだした。彼は胃が締めつけられるような気分で結論を出した。「敵は情報を収集してわれわれが来ることを知っていて」交戦することにしたのだと。

この状況から逃れるには撤退しかないが、アルマディリャは追い風を受けて進んでいるから、あっというまに追いつめられるだろう。助力を願ってリングローズは肩越しにふりかえった。二隻のペリアグア（最初にサンタ・マリアで、次にチェピリョ島で捕獲した）は、遙か後方に位置しており、そこから助けの手を差し伸べるのは不可能だ。プランテーン・キーで獲得した三十トンのバーク船は、シャープと百三十七人の仲間を乗せて飲料水をさがしに行ったきり、まだもどっていない。ハリスがチェピリョ島への洋上で捕獲した、もう一隻の帆船の姿もない。パナマ侵攻を決める前に、ハリスは三十人の手下に、帆船を捕獲したら糧食を調達するよう命じている。彼らはその途上で課外活動にも勤しむはずだから、パナマに到着するのは数日後になるだろう。残り九十二名のバッカニアたちは現在のところ、それぞれのカヌーに乗って、チェピリョ島からパナマに広がる海のさまざまな地点にいる。こちらに向かっているとはいえ、北西風と雨で航行スピードは落ちている。結局、リングローズとソーキンズ、そして三十四人の仲間たちは、自分で自分の身を守らねばならないのだと気がついた。スペインの三隻の軍艦は今、血染めの旗を掲げて、わずかたりとも敵に譲りはしないと宣言している。

この緊迫した状況において、バッカニアのひとり——おそらくソーキンズ——は、今こそチャンスだと見て一計を案じた。発案者の名は明らかにしていないものの、日誌を残した全員がその作戦について記している——迫り来るアルマディリャに一騎打ちを仕掛けるように、カヌーを漕いでまっすぐ向かっていく。接近していくあいだ、砲弾を受ける心配はない。巨大な大砲が設置されているのは各船舶の側面だけであり、船首にも船尾にもない。当時の海戦では、側面を航行する敵を片舷《へん》斉《げん》射で討ち取るというのが慣例で、あらゆる大砲は船の側面から一斉に発射されるのである。接触寸前まで来たところで、バッカニアたちはいきなり方向を変えて敵の針路からはずれ、そのまま前進を続けて敵の船と横並びの位置に着く。このときできるだけ敵の船体に近づくようにする。そうすれば、そこでもしスペイン船が大砲を撃ってきたとしても、甲板上にそびえ立つ発射台から放たれた砲弾はバッカニアの頭上を飛び越えて、何ら被害をもたらさない。それからすぐカヌーは帆船の背後にまわる。この時点になると、帆船が方向転換してバッカニアたちを追いかけようとしても、向かい風のせいで舵がきかず、操船不能になった挙げ句、海上で立ち往生してしまう。バッカニアを追い続けるためには、ジグザグ航行を繰り返しながら風に向かって進んでいくしかない。この操縦法は、今日《こんにち》に至るまで、最新のヨットレースでもつかわれている。しかし十七世紀においては、どんなに機敏な横帆艤装《おうはんぎそう》（船首尾線に対して直角の主要帆を持つ）の木造船であっても、ジグザグ航行で敵に追いつくことはほとんど不可能だ。よってソーキンズたちは考えた。おそらくスペイン船はジグザグ航行をしない。大砲を備えていない船首と船尾をさらしつつ、時代遅れの小火器やはんぱものの回転銃などをかき集めて、防衛にまわるに違いない。それならば射撃の名手であるバッカニアのこと、少なくとも甲板を一掃して、船に乗り移るチャンスはあるだろう。

強みに見えるもの――強力な大砲――を障害に変えるという、この戦略をきけば、因習打破主義者は誰でも心温まる思いがするはずで、五艘のカヌーに乗ったバッカニアからあがる大歓声がきこえてきそうだ。しかしなかには不安になる者もいた。一番の問題は、バッカニアが正面から向かってきたと見るや、敵は彼らが針路をはずれるより先に、ホイップスタッフ――操舵輪が発明される前に、舵柄を動かすのにつかった棒――をパンと叩いて方向を変え、カヌーをあっけなく叩き潰せるのではないかということだ。そしてもうひとつは、バッカニアが敵の風上につけたとして、その地の利を生かすには、敵に十分近づいて発砲しなければならないということ。しかしそれをすれば敵も標的に接近することになるうえに、より高く安定した位置から発砲できるので、ますます有利になる。さらに、普段ならバッカニアは、射撃の腕はこちらが上だと信じて疑わないが、現状はリンググローズが書いているように、「今は力を十分に発揮して戦えるコンディションではない。カヌーをひたすら漕ぎ続けて疲労困憊《こんぱい》していたし、人数も激減している」のだ。それに引き換え、敵は休養をたっぷり取って戦闘態勢もととのった二百五十名という大勢が三隻の船に乗っているのである。

最終的に決め手となったのは暦《こよみ》だった。四月二十三日の日誌の最初に、リングローズは「我らがイングランドの守護者、聖ジョージに捧げる日」と記している。イングランド人のバッカニアなら――バッカニアならずともイングランド人なら――誰でも、ドラゴンを退治する勇敢な騎士ジョージを知っている。セント・ジョージズ・クロスはイングランドの国旗の図柄になっており、この軍旗の下でイングランドの兵士は戦闘に臨む。バッカニアはイングランドの法律の外で生きることを選んだものの、依然として愛国心は持ち合わせており、一六八〇年の四月二十三日のパナマ湾において、彼らのドラゴンはスペインだった。

「かつてわれわれはスペイン人を征服してきた。彼らに屈して海で溺れ死ぬのも、命乞いをするのも潔《いさぎよ》しとしない。それよりは運に任せ、銃と剣をとことんつかって賭けに出よう」とコックスが書いている。軍旗といっても彼らにはソーキンズの旗――黄色い縦縞《たてじま》が入った赤い旗――しかなく、おそらくそれもまだ畳んで、かばんに突っこまれていることだろう。しかし、バッカニアが波にオールを突き立て、アルマディリャへ襲いかかったときには、早朝の光のなかに真っ赤に染まるセント・ジョージズ・クロスの隊旗が掲げられ、着実に吹いてくる北西の風に、うまい具合にはためいたのである。

12　運任せの勝負

四月の日の出時分になると、現代のパナマ市では二十四度から二十六度まで気温があがるのが普通で、濃紺のパナマ湾は見事なオーシャン・ブルーに変貌する。同じ時分の一六八〇年の四月二十三日、三ダースのバッカニアが漕ぐヒマラヤスギをくりぬいたカヌー五艘が、二百人以上の兵士を乗せた一隻あたりオークの成木《せいぼく》千本で建造された、三隻の軍艦めざして正面から向かっていった。そこで早くもリングローズは、スペインの軍艦の圧倒的な速度を見くびっていたことに気づいた。先頭の軍艦は、すでにリングローズとソーキンズのカヌーを攻撃できる位置まで来ており、もう逃げることはできない。船長の気分次第で、どちらのカヌーでも、一瞬のうちに木っ端《こ ぱ》微塵《みじん》となる。

しかしその船長、ドン・ディエゴ・デ・カラバクサルは、リングローズのカヌーを左に、ソーキンズのカヌーを右に、二艘のカヌーのどまんなかに入ってきた。まさにスペイン船長の望むとおりの配置だった。甲板の両側面には、六十五名の兵士が武器を構えている。その兵士たちの真下を通るとき、カヌーに乗ったバッカニアたちもマスケット銃を構え、鹿玉（狩猟用の大粒の散弾）の弾薬筒と同じように、一発で複数の散弾を相手に撃ちこむ。彼らはこの戦い方をバーディングと呼んだ。それに対して敵の兵士は片舷《へんげん》斉射で迎撃する。

航海日誌をつけていた七人のうち、唯一この戦闘に参加したリングローズは、敵の武器について詳細を記していない。おそらくマスケット銃、ピストル、回転銃といったものだったろう。大砲の機動性は限られており、低い位置にいるカヌーとは落差もあったから、このときスペイン船がやろうとしたのは、主として心理的に敵を圧倒することだったろう。片舷斉射により、バッカニアたちは雷を落とす入道雲のさなかに突き落とされたようなものだった。耳をつんざく甲高い銃声と凄まじい振動に頭はぼうっとし、それから数時間、ひどいときには数日間、耳鳴りに悩まされることになる。バッカニアのなかには、マスケット銃の銃弾や散弾、自分のカヌーから高速で飛んでくるナイフのような破片に撃たれる者もいた（当時の海戦では、発射体そのものより榴散弾《りゅうさんだん》の破片によって死傷することが多かった）。

轟音《ごうおん》と、もうもうたる煙の大渦《おおうず》から抜け出て、カラバクサルの船の船尾で二艘のカヌーが合流したとき、リングローズは同乗している仲間に負傷者がひとりしかいないのに気がついた。しかし、反対側面のスペイン兵たちは射撃の名手であったらしく、ソーキンズのカヌーでは四名が撃たれ、カヌー自体もザルのようになっていた。しかしバッカニアのカヌー二艘はともにカラバクサルの風上にある。こうなるとスペインの帆船が方向転換して彼らを追いかけるのは極めて難しい。くわえて、バッカニアのバーディングは驚くほどの効果をあげていた。硝煙が散っていくと、敵の船の甲板にカラバクサルの手下が何人も横たわっているのが見えた。人力が減ったことにより帆の調整にも手間取っており、夢中で帆をまわそうとしている兵士たちを撃つのは簡単だ。

バッカニアは大急ぎで、ふたたび弾を詰めにかかるものの、まだ誰も引き金を引かないうちに、アルマディリャの旗艦――このうえなく手強い戦艦――が、こちらに向かってきた。太平洋海軍司令長官ドン・ハシント・バラオーナが指揮するこの船には、八十六名のバスク人が乗っている。ピ

レネー山脈の西からビスケー湾沿いに広がる地域を出身とする彼らは、リングローズによれば、「最高の船乗りであり、スペイン屈指の優秀な兵士との定評がある」。旗艦右舷の手すりにひとかたまりになって、バスク人たちはカラバクサルの手下たちが放ったそれの二倍の威力がある猛烈な片舷斉射を仕掛け、ここに至って世界はバッカニアたちの眼前で消え、彼らはふたたび硝煙の灰色の淵《ふち》に突き落とされたのである。

　リングローズは敵船がそこにあると大体の見当をつけて発砲した。それから大急ぎで船べりの下に身を伏せ、ふたたび四・五フィートのマスケット銃に弾を詰めにかかる。弾薬箱を手さぐりして新たな弾薬筒をつかみ、歯で嚙《か》み切ってあけたとたん、ガツン、ドスンと衝撃が来た。ヒマラヤスギのもろい船体が被弾したのだ。そうとわかって狼狽《ろうばい》しつつも、銃弾が当たったのはカヌーであって、自分ではないと気づいてほっと胸をなでおろす。弾を装塡し終えると撃鉄を引いて発射準備をし、肩に構えてカヌーの船べりから敵を覗く。狙いを定めて引き金を引き絞ると、火打ち石が当て金に当たって火花を散らし、火薬は炎に変わって熱いガスの雲を生み出し、ガスは膨脹して銃身の先端から弾が飛びだし、闇のなかを突き抜けていく。願わくはそのままスペイン人の頭か上体に当たってほしかった。煙が薄れていくと、リングローズは目を疑った。ソーキンズのカヌーは沈みかけているが、自分のカヌーでもソーキンズのカヌーでも、バスク人の一斉射撃で撃たれた者はひとりもいなかった。

　そのあいだ旗艦は反時計回りに方向転換して風に逆らって進もうとしていた。バッカニアとふたたび向き合おうというのだ。しかし、よくない方向から風を受けてしまったようで、帆が裏返しになってマストに押しつけられ、ふいに船の進行がとまった。妙だった。いったい舵手は何をしているのだ？　そこでリングローズは気づいた。そうか、舵手は死んだのだ。この角度で、この距離で、堅い防備をすり抜けて舵手を仕留めるとは、伝説に残る一撃といえるだろう。

　ほかのバスク人たちが、あわてて後甲板（メインマストの後ろの一段高くなったところ）へ走っていき、死んだ舵手の代わりを務めようとする。それをバッカニアが次々と倒していく。ちょうどいいことに、カヌーは今や船尾の下にぴたりとついていた。そればかりかバッカニアは目をみはるほどの射撃の腕を見せた。旗艦のメインシート（メインスルの帆脚索）とブレース（帆桁を水平にまわすのに用いるロープ）、つまりメインスルを制御するのにつかうロープを撃破したのだ。こうなると、バラオーナの手下のひとりがホイップスタッフにたどりついたとしても、何もできない。

　バラオーナにとって幸運なことに、ここでアルマディリャの三隻の船の、最後の一隻が彼を救出するべく駆けつけた。こちらの指揮官は、ドン・フランシスコ・デ・ペラルタ。リングローズによれば、「アンダルシア出身のどっしりとした老兵」で、一六七一年に襲撃に来たモーガンの手下たちが見ている前で、大量の金や宝石を町から運び出した胆略《たんりゃく》で知られている。今、この新たな侵略者どもに対してペラルタは、七十七名の兵士を指揮して挑む。リングローズによれば、この兵士たちはすべて黒人だった。

　このときまでには、バッカニアの二隻のペリアグアのうち小さいほうが、沈没しかけているソーキンズのカヌーにたどりついており、乗員の救出になんとか間に合った。ペリアグアに乗り移って指揮を執るソーキンズは、撤退ではなく前進を選び、ペラルタの船と交戦。右舷に横並びになって、できる限り接近した。「激しい戦いとなり、（乗員たちは）敵味方とも甲板に横たわり、食うか食われるか、必死になって命の取り合いをしている」とその場面を見ていたリングローズは書いている。

しかしソーキンズとしては、命の取り合いを長く続けるわけにはいかない。何しろこちらは敵よりも六十人少ない。それでも少なくともリングローズとほかの仲間たちが旗艦の捕獲に成功するまで、敵の注意をそらすことはできた。そのあいだにリングローズたちは、バラオーナが指揮する旗艦の船尾に停止して意のままに銃を発砲し、索具装置を壊滅させ、百戦錬磨《れんま》のバスク人の乗員たちも屈服させた。

これに対して、バラオーナは後甲板に走っていって、ハンカチを振った。降伏かというバッカニアたちの望みとは裏腹に、最初の帆船に乗っていたカラバクサルに、船を上手《うわて》まわしにして戦いに復帰するよう指示をしたのだった。これは帆船の機動性から考えて非常に難しいが不可能ではなく、向かい風もさほど強くない今なら、バッカニアたちの風上に出て、彼らの四艘のカヌーを自船とバラオーナの旗艦のあいだに挟み、二隻の船の全射撃能力と百五十人の兵をすべて投入して迎撃することが可能になる。

敵のそういった動きを予測したリングローズは、なんとかしてそれをかわせないか考える。どうすればいい？　彼は仲間たちと相談した。もしこちらがカラバクサルの船を取り押さえるためにここを離れたら、バラオーナは旗艦とともに逃げることができる。そうはしないで、二艘のカヌーでバラオーナを押さえこんでおけば、ほかのカヌーがカラバクサルの船を捕獲することができるのではないか？　しかしいつまで押さえこんでいればいい？　カヌー二艘でカラバクサルの片舷斉射をかわしつつ一斉射撃を行い、スペイン人数名を殺したところで、カラバクサルは涼しい顔で通り過ぎていき、旗艦とともに、最初の二艘のカヌーを抹殺するのを、こちらは指をくわえて見ているしかない、というのがオチではないのか。やはりカラバクサルの針路をそらそうと、心が決まった。

どうすればそれができるのか、明確な答えは出なかったが、それでも上手まわしでやってくる船の針路をそらすために、二艘のカヌーが選ばれた。そのうちの一艘にリングローズが乗っている。オールで漕いでカラバクサルに向かっていきながら、このとき誰かの頭に、ある考えがよぎったに違いない。そろそろバーソロミュー・シャープが百三十七人の仲間を連れて現れる頃ではないかと。

さてこのとき、シャープはどこにいたのか？　その前日である四月二十二日の朝、チェピリョ島で捕虜のひとりがシャープに進言した。おそらくご機嫌を取ろうとしたのだろう。ここから近いパール諸島で、新しくブリガンティーンが進水しましたから、お宝を狙うにはもってこいですよと。ブリガンティーンとは二本マストの商船で、縦帆艤装《じゆうはんぎそう》のメインマストを持つ。パナマ湾でバルコス・デ・ラ・アルマディリャと戦うのにうってつけの船ですと捕虜はいった。

シャープは興味を引かれた。おそらく、パール諸島自体に強く引かれたに違いない。そこはコンキスタドールの初期から、真珠貝採取場としてよく知られている。一五一三年、征服者たちは島に先住していた二十人の首長を残酷なやり口――コンキスタドールの標準的なやり口からしてもひどい――で追い出した。犬をけしかけ、地元の首長を八つ裂きにして食わせたのだ。それからスペイン人たちはその土地を占領し、真珠の養殖を独占。残っていた先住民たちを無理やり海に潜らせ、海底から真珠貝を取ってかごにぎっしり詰めさせた。一六八〇年においても、真珠貝の養殖場は豊かなまま残っていた。

ブリガンティーンのことを知った同じ朝、シャープはバッカニアの仲間から「飲み水がどうしても欲しいと嘆願された」。それでうまい口実ができた――日誌には、水をさがしにいくことを「強制された」と書いている。彼は百三十七人とともに、仲間たちがプランテーン・キーで捕獲したバーク船に乗って十リーグ進み、お昼前にパール諸島に到着した。ブリガンティーンはすぐ見つかった――おそらく約百八十ある諸島最大の島、九十平方マイルの広さがあるレイ島に錨《いかり》をおろしたのだろう。「うれしいことに、（捕虜の）言葉どおりだった」とシャープは書いている。「七人の仲間とともに喜んで岸にあがり、船を捕獲した」

仲間たちが新しいブリガンティーンの整備に忙しくしているあいだ、シャープはぶらぶら歩いて近所の家に入りこんだ。糧食を調達できないかと思ったのだ。家のなかはからっぽで、誰もいないのかと思ったら、隣接する森に、子どもふたりと女ひとりが身を縮こまらせて隠れているのがちらりと見えた。海賊を恐れているのだ。女はたまたま「非常に若く、顔立ちもととのっていた」ので、シャープは糧食の調達を一時中断した。女を家のなかに連れていき、「二ケースほどのワインを見つけて」ボトルの一、二本をあけると、彼は早速「彼女への奉仕活動に勤しんだ」――もちろんこれは、「ダンシング・ザ・クッション・ダンス（正常位で激しく性交する）」や「メイキング・ザ・

ビースト・ウィズ・ツー・バックス（背中はふたつで身はひとつのケダモノになる）」「ジョイニング・ギブレッツ（臓物を接続する）」といった十七世紀の婉曲表現と、いっていることは同じで、そこに彼なりの味つけをくわえただけだ。しかし世間に流布する表現は、双方が同意のもとに行う行為を指すのに対して、シャープの「奉仕活動」は、もし拒めば自身と子どもたちの身に危険が及ぶばかりか、「奉仕活動」に、この男の仲間全員が加わることになるかもしれないのだった。

事が終わったあと、「女はわたしに感謝を述べてきた。言語は違うものの、いっていることは十分理解できたのである」とシャープは書いている。午後も遅い時間になってくると、「彼女にとってわたしは、さらに喜ばしい客となった。わたしがどこの国からやってきたどういう人間なのか、相手は理解したのである」。シャープはここで夕食もご馳走になることにした。リングローズ、ソーキンズ、ウェイファーとほかのバッカニアたちがパナマ湾で砲火を浴びていることなど知るよしもなく、シャープと百三十七人の乗組員がもどるのは、戦闘に決着がついたずっとあとになる。

バッカニアのカヌー団のうち二艘が、あたかも正面攻撃を仕掛けるようにカラバクサルの船に向かっている。そのうちの一艘にリングローズが乗っていたが、カラバクサルはもうこの作戦に気づいていた。気づいたとして、敵はこの場をどう切り抜けようというのか、リングローズたちには謎だった。小火器をつかって前方射撃を行っても、弾はバウスプリット（船の舳先から斜めに突き出たマストのような円材）や、帆布、ロープ、帆桁の吊り索、滑車、ブレース、三つ目滑車から成る森に遮断される。ただし届くものもある。もし放った弾の五分の一でもカヌーに届けば、戦力は五分五分。少なくとも数字の上ではそうだ。カラバクサルの兵力は、二艘のカヌーに乗りこんだバッカニアの兵力に、五対一で勝っているからである。おそらくカヌーに届くのは、五発に一発以上だろう。くわえてスペイン船には、船首部に一段高くなった船首楼があり、そこから撃てば圧倒的に敵のほうが有利だった。つまり、カラバクサルの船に正面攻撃を仕掛けるというのは作戦としてまったくお粗末なのだ。それでもバッカニアには、それしか頼みの綱はない。もしこれに失敗し、カラバクサルがバラオーナの旗艦に到達して、ほかのカヌーを壊滅させたなら、バッカニアは誰ひとりとして、生きてパナマ湾を出られない。

カラバクサルの船が射程に入ると同時に、バッカニアたちは一斉射撃に出た。スペイン兵たちも同じように迎撃し、さまざまな弾が一斉に飛んできた。これによりスペイン兵数名が死んだものの、驚いたことにバッカニアには被害が出なかった。イングランド人の射撃の腕に感服したかと思いきや、カラバクサルはふたたび「撃て！」と命じた。喜んで消耗戦に応じて、バラオーナの旗艦にたどりつこうというのだ。しかし二回目の一斉射撃を行うためには、弾を詰め直さないといけない。再装填も射撃もバッカニアのほうが速く、敵の三倍からの銃弾を発射することができる。敵兵は次々と倒れてカラバクサルの足下に転がった。それでもカラバクサルは針路を変えなかったが、このような銃撃戦が何度も続くと、さすがの彼も撤退するしかなくなった。しかしその撤退さえも、今となってはままならない。「われわれが大勢の兵を殺傷したため、船を進めるのに必要な無傷の乗員が残っていないのだった」とリングローズが書いている。

しかし、これは明らかにやりすぎだった。針路を変えさせるつもりが、カラバクサルの船を完全な戦力外にしてしまったわけで、そうなるとカラバクサルはパナマの町へ帰ることになり、そこには一千五百名もの援軍が用意をととのえて待っているのである。作戦を急遽変更し、カラバクサルの船を捕獲しようと、リングローズと仲間たちは追いかけた。しかし、そこで急に強くなった風がスペイン兵たちを運び去って、「彼らの命を助けたのである」。

二艘のカヌーは急ぎスペインの旗艦へ向かった。そこではまだスペイン兵が、バッカニアのほかのカヌー二艘と、ソーキンズ一行を救出したペリアグア一隻を相手に激しい戦いを繰り広げていた。といっても、その内実は想像するしかない。もうもうと噴きあがる硝煙のせいで、リングローズたちには、どこで誰がどう戦っているのか、皆目見えないのだ。リングローズのカヌーに乗っていた男たちが、煙のなかから「おーい！」と叫んだ。すると遠くから、ハリス船長とゴールデン・キャップと一ダースの人間が応じる声がきこえた。彼らも戦いに加わっていたのだ。そちらは二隻のペリアグアのうち大きいほうに乗っていて、まさに今、バラオーナの船に乗り移ろうとしている。きっとバスク兵はそれを撃退しようと動くだろうと考え、そのあいだにリングローズと仲間たちは、バラオーナの船の船尾へできるだけ近づいていく。舵に手が届くところまで近づいて、船尾材（竜骨の後端から縦にのびる骨材）と舵のあいだに、オール一本、あるいは大きめの漂流物ひとつをねじこめば、舵はもう動かなくなり、船を麻痺させることができるのだった。

バッカニアの作戦に気づいて、バラオーナと首席操舵手は下に向かって撃ちはじめた。リングローズと仲間たちはこれを迎撃して、ふたりともに殺した。問題は、ふたりに代わって、そこに選《え》り抜きのバスク兵が次から次へ、果てしなく供給されてくることだ。しかしリングローズが書いているように、バスク兵のほうも、「われわれの銃がどれだけ残虐な結果をもたらすかを見て、心身ともに打撃を受け、ほぼ動けなくなっていた。三分の二の兵が死に、さらに多くの兵が負傷するに至って、彼らは助命を嘆願した」。

　このタイミングで敵が降伏したのは、ハリスにとって幸いなことだった。旗艦の側面から乗り移ろうとしていたところ、両脚を撃たれてしまったのだ。彼をかつぎあげて、捕獲した旗艦に乗船させるコクソンを見て、今や総勢六十八人となったバッカニアはみなそこに皮肉を感じていただろう。二週間前、コクソンはハリスを撃とうとしたのである。さらに仲間たちは、コクソンが戦いのさなかに姿を消していたことにも気づいていた。それでも依然として彼は司令官であって――海賊は決して戦闘のさなかに司令官を交代させなかった――彼の命令にみんなは即座に従って、パナマ湾を出る航路の前に立ちはだかるペラルタの船へ襲いかかっていった。

　バッカニアには二隻のペリアグアと無傷のカヌー四艘が残っている。大きな打撃を受けたバラオーナの旗艦に比べればこちらのほうが完全に優位だ。これを見てリングローズとゴールデン・キャップを含む仲間たちは、あとは任せておけると判断し、ハリスとほかの負傷者を手当を受けさせるために残し、急ぎソーキンズのあとを追いかけた。次の戦いこそが勝敗を決すると、誰もがわかっていた。

13　甲板を流れる奔流《ほんりゅう》のような血潮

ハリスの片脚を見ただけで、これはもう残せないだろうことは、どんな外科医の目にも明らかだった。そればかりか、今すぐ、捕獲した旗艦の甲板で切断しない限り、本人も生き残れない。それに対してハリスがどう応じたか、詳しい記録は残っていないものの、普通なら、それに代わる方法はないかと懇願するはずだ。ただしそれも、片脚で生きるか両脚で死ぬか、ふたつにひとつの選択肢を示されるまでのこと。大人しく医者に従ったハリスには、褒美にグラスに一、二杯のウィスキーが振る舞われる。それをがぶ飲みするしか、麻酔に代わる手立てはないのだった。

ウィスキーが効いてくると外科医は――ウェイファーと思われる――手術道具一式を包んだ布を広げる。この布は実用に供するよう赤く染められている。甲板の台の上に帆布をかけたものが手術台となり、そこに道具を並べていく。短剣を湾曲させたような「切断ナイフ」や、ハサミ状の取っ手がついた「カラス口」の締めつけ器具。これは血の流れをとめるのにつかい、同じ用途で、るつぼに入れて加熱してつかう金属の焼灼器《しょうしゃくき》も数個並べた（これらの道具に血の縞《しま》がついているのは、清潔に保つ意識の欠如を示すのではない。外科医は海では決して道具を洗わない。そうでないと錆《さ》びてしまうからだ）。ウェイファーの道具のなかには木片や棒もあって、こちらの役割も重要だ。ハリスに嚙《か》ませて目の前で脚を切断される恐怖から気をそらすと同時に、悲鳴を抑制して外科医の

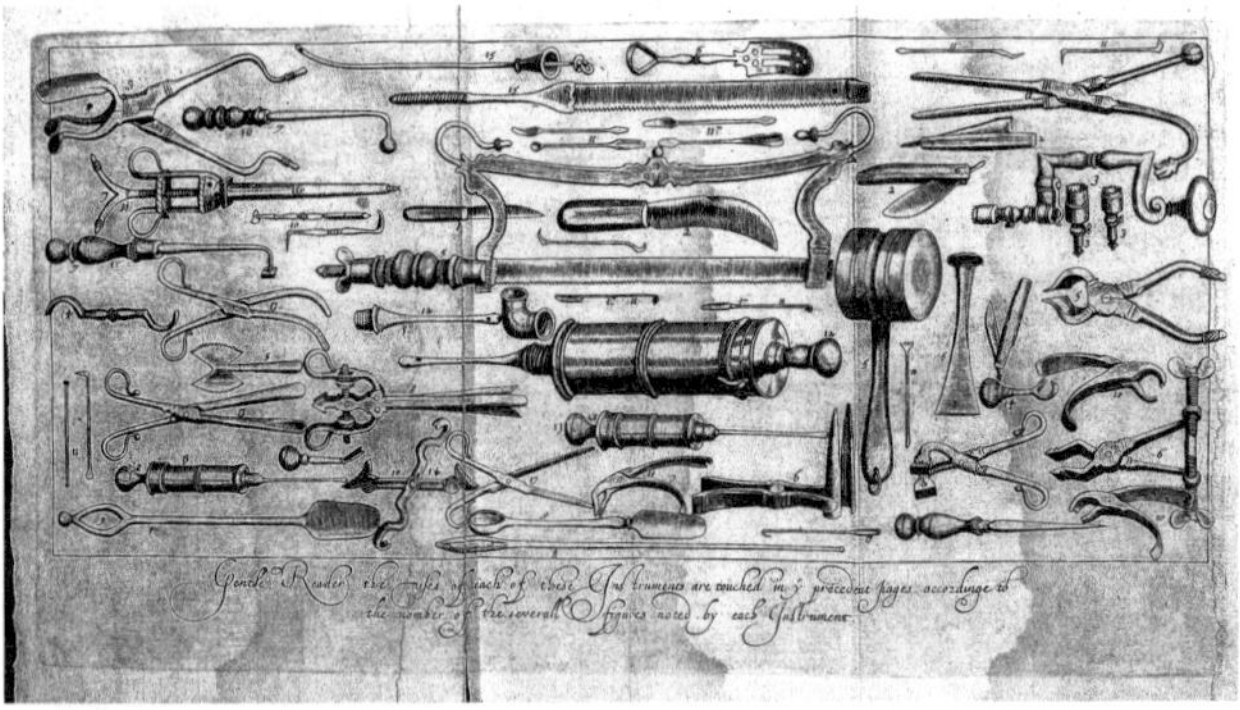

外科医の道具

集中を妨げないためにつかう。甲板で行う膝上切断手術ほど外科医にとって集中力を要する仕事はない。

患者の苦痛を最小限にとどめるため、手術はできる限り短時間で終わらせる。五分が限度で、望ましくは二分から三分。混乱する状況であるゆえ、自分や、暴れる患者を押さえているアシスタントの指をうっかり切り落としてしまうのは、ウェイファーだけではなかったろう。若い外科医はまず、ハリスの腿《もも》まわりに一本の線を描くことから始める。そこにナイフの刃を入れていくという目安だ。次に、そのラインの真上に止血帯を巻いていく。血止めと痛み止めの両方の効果を期待しての処置だが、後者についてはあまり効果はない。そのあとがいよいよ正念場だ。切断ナイフを手に取り、ラインに沿って刃を入れていき、できる限り迅速に大腿部《だいたいぶ》を一周して皮膚と筋肉を切っていく。組織を取り除いたあとで、切断したばかりの大腿動脈をカラス口で締めつける。この血管が主として、脚に血液を流す源になっており、それを締めつけることによって、残されている脚の部分からの大量出血を防ぐことができる。もし動脈の口をあけっぱなしにしておいたら、ハリスは出血し続け、四分ほどで命を失う。時間が許せばウェイファーは、今や真っ赤に輝いているるつぼか、硝酸塩とテルペンチンのような止血剤をつかって別の血管の止血も追加で行っただろう。そうして最終的に、血管を縫い止める。今ウェイファーは普通の弓鋸《ゆみのこ》と見まがう特別な切断ナイフをつかって大腿骨を切り取ろうとしている。周囲を取り囲む組織よりわずかに短く切るのは、筋肉組織と皮膚で骨の切断面をくるみ、断端を形成するためだ。運がよければ、この時点でハリスは、激痛かショックで気を失っている。

ウェイファーがハリスの切断面を閉じているとき、ソーキンズはペラルタの船の甲板に乗り移ろうとして三度目の撃退を受けていた。「公平な目で敵を見れば、これほど勇敢な戦いぶりを見せる人間たちは世界のどこにもいないと思えた」と、ペラルタ船長の乗員の必死の防衛についてリングローズが記している。ペラルタの船の側面にカヌーをぴたりとつけて、リングローズと仲間たちは猛烈な一斉射撃を行い、船べりに身を伏せて弾を詰め直す。そのあいだ、いつ敵の迎撃が雷鳴のようにとどろくかわからない。熱い発射体が群れを成して飛んできて、地球が軸から叩き落とされたような衝撃が走る。

予想どおりやってきた。しかしそれは敵の一斉射撃によるものではなかった。帆船のメインマストの背後に、火薬を入れた小さな陶製の広口瓶があり――一クォーターの牛乳瓶ほどの大きさ――それが爆発したのだ。皮肉なことに、銃撃戦において火薬がもたらす危険以上に恐ろしいものはない。甲板をぎっしり埋める大勢の人間が銃を発砲し、そこらじゅうに火花が飛び散っている状況ではなおさらだった。海戦において、火薬の爆発事故による死傷者数は全死傷者数の四分の一を占める。

ペラルタ船長の甲板で起きた火薬の爆発により、周囲の空気の粒子が圧縮され、超音速の衝撃波が発生。結果、甲板にいた男たちはボーリングのピンと化し、数名が船べりから海へ突き落とされた。それとほぼ同じとき、閃光《せんこう》が膨れ上がって巨大なオレンジイエローの火玉となり、近くにいた男たちを包みこんで焼いた。火は発生時と同じように瞬時に消えて、あとには真っ黒になった甲板だけが残った。これはスペイン人にとっては幸運だった。真の危険は、この爆発でさらに多くの火薬、あるいは弾薬庫に火がつくことだった。

ペラルタは船べりから、たった今衝撃波により海へ投げ出された男たちを見た。ほとんどは意識を失うか、意識があっても泳げない。自分自身もひどい火傷《やけど》を負い、バッカニアたちから銃撃される危険もあるのに、ペラルタ船長は海へ飛びこみ、部下たちを追いかけて、そのうち数名を無事に船にもどした。「しかし、不幸は重なるもので、（船長が）兵を救出して船の兵員増強をし、新たに戦いに挑もうとしたところで、また別の広口瓶が船の前方で引火し、船首楼にいた数名が吹き飛ばされた」のである。帆船とその周囲は黒煙に包まれ、肉の焼ける臭いが立ちこめるなかで、銃の発する火光だけが光っている。この煙を隠れ蓑《みの》にできると考えて、ソーキンズが仲間を率いて甲板に乗り移る。ペラルタはもう降伏するしかなかった。

三隻から成るバルコス・デ・ラ・アルマディリャの二隻を掌握すると同時に、パナマ湾もバッカニアの支配するところとなった。というのも、三隻目のカラバクサルの船が逃げていたからだ。カラバクサルは援軍とともにいずれもどってくるだろう。しかし当座はバッカニアも一息つける。アドレナリンがみなぎっていた世界がゆっくりと通常にもどっていき、気がつけば時刻は昼になっていた。丸々五時間戦ったのだった。リングローズは有頂天になって、「われわれと戦った三人の船

降伏

長は、スペイン人のあいだで南海屈指の勇者と崇《あが》められていたのである」と書いている。しかしその代償はあまりに高くついた。十八人の仲間が戦闘中に殺され、さらに二十二人が重傷を負って倒れている。

スペイン人の被害はもちろん、その遙かに上をいっていた。「これほど無残な光景を見たことはない。どこに目を向けても、兵は死んでいるか、重傷を負っているか、火薬で恐ろしいほどの火傷を負っているかで、男たちの黒い肌のところどころに白い部分が見える。火薬に切り裂かれて肉や骨が剝《む》き出しになっているのだ」と、ペラルタの船の乗員について、リングローズが記している。

それからわずかも経たないうちに、それ以上に無残な光景が目に飛びこんでくる。船長を失ったバラオーナの旗艦だ。八十六人いたバスク兵が今やわずか二十五人となり、生存者は生きてはいるものの武器を取って戦うことはできない。「残りはみな、目も当てられないほどの重傷を負って、抵抗はおろか自分の身を守ることもできない。彼らの流す血潮が奔流のように甲板を流れていき、血にまみれていない場所をこの船上で見つけるのはまず不可能だった」

そのあいだリングローズはずっと、遠方に目を向けていた。三隻目の帆船がどう動くか見ているのだ。船長カラバクサルは、ペリコ島を出発しようとしている二隻の船に停止せよとの合図を送っていた。三隻の船が波にゆられて上下しているのを見ながら、三人の船長が相談し合って、攻撃の作戦を練っているのが想像できた。バッカニアは捕獲した船舶を活用するための人力に欠けている。これまでの戦いを見てきてカラバクサルにはそれがわかっているに違いない。巨大な大砲をたったひとつ撃つだけでも、砲弾を装塡する者、突く者、撃つ者にくわえて、少なくとも、もうふたりの人間が必要なのだ。となると、スペイン人のほうは、風下に向かって易々《やすやす》と船を進め、バッカニアの放つ小火器の射程外にいながら、大砲で彼らを壊滅させればいい。しかし、カラバクサルとふたりの船長の話し合いで出た結論はリングローズの想像したものとはまったく違っていた。カラバクサルは「仲間たちに戦いにもどるよう要請はせず、われわれと交戦しようとは思わなかったのである」。新たな脅威は完全に取り除かれたのだった。

ソーキンズは、今やバッカニアの捕虜となったペラルタの兵たちに、ペリコ島の兵力はいかばかりかと尋ねた。その島に、お宝が倉庫に入って眠っているのだ。ソーキンズの問いかけを盗み聞きしていたペラルタは、停泊している大型帆船を指さして警告する。四百トンという最大級の大きさを誇るラ・サンティシマ・トリニダッド（三位一体の神）と名づけられたそのガレオン船こそ、一六七一年にモーガンの裏をかいてパナマから財宝を避難させるのにつかわれた船だった。あの一隻だけでも、三百五十人の兵が乗っているとペラルタはいう。

バッカニアの腕利き戦闘員は百三十六人。それにくわえて、チェピリョ島から遅れてやってきたカヌー――ちょうど今、パナマ湾にぼちぼちと入ってきていた――に乗船する者たちも戦闘に加わる。スペイン人の戦いぶりを見てきたソーキンズは、勝てると思えただろう。しかしそこでまたペラルタがバッカニアの戦意を喪失させせようとダメ押しにかかる。「たとえ世界一勇敢なイングランド人」であっても――と、おだての言葉も交えながら――ペリコ島に停泊している船はどれも守りが完璧であって、打ち破ることはまずできない。まだチャンスがあるうちにパナマ湾から抜け出すのが得策ですと、ソーキンズと仲間たちに勧める。太平洋岸沿いに広がるスペインの植民地は防備も薄いから、略奪するならそのあたりを狙えばいい。そうすれば少なくとも命は助かりますと。

そこで自身の乗員が口を挟むと、ペラルタは即座にそれを否定した。「瀕死の重傷を負って甲板に横たわっていた」とリングローズが書いているその男は、戦闘あるいは火薬爆発の被害者だった。彼はソーキンズに向かって、今見えているあの船はからっぽで、腕利きの兵士はみな送りだされて、アルマディリャ艦隊の三隻の船に乗ったのだといった。この男のいうことを信じるべきか、それともペラルタの言を信じるべきか、バッカニアには判断がつかなかった。ペラルタが自国の利益よりも私欲に目が眩《くら》んで、真実をいっている可能性もある。しかし死に瀕した男が、今際《いまわ》の際に虚言を吐いて、天国の門で聖ペテロに入場を拒まれる愚を犯すだろうか？　死にかけている人間は嘘をつかないというのが、当時のイングランド法の宣誓証言における基本原則だった。それを鑑みれば、たちまちペラルタの雄弁は、入念に計画された詐欺のように思えてくる。

ソーキンズは、捕獲した船の針路をペリコ島へ向けた。

妙だった。ペリコ島の波止場を波がひたひた洗っている。係留されている船から、キーキー、ミシミシいう音があがるのは不思議ではない。しかし甲板は無音。武器を構えるスペイン兵が体重を移動させ、いつでも奇襲に飛びだせるよう膝を緊張させているなら、床板があえいできしむはずなのに、それがまるでできこえない。戦闘直前の恐怖が醸《かも》す、つんとする臭いを、風が運んでくることもない。海鳥を除けば、この波止場で生気を感じさせるのは、最大級の船ラ・サンティシマ・トリニダッドが吐きだす黒い煙だけだ。その船も、今まさに息絶えて沈もうとしている。スペイン人が島から避難する際、巨大なガレオン船をバッカニアに利用されぬよう、急ぎ船底に穴をあけたのだろう。「こちらは猛スピードで火を消し止め、もれ穴を塞《ふさ》いだ」とリングローズが記している。かようにして、バッカニアたちは「南海最大の海港を掌握し」、海戦史上、最も不可能に思われた勝利を手にしたのである。

しかし歴史に占める自分たちの位置など、彼らは考えもしない。バッカニアたちの意識のすべては、略奪品に向けられている。ペリコ島の商船、そしてもちろん宝物を保管する倉庫だ。かなりの量のワイン、砂糖、小麦粉、菓子類、革、石鹼、鉄棒が見つかった。しかし黄金はない。宝石も銀も、ひょっこり出てきてもよさそうなピース・オブ・エイトの一個さえない。ここに至って彼らの

14 叛《はん》乱《らん》

勝利は、歴史に残るピュロスの勝利（損害が大きく、得るものが少ない勝利）と同じであることが判明した。

　すっかり意気消沈したバッカニアは、町からいかにして金銀を搾《しぼ》り取るか、その方法を考えることにする。真っ先にやらねばならないのは、負傷者の手当だった。そのために、救出したラ・サンティシマ・トリニダッドに乗りこみ、そこで寝泊まりすることにした。スペイン船では通常、将校の船室に、マットレス、ベッドリネン、尿瓶《しびん》が備わっている。まったく贅沢な話で、海賊たちの団体精神とは対極にある。バッカニアたちは、みんないっしょにハンモックをつかって雑魚寝《ざこね》するのである。そもそも船室を追加することは、船のスピード航行の妨げになる。しかしバッカニアたちは、このラ・サンティシマ・トリニダッドで航行するわけではない。三週間のあいだ、地べたか、くりぬいた丸太のなかで眠り、その後に激しい戦闘で疲弊したのだから、多少の贅沢は強壮剤として必要だった。おまけにこの巨船は、捕虜を収容する役にも立つ。ペラルタとガブリエルは、今や情報源としても交渉材料としても、途方もない価値を持つはずだった。

　そこで暮らすうちに、バッカニアたちは、スピードさえなんとかすればラ・サンティシマ・トリニダッドは究極の海賊船になると気づき、これに乗って南海の町を次から次へ略奪してまわることを考えて有頂天になる。とはいえまずはパナマを引き渡して代償金を搾り取るのが先決だ。しかしここに至ってコクソンが、ペリコ島の略奪品を持って、今すぐ陸路でゴールデン島に帰ろうといいだした。パナマが大々的に兵力を増強して、こちらへ反撃してくる前に帰るというのだ。しかし捕虜を尋問したところ、それまでバッカニアたちが推定していたスペイン軍の兵力には、下方修正が必要であるとわかった。リングローズが、最近ますます磨きがかかったスペイン語を駆使して重要な情報を引き出したのだ。三百人に及ぶ王の兵はすべて、現在町から出ているという。ペラルタの瀕死の乗員が証言したとおり、その前夜、「海賊がやってくる」との報を受けて、市内に残っていたあらゆる部隊はすべて召集されて、バルコス・デ・ラ・アルマディリャの三隻に乗りこんでいたのだった。「彼らの船と戦わずに陸にあがっていれば、われわれは間違いなくこの地域の覇者になっていた」とリングローズは書いている。

それでもコクソンは、去るといってきかない。そこでみんなは気がついた。不機嫌な司令官は、ここに至ってまた体面を取り繕《つくろ》おうとしているのだと。彼は「仲間たちからあれこれ非難されて、大いに不満を持っていたのだ」とリングローズが書いている。それにくわえて、この先も遠征を続けるなら、司令官はソーキンズということで、仲間たちの意見は一致している。

「パナマに至るまでの遠征でわれわれが大いなる名誉を得られたのは、当然彼のおかげだと、みながそう思っていた」と、ソーキンズについてリングローズはそう記している。それはバッカニアの総意であるといってよかった。

負傷者のうちふたりが息を引き取り、そのうちのひとりがピーター・ハリスだという知らせが届くと、反コクソン派はますます色めきたった。ハリスの脚は「化膿し、それがもとで死に至った」とポウヴィーが記している。リングローズは仲間を代表して彼に賛辞を送っている。ハリスは「勇敢で頑強な兵士であり、英雄にふさわしいイングランドの男だった……その死をわれわれは、このうえなく悲しんでいる」と。ここに至って、ダリエンのジャングルでハリスを殺そうとしたコクソンは、ふいに「仲間の前で面目を失ったのである」とコックスが記している。それでも、もともと彼の乗員だった九十七人のなかで生き残った者たちをはじめ、依然としてコクソンには支持者がいたのである。

仲間どうしのあいだに走る緊張は、極度の疲労と、ペリコ島の略奪品への失望と相まって、ラ・サンティシマ・トリニダッドを四百トンの火薬樽に変えた。それにくわえて、この地域の海の暮らしが事態をいっそう悪化させる。パナマ湾は「虫がうようよしている」とリングローズが書いている。おそらく軟体動物のフナクイムシだろう。「長さ三分の一インチのミミズが、寝具のなかにも船舶装具のなかにも見つかった」その夜はほとんどの人間が眠れないか、まともな睡眠が取れないままに、翌朝叛乱が起きた。

その顚末《てんまつ》については、ウィリアム・ディックという、日誌をつけていた男たち七人のうちの七人目が綴《つづ》っている。シャープと出会う以前のことでこの人物についてわかっているのは、およそ一六四四年にイングランドで生まれ、ウィリアム・ウィリアムという偽名をつかうこともあったという、それだけだ。あるいはウィリアム・ディックのほうが偽名だったかもしれない。いずれにしても、自身が参加した南海遠征について記した彼の日誌が、一六八四年に出版された『アメリカのバッカニアの歴史』の英語版第二版に収録されている。自らを罪に陥れるのを防ぐため、W・Dという筆名をつかっており、乗組員の名前は伏せ、犯罪と見なされる所業《しょぎょう》の詳細については巧みにかわすか、まったく触れず、当時すでに遠征での活躍で有名になっている人物以外は個人名も出していない。唯一の例外がジョン・コクソンだった。彼に関してディックは暴露本のような筆致で叙述している。

パナマ湾の戦闘が終わってラ・サンティシマ・トリニダッドに乗り移る思案をしているとき、男たちはコクソンに激怒していたと、ディックは書いている。みんなは「アルマディリャと交戦中にコクソンが見せた、不適切な行動を非難した。つまり危険のさなかにあって、真のバッカニアにあるまじき臆病風を吹かしたのである」と。われわれは、「自船に黄金を、そうでなかったら銀を、運べるだけ積みこむまで南海にとどまるべきなのである」とディックは熱っぽく主張している。それもそのはずで、ディックもまた、コクソンに対して叛乱を起こそうとする一派に属していたのである。

バッカニアにとって叛乱は、昔の海戦物に書かれているような、船長の喉にナイフの刃を突きつけるようなものではなく、合議制による民主的なものだった。つまり、不信任案を投票で決するのである。

ラ・サンティシマ・トリニダッドの船上でみんなが集まって会議をひらき、投票を行った結果、コクソンは退任となり、代わってソーキンズが新司令官となった。副司令官はシャープで、パール諸島からもどり次第、その任につくことになった。

さらにコクソンの背中を押して去らせるために、ペリアグア一隻と、ペリコ島で捕獲した五十トンの商船を彼に割り当てることも投票で決まった。これでガス抜きができてチームのパフォーマンスもあがると、バッカニアたちはそう信じたものの、コクソンに昔からついていた六十九名も、彼といっしょに去ることに決めた。そうなると残りはわずか二百二十三名となり、パナマでの作戦行動はもちろん、将来南海のあちこちで暴れまわるときにも、行動は極めて制限される。さらにまずいことに、これまたコクソンの手下だった、あともう二十人が、自分たちもいっしょにゴールデン島にもどりたいといいだした。これにはコクソンが首を縦に振らなかった。彼らはみな戦闘で負傷しており、ダリエンの行軍において足手まといになるのは確実だからだ。この二十名には早期治療が必要であり――負傷者はあと二十人いた――、この者たちを帰すとなると、バッカニアたちは大変に困る。ベテランの外科医がひとり、コックスに付き添うことがすでに決まっており、彼とともに四十人の負傷者の治療に必要な薬品の大半を持っていかれるからだ。

さらにクナ族もまた、これ以上の長居は無用だと心を決めていたが、彼らはバッカニアにお別れのプレゼントを置いていくのを忘れなかった。アンドレアスからは、南海の取り締まりをバッカニアに「全面委任」するといわれた。これについて、ディックの反応は例によって素っ気ない。「その結果、われわれはもう、ダリエンの王に仕える振りをしなくてよくなった。〝振り〟といったのは、われわれが本心から仕えていたのは、金銀のみだったからである」一方、ゴールデン・キャップのプレゼントは、もっとじつのあるものだった。「自分がいなくなったからといって、我らが共通の敵スペイン人に対する攻撃の手を少しも緩めてほしくないと王は考えていた」とリングローズが記している。将来クナ族とバッカニアとのあいだで同盟を結びたいという意向を、彼は自分の息子と甥をソーキンズ司令官に託すことで、はっきり表明したのである。

それでも人員が一気に減ったことで、バッカニアたちのあいだで疑問の声がわきあがった。残った人数だけで、この先どう進んでいけばいいのか——そもそも、進む必要があるのか、と。リングローズ、ダンピア、ウェイファーも同様に、仲間たちと同じ不安を抱えていた。しかし彼らは、この冒険への参加によりサンタ・マリアとパナマで得た略奪品の分け前にあずかっていることも十分理解している。黄金こそないものの、まっとうな仕事で一年汗水流したに等しい報酬を誰もが得ているのである。さらに、そのあいだに身に染みてわかったこともある。海賊業というものは、いつどこで、あっさり命を取られるかわからない。そして、ポルトベロで手に入れた書簡でスペインの商人たちが吐露していた最大の不安はまさにドンピシャだったことも、今ならはっきりわかる。ダリエンは確かに、バッカニアたちにとって、南海へのひらかれた扉だった。今や南海は自分たちに、今後の人生に必要なありとあらゆるものが手に入る場所への、一番の近道を提供してくれているのだった。

第2部　南　海

15　我らが銃の銃口

リチャード・ソーキンズの司令官としての最初の仕事は、パナマ港解放を条件に多額の金《かね》をせしめることだった。スペイン人がこちらの納得する金額を出すまで、彼の部下たちは、港に入ってくる商船を食い物にする。町を略奪するより、そちらのほうがよっぽど実入りがいいのだった。それと同時に、バッカニアを追い出せるなら、いくらでも金を出そうと相手に思わせるよう、ある措置を執った。ラ・サンティシマ・トリニダッドをペリコ島から六マイル航行させ、パナマの住民から船影がはっきり見えて、なおかつ敵の射程に入らない位置に投錨《とうびょう》するのだ。そうすることによって、ポウヴィーが書いているように、「パナマからいくら大砲を撃ってきても、われわれには何の被害もない」と安心していられる。

次にソーキンズは、港を掌握した祝いに、ひとつ外でぱっと遊んできたらどうだと、みんなに勧めた。そうとくれば、誰もがもうじっとしてはいられず、喜んで勧めに応じた。ある一団は、パナマから南へ六リーグ行ったところにあるタボガという小島に出かけたが、そこでうっかり火事を出してしまい、十二軒の家を焼いたところでやっと消し止めた。ウェイファーは外科医としての報酬を二百から二百五十ピース・オブ・エイト受け取っていたが、このとき彼が追われた仕事は、火傷《やけど》の治療や裂傷の縫合ではなく、遊興のあとに決まって流行する性行為感染症との闘いだった。

梅毒は当時スペイン病と呼ばれていて（スペイン人はフレンチ・ポックスと呼んでいた）、尿道注入器をつかって、患者に水銀を注入するのが唯一の治療法で、この治療はたいていの場合、一度では済まなかった。ときには数か月も治療が続くこともあり、ゆえに昔から、「ビーナスと二分、マーキュリー《水銀》と二年」と、よくいわれていた。水銀は排尿と唾液の分泌を促すので、十七世紀の医学では、梅毒の目に見えない原因もそれで除去されるのではないかと考えられていた。ところが実際この治療に期待できたのは、水銀毒によって患者が死に至って、ようやく苦しみから逃れられるという、ただそれだけのことだった。

　タボガ島でのどんちゃん騒ぎはしかし、大局的に見れば、バッカニアの一団に益したといえる。これによってパナマからスペイン人商人を集めることになったからだ。侵略者との交易を政府が厳禁しているため、商人たちは隠れてやってきた。彼らの目的は、持ちこんだ商品を売ることではなく、バッカニアがペリコ島から略奪してきた品を買い取ることだった。タボガ島の海岸沿いにある人目につかないひっそりした村——百軒の家々が、バッカニアの失火によって八十八軒になっていた——は、商品の売買で活気を呈するようになり、スペイン人の資本家たちが、自分たちと対照的な格好をしている売り手を相手に、値切り交渉をする場となった。パナマの商人は、冷酷なまでに値切るだけでなく、人殺しも辞さない売り手の生業《なりわい》にもまったくひるむことがない。自分たちの同胞から盗みを働いた人間の売りつける品物を買うのだから、本来なら疚《やま》しい気持ちになるところが、破格の値段で在庫を増やすことができる魅力のほうが勝っていた。

　スペイン人は奴隷も買っていった。黒人捕虜ひとりにつき、二百ピース・オブ・エイトも払えば、バッカニアたちは喜んで売った。リングローズをはじめ、ほかの日誌執筆者も、その点に関する倫理について触れていない。奴隷は通常、略奪品と同じに見なされていたからだろう。略奪した奴隷は売りさばくか、使用人として手もとに置いておくのが普通だったが、ときに彼らを自由にして、完全に対等な仲間や相棒として迎える場合もあった。しかし奴隷の売買は、本来パナマの封鎖作戦には入っておらず、二週間もすると、この作戦自体に疑問が湧いてきた。何しろ現時点に至るまで、手に入ったのは、これといった旨味もない二隻の商船だけで、どちらもニワトリやアヒルしか積んでいなかったのだ。

五月十日の夜、封鎖を始めてから十八日目、気がつけばシャープはうれしくない立場に追いやられていた。ペリコ島からタボガ島まで船で行って、はしゃぎすぎて本来の業務を怠けている男たち数名を連れて帰ってこなければならないのだった。まだつかえる金を持っている海賊を船にもどすのは、容易《たやす》い仕事ではなかった。そういうとき、お宝を積んだスペインの商船が近くにやってきたぞと嘘をつく船長もいた。ところが今回は嘘ではなく、シャープはタボガ島へ向かう途上で、そういう船舶を認めたのだった。追いかけてみたところ、あっさり追いついたので呼びかけてみた。リマからやってきたサン・ペドロ号だとわかって、シャープはそちらの船長に帆を下げるように命じた。相手の船のほうが優位であると認めた船は、トップスルや旗をおろすことでそれを示すのである。

相手の船長がいわれたとおりにすると、シャープは自分の船をサン・ペドロ号の横腹につけ、仲間たちを甲板に乗り移らせた。シャープ自身はわざわざそれに加わりはしない。サン・ペドロ号の乗員たちは細身の刀剣《レピアー》しか持っておらず、略奪するにしても、どうせまたニワトリしか積んでいないと思ったからだ。ところが手下たちは意外なものをその船で見つけ、シャープはその内容を日誌に記している。「ワインとブランデーが千四百本と、さらに何本かの酢、それにかなりの量の火薬と弾丸が見つかったのは、じつに幸運だった。何しろこちらは、自分たちの弾薬をほぼ使い果たしていたのだから」と。今回の略奪品には特筆すべきものがもうひとつあった。その夜、机を前にすわったシャープは、捕獲したブランデーで舌を湿らせながら日誌をしたためていたのだろう。それから、まるで今ふと思い出したというように、「そうそう、その船からは五万五千ピース・オブ・エイトも見つかったのだ」と書き添えている。

その金は、パナマの駐屯地にいる兵士に給料を支払うためにリマから運ばれてきたもので、リングローズの記すところによれば、総額五万一千ピース・オブ・エイト。ジョン・コックスによれば六万ピース・オブ・エイトで、翌日分け合ったところ、ひとり頭《あたま》二百四十七ピース・オブ・エイトになったという。シャープの低い数字が正しかったとしても、その額は、モーガンの手下たちが一六七一年の遠征全体で手にした二百ピース・オブ・エイトを上まわっている。一六八〇年において、二百四十七ピース・オブ・エイトというのは、農場労働者なら二年半分の給料に相当し、自身で農場を経営して、そこに一ダースの雌牛を放牧することも可能だ。

よし、これでゲーム終了だと、そう考えているバッカニアがいたとしても、サン・ペドロ号の乗組員たちから得た情報をきくなり、考え直したことだろう。あと十日か十二日もすれば、二隻目の船がやってきて、こちらは二倍の金を積んでいるというのだ。二日後、この情報が正しかったことが、ソーキンズと仲間たちによって裏づけられた。シャープがまた別の船を捕獲したのだが、こちらはパナマの商人に売る小麦粉を積んでいた。しかしこの船からは、小麦粉よりずっと重要な収穫があったのである。すなわち乗員たちからの情報であり、それによれば、十万ピース・オブ・エイトを積んだ船がすでにリマから出航しているらしい。到着予定は八日から十日後だという。

その船を待つあいだ、バッカニアたちはラ・サンティシマ・トリニダッドからタボガ島へ引っ越した。パナマに入ってくる船舶を一望できる見事な景観も魅力だったが、その島には湾のどまんなかに停泊していては得られない楽しみもあった。新しい作戦基地について、シャープは「極めて快適な島で、パイナップル、オレンジ、レモン、アルベカトス、ナシ、マンメ、サポルタ、カカオ豆など、ありとあらゆる種類の果実が手に入る」と書いている。「マンメ」と「サポルタ」は時に埋もれてしまったか、はたまた書き手が引っかけたブランデーのせいか、今となっては意味不明だが、「アルベカトス」がアボカドを意味しているなら、シャープもまたウィリアム・ダンピア同様に、「アボカド」を英語にした人間としてオックスフォード英語辞典に名が載ったことだろう。

それから数日して、いつものようにスペインの商人が、バッカニアの注文した品を持ってタボガ島に到着した。今回商人は、パナマ総督からの伝言も預かってきた。なにゆえイングランド人たちは「この地域にやってきたのか」という問い合わせだった。ソーキンズはアンドレアスの「全面委任」を引き合いに出して返事をしたため、総督に渡すよう頼んだ。「われわれはダリエンの王を支援している。彼こそが、パナマ及び近隣諸国の正当なる支配者であり」、そのためにバッカニアははるばるここまでやってきたのだといえば、そちらも納得するはずだという論法で賠償を求めた。「ひとり頭五百ピース・オブ・エイト、司令官には千ピース・オブ・エイトを支払うべし。そしてこれ以上インディアンたちを煩《わずら》わせることなく、この国の正当なる支配者として彼らを認め、彼らが持つ権力と自由を行使させるべし」と書いてから、もしバッカニアに賠償が支払われれば、「敵意を一切捨てて、穏やかにここを去る所存である」とソーキンズは締めくくった。つまり、そうでなければパナマに居すわって、奪えるものはなんでも奪い、最大限の被害を与えるというのだ。

総督の返事を待っているあいだ、ソーキンズは別の角度からも攻めてみることにした。植民地問題において、カトリック教会が持つ影響力は見過ごしにできない。じつはたまたまだが、ソーキンズはパナマの司教ルーカス・フェルナンデス・デ・ピエドライタを知っていた。ふたりはバッカニアが一六七七年にサンタ・マルタを襲撃した際に出会った。フェルナンデスは市の司教だったから、ソーキンズが人質に取ったのだ。厄介な状況下にもかかわらず、ふたりは親密な関係を育んでおり、それが今回ものをいうだろうと、ソーキンズは信じていた。

挨拶代わりにソーキンズはフェルナンデスに棒砂糖を二本贈った。翌日司教はソーキンズへの贈答品である金の指輪とともに、総督からの新たなメッセージも送ってきた。しかしそれはソーキンズが望んでいたような黙従ではなかった。それどころか総督は、バッカニアの委任された仕事に異議を唱えてきたのである。あなた方はイングランド人であり、あなた方の母国とスペインは平和を維持している。この町にあなた方が及ぼす被害について、こちらはどこへ苦情を持っていけばいいのかと、総督はそういってきたのだ。

これに対してソーキンズは、まだパナマには仲間がそろっていないので、全員そろったところで総督を訪ね、「我らの銃口の先につけた委任状を見せてやろう。それを見れば、火薬の炎同様に、事実をはっきり読み取ることができるはずだ」と書いて送った。こういった脅迫はいずれソーキンズの武勇伝として語り継がれるようになるのだが、じつのところ、これから新たにやってくる仲間などいない。今やスペイン王の三百名の兵がパナマにもどってきていたから、ここでもしバッカニアが町に上陸しようものなら――大砲の射程内まで航行しただけでも――雲散霧消の憂《う》き目に遭う。

そのうえ戦闘後にパナマを去った仲間がどれだけいたかを知っていたなら、総督がソーキンズの伝言に対して、自身の銃口の先に返答をつけて返したことだろう。

総督はそれからまもなく、バッカニアの戦力について正確な報告を受け取ることになる。それはバッカニアの仲間のひとり――「あるフランス人」――が暴露したもので、リングローズによれば、「タボガ島から逃げて、スペイン人たちに寝返った男」だという。その結果――ポウヴィーによれば――次の伝言で総督はソーキンズに挑みかかった。「そちらから百人を海岸に送りだしてもらって」、わが兵百人と力比べをしようではないかと。それに対してソーキンズは喜んで受けて立つといいながらも、条件をひとつ出す。ならば勝者の賞金として十万ピース・オブ・エイトを総督に用意してもらいたいと。しかしソーキンズのほうは、いかなる状況であろうと、総督の挑戦に応じるつもりはなかった。総督は百人ではなく千人の兵を送りだしてくるに決まっているからだった。さらに総督からの挑戦状により、ソーキンズはよい情報を得た。こちらがタボガ島にとどまる限り、総督は手出しができない。少なくともスペイン人が新たな船を建造するまでは。バッカニアとしてはあと五日か七日のあいだ、ここにとどまっているだけでよかった。リマから十万ピース・オブ・エイトを積んだ商船がやってくるまで。

しかしソーキンズにとって頭が痛いことに、部下たちは喜んで待とうとはしなかった。ひとつには、リマからやってくるという船が、本当に予定通りにやってくるのか信じられなかったからだ。小麦粉を積んだ船の乗員がいったように、その船がリマを発ったのだとしても、逆風や、好ましくない潮流に突っこんだり、嵐に遭ったりすれば、パナマに到着するのは何週間も遅れるはずだった。さらに、まもなく彼らはじかに経験することになるのだが、ときに船というのは忽然《こつぜん》と消えることもあるのだった。そこでソーキンズは気象条件を根拠にみんなを説得する。一年のこの時期、リマからパナマをめざす船は、理想的な気候に恵まれるといったのだ。リマから最近やってきた二隻のバーク船（ともにバッカニアが捕獲した）は、航海は順調だったといっていた。しかし、ソーキンズの話にみんなが納得したところで新たに大きな問題が浮上した。数週間もニワトリばかり食べて生きてきた男たちが、赤身肉を欲したのだ。「みんな新鮮な食料に飢えていて、まともに物が考えられなくなっていたのである」と、いささか信じがたいといった筆致でリングローズが記している。

食料を巡って叛乱《はんらん》を起こすのは、今回の仲間たちが最初ではないことぐらい、ソーキンズには十分わかっていた。「私掠船《しりゃくせん》に乗る者たちを叛乱に駆り立てるものといって、食欲に勝るものはない」とダンピアが書いている。そこで新司令官は、部下たちをなだめるために、リマからやってくる船をただ待っているのではなく、別の仕事をするよう提案した。プエブロ・ヌエボ（ラ・シウダッド・デ・ヌエストラ・セニョーラ・デ・ロス・レメディオスとしても知られる）を襲撃しろというのだ。海岸を二百五十マイルほど進んだところにある町で、そこなら肉はいくらでも手に入る。さらにありがたいのは、プエブロ・ヌエボは真珠貝採取所のおかげで非常に裕福だった。できるだけ早くそこへたどりつくようにと、ソーキンズは仲間たちをせかす。出発するなり、パナマにいるスペイン人が海岸に伝令を送りだすだろうから、それに抜かれるなというのだ。スペイン植民地の海岸をバッカニアが襲撃しに来るという知らせが届けば、先方では防衛を強化し、へたをすれば金《かね》も避難させるかもしれない。司令官の提案にみなは乗り気になったが、実行にあたって、ひとつだけ条件をつけた。「仲間たちはみなわがままになって、まず先に肉を食わせろといった」とポウヴィーが記している。

16　海に呑みこまれる

一六八〇年の五月十五日、一行はプエブロ・ヌエボをめざして出航した。途中パナマに近く、食料が豊富なことで知られるオトケという島に寄る計画だった。船団は、ラ・サンティシマ・トリニダッド――この時点ではトリニティ号と改名されていた――を先頭に、パナマでバッカニアが捕獲したバーク船二隻と、ペリコ島に投錨《とうびょう》していて今はエドモンド・クックが指揮する百八十トンの商船で構成されている。捕獲した船の残りは、パナマ総督の追跡手段としてつかわれぬよう焼き払った。

六週間、ままならぬ日々を耐えたあと、バッカニアたちは、塩辛い熱風を胸いっぱいに吸いこんで、白波の上を飛びはねながら新たな冒険に向かう旅に大いに興奮していた。しかしソーキンズは、船を人目につかせてはならないという切迫感で興奮も削がれていた。陸にいる誰の目にも触れてはならず、水平線からできるだけ飛びださぬよう、低い位置の帆だけを揚げている。もし船団を構成する船舶のうち、どれかひとつでも、スペイン船や、海岸の要所要所に配属されている見張りに見つかれば、あとはプエブロ・ヌエボまでの競争となり、そのレースに自分たちはほぼ負けることがわかっている。問題は、赤道無風帯気象だった。赤道近辺ではしばしば無風状態になり、そのおかげで今バッカニアたちの船は一ノット（一時間に一海里、または一・一五マイル進む速さ）でしか進めなくなっている。パナマからプエブロ・ヌエボまで、陸路で通信を運ぶ伝令は、ジャングルを通りながらも、その二倍以上の速さで進んでいける。つまりソーキンズとしては、肉を食すためにオトケ島に寄るなどということはあり得ないのだ。しかし、今の仲間たちは、肉をあきらめさせるより、息をするのをあきらめさせるほうがずっと簡単という状況になっている。

オトケ島で過ごした期間について、詳しい記録はひとつも残っていない。リングローズだけが唯一、その島に立ち寄ったと書いているが、「そこに到着すると船を停泊させ、ボートで行って岸にあがり、ニワトリやブタをはじめ、生き延びるのに必要なものを取ってきた」と、じつにあっさりした記述で終わっている。「取ってきた」というのはこの場合、「盗んできた」の婉曲表現であって、これがまたソーキンズが頭を悩ます問題の発生につながった。盗難に遭った被害者の報告から、船団が今どこにいるのかスペイン人にわかってしまえば、パナマ総督はバッカニアがプエブロ・ヌエボに向かっているのだと推測する。オトケ島に寄って仲間たちは満足したものの、このポークディナーは歴史に残るほど高くついたのではないかと、ソーキンズは危ぶんだだろう。

しかし蓋をあけてみれば、オトケ島への寄港によって、プエブロ・ヌエボに向かう旅に悪影響が出ることはなかった。略奪のうわさが島の外へ出ることはなかったのだ。結果、バッカニアたちは人に見つかることなくパナマ湾を進んでいくことができた。思わぬ障害は、パナマの町で仲間を裏切ったフランス人だった。バッカニアたちは知らなかったが、彼らがタボガ島の封鎖を解いて海岸を移動しはじめた頃、そのフランス人は、きっとバッカニアはプエブロ・ヌエボへ向かうはずだと予測し、それをきいてスペイン人たちは、すぐ現地に警告を送ったのである。

無風状態はそれからも続き、船は氷山が進む速さに等しい一ノットで航行している。一刻も早くプエブロ・ヌエボにたどりつきたいというのに、じれるばかりだった。そうでなくても狭いところにずっと閉じこめられているのだから、バッカニアたちは始終いらいらしている。四隻の船舶のうち、最も船内が広いトリニティ号でさえ、家屋にすれば寝室四つ分程度のスペースしかなく、そこに百五十人の男たちが詰めこまれているのだから、快適とはほど遠い。日中は互いに身体をすりあわせなければ動くこともできず、夜になると甲板上での活動は少なくなるから、勢い甲板下の混雑がひどくなる。男たちは主として船倉にハンモックを吊して眠る。幅十四インチのそれが自身のハンモックの両隣に並んでいるばかりか、頭上にも身体の下にもぎっしり吊り下がっている。そのひとつに身を横たえ、通気の悪いむっとする空気を吸い、大いびきと悪臭に悩まされながら眠るのだ。何しろ海の男たちが身体を洗うのは数か月に一度がいいところだったから、その体臭でみな鼻がばかになり、それ以外の悪臭を感じなくなるほど凄まじかった。実際船内には、腐った木材や帆布、乾いた小便やカビの生えた嘔吐物、ニワトリやブタやそのほかの家畜（ペット、あるいは将来の食材となる）、船底でボチャボチャと音を立てる汚水のなかで腐敗している有機堆積物など、悪臭の源はいくらでもあった。遠征も終わり近くになると、ビルジ（船底にたまった水）から発するガスと空気の混合物のせいで、リングローズをはじめとする数名が、一日のほとんどの時間、目が見えないと訴えるようになる。

幸いなことに、乗員たちは半分に分かれて四時間ずつ〝当直〟にあたるようになっている。ひとつのグループが勤務しているあいだに、ほかのグループが眠るのだ。三十分の砂時計をつかって時が計測されて、船内の鐘が三十分ごとに打ち鳴らされる。八回目の鐘を耳にすれば、それで当直は終わり、次の当直がハンモックから起きだすことになる。もしバズ・リングローズが、鐘の鳴ったのに気づかずに寝過ごしても、同じハンモックをつかっている「相棒」が彼を起こして、リングローズがどいたとたん、あいたハンモックに倒れこむ。もしリングローズが、ハンモックを出ても甲板に出ていかずに途中でぐずぐずしていると、舵手のジョン・ヒリアードから罰を食らう。舵手は当直の監督もするのである。

それでもひとたび甲板にあがれば、爽やかな風に吹かれて、失望もいらいらもさっぱり消える。甲板掃除はゴシゴシ、ガリガリ、いつ終わるともしれないが、ピスデール――小便器としてつかっているたらい――の掃除というような仕事と比べたら、ずっと楽しい。ただし、どんなにいい仕事でも我慢には限界がある。たとえば帆の世話だ。トリニティ号のように背の高い船の帆は、見た目はまさに壮観で、幸先のよい日没に赤く輝いたり、順風をはらんで膨らんだりするときは特に見事だった。しかし、四時間もその世話を焼いていると、たちまち帆は扱いにくい布の塊《かたまり》と化す。大きなものではハイスクールのバスケットコート大のものもあり、重さは数百ポンドにもなる。それをしょっちゅう整備して位置を調整しないといけない。そのあいだ、風景はほとんど変わらないから、乗船仲間の口の利き方とか、ささいなことでぴりぴりする。

幸いなことに、船内で高まる緊張と倦怠《けんたい》に解毒剤として働くものがあった。帆を動かすのは風、海賊を駆りたてるのは音楽。軽快なジグの音楽や船頭歌でもきこえてくれば、リングローズはハンモックからはね起きて、甲板へ急ぎ駆けつけただろう。フィドル奏者、太鼓叩き、ラッパ吹きは、海では珍重される。海賊につかまった船乗りは、おもちゃの笛でもいいから、何か音楽を演奏できたほうが命が助かりやすい。船旅だから、毎度毎度の食事ではもちろんアルコールも出て、それもまた現実逃避の手段となる。しかし混雑した船倉で飲酒をすれば、すでに短気になっているところへ来て、酒の勢いを借りて爆発するかもしれない。実際数人の不行跡が発覚した結果、暗くなって酒が飲みたくなったら甲板に出るべしというルールができあがる。そんなわけで、日が落ちると同時に、広々とした甲板はナイトクラブに早変わりするのである。そこでリングローズのようなバッカニアは、ダンピアやウェイファーといった友を得て、甲板から波を狙って発砲し、プエブロ・ヌエボ襲撃の成功を祈って乾杯しただろう。コンパス架台（磁気コンパスとそれを照らすランプなどを入れた架台）のまわりに集まってトランプをしている一団もいれば、サイコロ賭博に興じたり、フィドル奏者の演奏に合わせて足を踏み鳴らしたり、声を張りあげて船頭歌を歌ったりする者もいただろう。

しかし、そういったどんちゃん騒ぎは束の間のもので、バッカニアたちの心を芯から温めるのは仲間との連帯だった。いや単なる連帯ではなく、それ以上のものだとリングローズは考える。昔から船乗りたちは仲間意識が強かったというが、バッカニアの場合は単純な仲間意識ではない。ともに血を流し合い、互いのためなら喜んで命を投げ出す。そういう人間たちのあいだにはもっと強い絆が結ばれる。愛といってもいいだろうが、タフな男たちはそういう言葉では呼ばなかっただろう。それでも、互いを兄弟と呼ぶ男たちのあいだには強い同志愛が流れ、バッカニアのそれがどんな戦士の一団より強いのは、この世にお互いしかいないからだ。世界を相手に戦う自分たちは、ホスティス・フーマーニ・ゲネリス、すなわち「人類の敵」だと称して憚《はばか》らない。優れた射撃能力や密な情報網、人並みはずれた強靭《きょうじん》さ以上に、彼らを生かしているのは、その愛なのだ。ともに力を合わせるなら、いかなる難題にも立ち向かっていける。

ただし嵐だけは別だった。リングローズと仲間たちがプエブロ・ヌエボまであと半分の距離にあるプンタ・マラを通り過ぎたところで、前方に暗雲が見えてきた。「天候が非常に悪化し、大量の雨と強風、雲と闇に悩まされた」とシャープが書いている。百八十トンの商船に乗った男たちが甲板を走る。帆をおろすか、巻きあげるか、船を操るのに必要なのはそれだけだ。巻き起こる嵐に船が突っこんでいくのを目《ま》の当たりにしながら、いやこれは回れ右して逃げるべきだと、みなの本能が叫んでいる。しかし反対方向に航行することはしばしばもっと危険だった。背後から巨大な波に打たれる可能性があるからだ。三十三フィート×六十六フィートの波——南海の嵐では珍しいものではない——のひとつでも、船尾の甲板を叩いたなら、百万ポンドに近い圧がかかって船はぺしゃんこになる。

しかしそれでもバッカニアたちはその危険な試みに賭けるしかない。岸に向かえば、船は闇のなかで風と波の思うままになり、岩や、海底や、岸それ自体に船体を引き裂かれるのは必至だからだ。波に対して角度をつけて前方に進んでいくことで、船体が波と波のあいだの谷に繰り返しぶつかる衝撃を避けることができる。しかし、それは乗員が波にさらわれて海に投げ出される危険とつねに隣り合わせであり、船が横倒しになってトップスルが水に浸かる可能性もある。そうなると、海の底に船が沈むのは時間の問題といっていい。海賊船はとりわけ転覆しやすい。船荷はからっぽで、高いマストで何トンという重量の帆布がはためいているというのは、極度な頭でっかちと同じだからだ。それが太平洋のこのあたりを航行するとなると、どの海を行くよりも危険だった。この海域は低気圧系にさらされやすい。上層大気と地表面のあいだの大気量と温度の違いにより、気圧系が、渦《うず》巻く風の柱を生み出し、それが巨大な真空室の役割を果たすのである。ときに温暖な水とその上に乗っかる寒冷な空気が竜巻――高さ数百フィート、直径百ヤードの霧の柱で、時速五十マイルで回転する――を引き起こすこともあり、これが船のマストや索具装置に対してミキサーのように作用するのである。この竜巻に対抗するために乗員が取れる策はひとつしかないとダンピアはきいていた。「そこに向けて巨大な大砲を撃って空気穴をつくれば、空気がもれて破壊できる」というのだ。しかしその作戦が成功したという話はきいたことがなかった。

風と雨がバッカニアたちの船団に攻撃を仕掛けてきたとき、ちょうど日が暮れた。視界が狭《せば》まるなか、今しも、スパー（マストにつかう円材）や船の緩んだ索具装置が塊になって落ちてきて、男たちの頭蓋を潰しかねない。波はいつでも、男たちを船べりから海に引きずりこもうとしているし、すでにすべりやすくなっている甲板を、ゼリーに似た大量の海の泡が覆っている。そのあいだ男たちは、ビルジにどんどんたまっていく腐敗した水をくみ出そうと、必死になって揚水機を動かしている。

これだけの危機に見舞われながら、太陽がのぼってくると、トリニティ号は嵐の被害を受けなかったのがわかった。クックの船もメインスルを風にやられただけで、それ以外に被害はなかった。メインスルは、風によって「隅々までびりびりに切り裂かれた」とシャープが記している。しかしそれは、ほかの二隻のバーク船に比べれば、遙かにましだった。その二隻の小さな船は、あたかも海に呑みこまれたように忽然《こつぜん》と消えてしまったのだ。この消えた二隻の顚末《てんまつ》について、リングローズはたった一文でまとめている。「われわれはバーク船の二隻を失い、一隻には十五人、もう一隻には七人が乗っていた」

シャープの記述も同様に素っ気ない。「今夜を限りに、われわれのバーク船のうち一隻は、もう見ることはなかった」もう一隻は？　「失った」と一言。ポウヴィー、コックス、ダンピア、ウェイファーにおいては、どちらの船についても一言も記していない。ディックはその二日後、まだバーク船の行方がわからない状況において、航海全体をまとめてこう書いている。「これといって特筆すべきことはない」と。海においては、話題にすると不運を招くと船乗りたちが信じていることが数多くある。溺死、教会、ブタ、幸運などだ。しかし失った船というのは、そのなかにない。日誌を綴《つづ》っていた者たちがこの話題に触れないのは、ディックが書いているように、これといって特筆すべきことではないからだった。船は家の鍵と同じぐらい、消えることが多い。離ればなれになってしまうからで、とりわけ嵐の最中はそれが多い。そのために船団ではあらかじめ合流地点を決めておく。今回は、プエブロ・ヌエボに近いコイバ島が合流地点だ。面積が二百平方マイル近くある、中央アメリカ最大の島だから、見つけやすいことこのうえない。

翌日の夜は、吹き降り程度だったものの、それでも船団はバラバラになった。五月二十一日、夜明けが空と海をくっきり分ける頃合いになって、シャープ、クックをはじめ、商船に乗っていた一同がトリニティ号の浮かんでいるはずの位置に目をやっても、そこには白い波頭があるだけだった。海岸から北へ目を走らせ、また別の方向の水平線にも目を走らせるものの、帆のひとつさえ見えない。百フィートのメインマストにのぼり、マスト上部の横木に立つと、三百五十平方マイル（およそテキサスのダラスほどの大きさ）まで視界が広がるが、やはりトリニティ号の姿はどこにもない。

スペイン人と一悶着《ひともんちゃく》あったのだろうか——二隻のバーク船が消えたのもそのせいか？　しかし十マイル圏内で何らかの戦闘があった気配はない。あったのなら、クックの仲間たちがそれらしき音を耳にしているはずだし、銃口から飛びだす閃光《せんこう》も目にしただろう。ひょっとしたら海の怪物にやられたのかもしれないと、その線も考えた。頭足類のクラーケン（深海に棲むとされる巨大な怪物。船を転覆させたりする）や巨大

イカ、クジラとウミヘビの合体したレビヤタンにまつわる話を船乗りたちは山ほどきいており、当然海にはそういうものが生息していると、バッカニアたちは信じて疑わなかった。

しかしながら、五月二十二日にコイバ島に到着すると、クックの乗員たちはトリニティ号が島の北岸沖に停泊しているのを見つけた。「運よく、翌日にはまた合流することができたのである」とシャープが書いている。今回の事件に言及しているのは、日誌を綴っていた者のうち彼ひとりだった。しかし、それより小さなバーク船二隻の所在は、依然として謎なのである。

17　高潔であっぱれな勇者

五月二十二日、コイバ島で、バーク船二隻に乗った仲間たちがいないので二百人にまで減った一行は、プエブロ・ヌエボの攻略作戦を練りあげた。町はここから六十マイル離れている。海を五十マイル横断してチリキ湾へ行き、そこからプエブロ・ヌエボ川（現在はチリキ・ヌエボと呼ばれている）を十マイル遡《さかのぼ》る。ソーキンズは作戦要員として今回は六十名を選び、そのなかにリングローズ、シャープ、クック、コックス、ポウヴィーも入っている。

翌日五月二十三日の朝、一団はクックの船に乗りこんで、午後遅くにはチリキ湾に入っていた。一日のうちでもその時分の湾は、まるでおとぎ話の世界に迷いこんだかのようで、傾く日差しが穏やかな水面を金色に輝かせ、立ちのぼる霧が虹を映し出す。前方に浮かぶ無人の島からバイオリンやパイプオルガンの音色が流れてくれば、非現実感はいや増して、超自然の時空に入りこんだかと思えてくる。バッカニアたちはそういうものが存在すると堅く信じていた。しかし、船が島に近づいたところで、あれは木の間を渡る風の音だとリングローズが気づき、みんなにそう説明した。リングローズはその島を地図に描いて「シルバ」と記している。スペイン語で「口笛を吹く」という意味の動詞シルバールを由来とする名前だ。そうきいたからといって、仲間たちがすっかり安心したわけではなかったろう。「口笛を吹く」のは、海で船乗りがしてはならない禁忌のリストに入っている。口笛が風を招喚し、結果的に嵐になると、多くの船乗りが信じていた。

彼らの途上にはまた、ラ・イスラ・デ・ラ・ムエルト、すなわち「死者の島」もある。二マイル半の細長い土地は両端が高くなっていて、ぞっとすることに、埋葬布の下に男が横たわっているように見えるのだ。ムエルト島をまわりこむと、バッカニアたちはプエブロ・ヌエボ川の河口に出た。そこでリングローズと七人の仲間が残って船を守るあいだ、ソーキンズとほかのメンバーがカヌーに乗り換えて川を十マイル遡る旅に出る。

九マイルまでは何事もなかった。しかし十マイル目で、伐《き》ったばかりと見られる木が、次から次へ川に放りこまれているのに出くわした。こちらの邪魔をしているに違いなく、こうなると奇襲が望めないのはもちろん、攻撃前に仮眠することもできない。結局カヌーを乗り降りして邪魔な木を取り除くのに、夜の残りをすべて費やした。

夜明けにプエブロ・ヌエボに着いてみると、町は矢来で防備を固めていた。できたばかりと見えるそれは、バッカニアのような襲撃者を追い払うのにうってつけだ。パナマで自分たちを裏切ったフランス人の差し金に違いない。急ごしらえにしてはよくできているものの、ソーキンズと四十八人の男たちから成る決死隊が、あの日手早く片づけたサンタ・マリアの要塞とは比べ物にもならない。

ソーキンズは自分のカヌーを真っ先に陸にあげると、町に隣接するサバンナをずかずかと進んでいった。コックスがいうように、彼は「地上の何ものをも恐れぬ男」だった。サバンナには人の手が入った形跡がなかったから、どこをどう通っても邪魔されることなく、すぐ町へ入って略奪ができるものとソーキンズは思っていた。ところがそこで彼は、いかにも頑丈そうな胸壁が三つ並んでいるのに出くわした。土や木や岩を胸の高さまで積みあげてつくった臨時の要塞で、これがあれば突進してくる襲撃者に、自分の身を守りながら迎撃できる。胸壁の向こうには今、何十人というスペイン人が立っていた。ソーキンズは動じない。町を守る人間がいることぐらい承知していた。サンタ・マリアよりは少ないはずで、その内訳は、兵士ではなく農夫や猟師だろう。

それからすぐ、守備隊がソーキンズを認め、ひとりが胸壁を飛び越えて彼に向かっていった。ソーキンズは平然と銃を構えて発砲し、男を倒した。運悪く、その銃砲に引きつけられて、町からさらに多くの守備隊が、何十人という数で流れこんできた。それでもバッカニアは勝利を確信し、ソーキンズは仲間を呼びに川にもどっていく。途中でポウヴィーとコックスのほか、九人ほどの仲間と行き合った。これはあとから間違いだとわかることなのだが、「残りのカヌー隊が上陸した」と彼らからきくなり、ソーキンズはいった。「オレについてこい。ただし距離はあけろ。オレがしくじったら、おまえたちみんなが割を食うからな」そうして仲間に背を向けて、胸壁のほうへ突進していった。

最も機敏な五人とともに、ソーキンズは百人ほどのスペイン人に向かっていくが、少なくともそれと同じ人数の集団がさらに町から流れこんでくる。しかし彼らは兵士ではなく、予想どおり農夫や牧場主であり、いかなる銃も持たず、はんぱものの槍を手にしているだけだった。それでも胸壁を乗り越えて六人のバッカニアに向かっていく。それがまた自信たっぷりで、マスケット銃を持つ相手と勝負したらどうなるか、何もわかっていないようだった。ソーキンズはひとつ実演をしてみせることにした。銃を構えて引き金を引くと、ちっぽけな鉛の球が見事な稲妻に変わって、守り手のひとりを倒した。それに反応する暇もなく、彼の仲間たちも標的になった。さらに五発の銃声が響き、銃弾が風を切る胃がねじくれるような音と、被弾した人間の長く尾を引く悲鳴に、プエブロ・ヌエボを守る残りの人間たちは固まった。

思いとどまったか、それとも恐怖に凍りついたか。

さらに六人の守り手が倒れ、死を免《まぬが》れた人間はあわてふためいて胸壁のうちへ逃げる。ソーキンズと仲間たちはそのあいだも迅速に銃を再装塡している――弾薬筒、火薬、火皿、火打ち石、こめ矢、引き金と、目にも留まらぬ速さで指が動いているが、それでもスピードは足りなかったようで、銃が発砲するより先に、敵が攻撃を再開した。圧倒的な数の援軍を得た守備隊――ポウヴィーともにたった今胸壁へ疾走してきたコックスの見立てによると千人規模――が、今やわずか十数名となったバッカニアたちに津波のように襲いかかる。こうなってしまったのは、情報伝達に誤りがあったためで、実際バッカニアの仲間たちは四分の一しか上陸していなかった。しかしそれでよかったのである。もし全員がこの戦いに加わっていたら、まず間違いなくひとり残らず死んでいただろう。守備隊が放つ槍が雨のように降り注ぐなか、三人のバッカニアが命を取られた。ソーキンズもそのひとりだった。

そうなると、コックスとポウヴィーをはじめ、みんなはもう敵に背を向けて逃げるしかなかった。川をめざして命からがら走るそのさなかにも、追ってきた群衆に仲間のひとりがさらわれたのがわかる。助けようと、ここで足をとめるようなことをすれば、巻き添えを食って殺されるのは間違いなく、血も凍るような仲間の悲鳴に耐えながら、みんなはサバンナを走り続けた。自分たちのカヌーが手つかずのまま放置されているとわかると、大急ぎでそれに飛び乗り、「圧倒的な速さで襲いかかってくる」とポウヴィーが記す、スペイン人たちの攻撃を押し返すようにして勢いよく岸を離れ、先に退却を始めている仲間たちに加わって猛スピードで川を下った。

プエブロ・ヌエボの守り手たちは追跡の手を緩めず、自分たちの船に乗りこんだ。ペリアグアや帆船をつかえば、簡単にバッカニアたちに追いついて、ふたたびやっつけることができる。バッカニアとしてはもう、河口で待機している、リングローズを含むクックの仲間たちが救出しにくるのを待つしかない。

しかしクック一行は航行している川の性質を知らず、それが身の破滅のもとになる。船を浅瀬ばかりでなく、岩の上に乗りあげてしまったのだ。流れる川のなかにあって岩は、のこぎりの刃さながらに木造の船体に切りこんでいく。流れのままに横ゆれと縦ゆれを繰り返す船は、川の流れか、あるいは乗っている人間によって、そこからおろされない限り、あっというまに難破船に早変わりしてしまう。クックの仲間たちがなんとか船を岩の上からおろしたものの、仲間たちを助けに行くのには間に合わなかった。

風上からプエブロ・ヌエボの守備隊が迫ってくるなか、必死に逃げるバッカニアたちのもとに、遅ればせながら幸運の女神がやってきた。逃亡を助けてくれそうな一隻のバーク船をシャープが認めたのだ。ただし助けてもらえるのは、あの船を奪えたら、の話だ。一か八かの賭けに出て、シャープが仲間たちとそちらへカヌーを近づけてみると、船は停泊していて、驚いたことに船内は無人だった。急いで乗りこんで、残りの仲間たちがカヌーから甲板にあがるのに手を貸したのち、錨《いかり》を揚げた。このバーク船はスピードを出して彼らを危険のさなかから速やかに連れ去ってくれたばかりでなく、藍、油、バター、ピッチ（タールなどを蒸留したときに残る粘性物質で船体の防水基材となる）などなど、貴重な戦利品をぎっしり積んでいた。

しかしそれしきのもので、ソーキンズを失った悲しみはとても相殺されなかった。コイバ島に落ち着くと、そんな仲間たちの気持ちを代弁するように、打ちひしがれたリングローズが、船長ほど「高潔であっぱれな勇者はいない。彼はわれわれのなかで最も愛された人間だった」と記している。ソーキンズは単なるリーダーではなく、遠征隊をひとつにまとめる膠《にかわ》の役割も果たしていたのである。自分たちの幸運は彼とともに息絶えたのだと、仲間たちは結論を出した。後継者はシャープだと事前に決めてあったものの、それに従う気になれない仲間たちが別々の道を歩むことにして、またもや叛乱《はんらん》を起こした。

シャープは仲間たちの気を変えようと、トリニティ号の甲板に全員を集め、みんなで遠征を続けてソーキンズの死に報いようではないかと訴えた。この自分についてくれれば「ソーキンズ船長がやろうとしてできなかったことを遂行できる」とシャープはいう。それはすなわち南海でスペインの船や植民地を荒らしまわって略奪三昧の日々を送ることだった。ひとたびスペイン領の遠い町までたどりつけば、こちらの襲撃を予想していない住民たちに奇襲をかけることが叶って、ひとり頭《あたま》千ポンド（四千ピース・オブ・エイト）をたちまち手にして帰郷することができるとシャープは訴える。

この訴えがきいてシャープは、ウィリアム・ディックをはじめとする保守層から支持を受けた。「これだけ長いあいだ多くの危険と戦いながら求めてきた金だ。それを持たずに帰郷するより、この海に骨を埋めたほうがいい」とディックは心を決めた。シャープが約束した千ポンドという金額はまた、遠征の取り分を賭け事で失っている人間たちにとっては相当な額で、これも心に響いたようだ。しかし、それ以外の人間にとっては依然として、ひとつ問題が残っている。シャープその人を信頼できないのだ。船乗りとしても戦術家としても優秀なのはみな知っている。しかしそれと同時にシャープはすぐ頭に血がのぼる男で、自身の行動さえ制御するのが難しい。そんな男が、どうして船団を丸ごとまとめていけるだろう。

　その思いはリングローズの胸にもあった。今となっては「危険な冒険から足を洗って故郷に帰りたいと、気持ちは完全にそちらに傾いていた」。問題は、帰郷するとなるとダリエン地峡を徒歩で横断する必要があることだった。彼としては、「もうこれ以上、野蛮なインディアンたちに信頼を置くのは恐ろしいし、いやだった」。そうでなくても、雨期が始まっている今、ジャングルを横断するのは不可能に近い。さらに、友であるダンピアとウェイファーが、ふたりともに冒険を続けようと熱心に主張していることも、リングローズの判断の決め手となっただろう。

　五月三十日、案内役として残っているクナ族を連れ、ダリエンめざして航行する六十三名のバッカニアたちのなかに、リングローズは交じっていなかった。およそ百四十名のバッカニアがコイバ島に残った。

　しかし、それからすぐといっていいほど、リングローズは自分の決断を後悔する事件に遭う。マンチニールの木の下に立っていたところを激しい雨に降られ、樹木の毒を浴びてしまったのがそのひとつ。全身に赤い水疱が現れ、一週間ほど治まらなかった。もうひとつは、夕食の獲物を仕留めようと仲間と狩りに出たところ、体長二十フィートほどのアリゲーター数頭と鉢合わせした事件だった。だがなんとか撃ち殺して被害を免れると同時に夕食の材料も調達できた。

　またこの時期には、船上での内紛や政治工作は確実に紛糾するという事実も判明した。シャープはプエブロ・ヌエボから逃げてくるときに奪った、スピードの出るバーク船をこれからもつかうことに決め、それをメイフラワー号と命名した。この船があれば作戦の選択肢も増えるし、偵察能力もアップするから、トリニティ号の僚船としてうってつけだと思ったのだ。この新しい船の船長に、シャープはエドモンド・クックを任命した。年齢や実績から考えても納得の人選だった。しかし民主的なバッカニアは、自分たちがその人選に発言権を与えられなかったことで激怒し、それから数日、乗員たちはクックの命令に従わなかったと、リングローズが書いている。「規則に従わない連中の上に立つのはいやだとなって」クックはメイフラワー号を下船して、トリニティ号へボートを漕いで向かった。シャープはジョン・コックスを後任につけたが、これは火に火薬をくべるようなものだった。みなはまたシャープの一方的な決定に腹を立てた。口の達者なニューイングランド地方出身のコックスが、その任にふさわしいとする理由があるなら、それは彼がシャープの昔なじみのひとりということしかないというのがみんなの意見だった。結果、再編成された船団がまだ一インチも進まないうちに、またもや叛乱の気配が濃厚になった。

しかし腹を立てた者たちも、ここで捕虜の話を耳にすると、いったん叛乱を起こすのを保留にした。その捕虜というのは、二十日前にパナマ湾で捕獲して約五万ピース・オブ・エイトの稼ぎを生み出したサン・ペドロ号を指揮していたファン・モレノ船長だ。それについてリングローズが次のように記している。モレノは「われわれに大きな便宜を図ると約束した。裕福な地域を二、三案内しようというのだ」。そうして彼が真っ先にあげたのが、成長著しいスペイン領の港町グアヤキル（現在のエクアドル）だった。そこならバッカニアは、「銀を捨てて、代わりに金で船を満載にすることができる」というのだった。

グアヤキルのもうひとつの魅力はチョコレートで、当時イングランドに入ってきたばかりのそれは、法外な値段にもかかわらず、たちまち人気が爆発した。味も魅力だが、媚薬《びやく》としても働くという説が広く信じられていた。バッカニアもチョコレートを好んで食したという言い方は、控え目に過ぎるだろう。日誌を綴《つづ》る者たちが繰り返しそれを賞賛しているところからすると、チョコレートは彼らのあいだで、ラム酒と女の中間ぐらいに位置するといえよう。そしてリングローズが記しているように、グアヤキルの「カカオ豆、すなわちチョコレートの原料は、ここで獲れるものが世界一」らしい。しかしダンピアの意見は異なる。リングローズがそう書いたのは、「立派な仲間たち」と限られた旅しかしていないからだとしている。もしリングローズがダンピアと同じぐらい幅広い経験をしていれば、「彼もまた、カラッコスのカカオ豆が世界一だと書いていただろう」と記している。

チョコレートや財宝は別として、リングローズ、ダンピアをはじめ、みんなはモレノがそういう申し出をした意図について不安を持っていた。ひょっとしてこれは、バッカニアを罠に誘いこむ策略か、あるいは自らが逃亡する舞台をつくるためではないのか。その両方ということも考えられる。そこでバッカニアたちは、その心配を別の捕虜たちにぶつけてみた。ホセ・ガブリエルと、フランシスコ・デ・ペラルタだ。後者は、パナマ湾の戦闘の余波が残るなか、バッカニアたちを騙そうとした、老練でがっちりした体形のアンダルシア出身の船長だ。あのとき彼は、ペリコ島を襲うのは無理だと警告した。その同じ人物に、じつはモレノからグアヤキルの話をきいたんだがと、そういったとたん、相手は激怒した。これはいい徴候だと、バッカニアたちは思った。ただし、ふたりが秘密裏に打ち合わせをして芝居を打っている可能性もゼロではない。

ここでまた、リングローズが研鑽《けんさん》を続けているスペイン語が役に立つことが判明した。パナマ湾の戦闘以来、リングローズはガブリエルと同じように、ペラルタとも親密な関係を結ぶのに成功していた。その結果、ペラルタが南海に関する情報の宝庫であると同時に、じつに話し好きであることもわかった。それなのに、これまでペラルタはグアヤキルについて何ひとつ語っていない。そこから考えると、激怒したのは芝居ではないと判断できる。そこでバッカニアたちは、彼とモレノを引き離しておくことにした。ペラルタはメイフラワー号に移し、リングローズは不承不承トリニティ号に移ることになった。といっても、すべては船団が錨を揚げれば、の話だ。

バッカニアのなかには不安になる者もいた。たった百四十人で、大規模で防備も堅いグアヤキルの町をどうやって攻略するのか。予兆を信じる者は、天候が突然変わったことで今一度考え直す気になったかもしれない。「その夜、これまでの人生で経験したことのない稲妻と雷鳴がとどろいた」とリングローズが書いている。何はともあれ、雨期に入っているのは間違いなかった。晩春と初夏の赤道近辺は、北半球と南半球の気象系が衝突して六万フィートの雷雲を形成し、それが日誌を綴る者たちには描写しきれない激しい雨を降らせるのである。「まるで天と地が衝突したかのようだった」とウェイファーがのちに書いている。その雲が放つ火花は、全長五マイルの稲妻となって一億ボルトの電流を運ぶ。そしてその電流が船のマスト群へ引きよせられ——そこが海で一番高い場所となる——貯蔵している火薬を爆発させるのである。

ちょうどこのとき、バッカニアたちはグアヤキルの攻撃計画を承認する段階に入っており、それとときを合わせるように、トリニティ号とメイフラワー号を取り巻く波を稲妻が切り裂き、トリニティ号のメインマストを破壊した。ありがたいことに被害は周囲に生息する魚たちが感電死するだけにとどまった。乗員たちは、コイバ島の陸塊《りくかい》のおかげで命拾いをしたのだった。この陸塊は、標高が海抜二百フィート以上あったからだ。しかし、もしその島とグアヤキルのあいだに六百五十マイルにわたって広がる外海にいたら、そんな幸運には恵まれなかった。

18　ヘビの髪を持つ姉妹

トリニティ号とメイフラワー号はコイバ島を六月六日の夕方五時に出発してグアヤキルをめざしたが、船団は間違った方向へ進んでいた。操縦ミスではないし、シャープをはじめ誰かが酒に酔っていたせいでもない。風がほとんどないために、船は潮流の力で北西に押しやられていたのである。要するに、逆に進んでいた。それに続く二日間は船を正しい針路にもどすだけの風が吹いたが、それでも中年の平均的なスイマーを追いこせるほどのスピードも出なかった。三日目の朝、「御《ぎょ》しやすい強風」が吹いてきたとリングローズが書いている。しかし実情は厄介だった。夕食時になっても、船はわずか五リーグ進んだに過ぎない。時速一・五マイルというスピードは、馬に乗った人間がプエブロ・ヌエボ襲撃のニュースを運んでスペインの植民地に警告するスピードの四分の一に相当する。この速度で進んでいけば、目的地に到着するのに五週間はかかってしまう。それも針路をはずれなかったと仮定してのことだ。

現在の船の位置を知るために、リングローズはアストロラーベをつかった。真鍮《しんちゅう》の円盤セットで、これにより、日の出の時間に見慣れた星を見つけ、それから地平線に対する太陽の頂点角度を計算し、赤道から北、または南へ、どれだけ離れているのかを導きだす。つまりそれで緯度がわかるのだ。結果リングローズは、自分たちの船はコイバ島の三十二マイル南にいると判断した。しかし島の東にいるのか、西にいるのかは不明だ。子午線《しごせん》の東にいるのか西にいるのか、船乗りたちがそれをつかって経度を知ることのできる海洋クロノメーターが発明されるまでには、あと七十九年待たないといけない。リングローズの時代、「経度を知る」といえば、「不可能に挑戦する」という意味になり、実際決まり文句として、その表現がよくつかわれていた。

翌日は雨が絶え間なく降り続き、天文観測は論外となったが、そんなことをしなくともリングローズには、一行が誤った方向へ流されているのがはっきりわかった。雨はまっすぐに降り注いでおり、横殴りにはならない。風がないからだ。つまり船は潮流によってコイバ島の方向へ流されているのだった。思い余ったバッカニアたちは、捕虜に相談することにした。彼らはこの海域を知悉《ちしつ》している。しかし相談相手は捕虜なら誰でもいいというわけではない。リングローズによれば、ホセ・ガブリエルはずっと誠実で、これまでのところ、逃げる、あるいはバッカニアを殺すといった、ほかの捕虜がたくらんでいる企《くわだ》てをすべて彼に話していた。捕虜を個別に尋問して知り得た情報を交換し合うことで、真実を浮かびあがらせることができるのではないかと、リングローズたちは考えた。結果、緯度三度に入るまで、着実な風は望めないことがわかった。あと三百マイル近く南へ行かないといけない。

捕虜たちは、あともうふたつ、さらに大きな問題があることも話してくれた。ひとつは、今バッカニアの船がそうしているように南米の海岸を南下すれば、南東で発生して反対方向へ吹きつける南東貿易風にぶつかってしまうこと。反対方向といえば、南米の太平洋岸と平行する北西方向だ。もうひとつは、バッカニアの船は、ペルー海流と呼ばれる北向きの海流とも戦わないといけないということである。このふたつの力に抗《あらが》うには、ジグザグ航行をひたすら繰り返して、それらを回避するのが一番いいと、スペイン人捕虜はいう。その場合、八百マイルほど南西に行けば赤道直下のガラパゴス諸島にたどりつける。そこなら、トリニティ号もメイフラワー号も風を得て、七百五十マイルを矢のように疾走してグアヤキルへたどりつける。迂回ルートは、航行距離を千マイル近く増やすことにはなるが、結果的には数週間を節約できるという。シャープはその考えに納得して、スペイン人のいうとおりに針路を変更した。

しかしその次の週は、風はほとんど吹かなかった。男たちの仕事といえば釣りをするのがせいぜいで、あとは「揺れのない船上でごろごろ寝ているばかり」とリングローズが書いている。六月十七日の朝五時、旅の最初から数えて十二日目となるこの日、問題がなければ一週間で到達できたはずの地点で、東の水平線に陸が見えた。ひょっとしてガラパゴス諸島にもう着いたのか？　よくからないので、シャープはさらに航行を続けて島へ近づいていった。すると巨大な低地の海岸に無数の入り江や湾が刻まれているのが見えてきた。ガラパゴス諸島のひとつにしては、あまりに大きすぎるとシャープは思った。雨でびしょ濡れになったトリニティ号の乗員たちも、ここがどこなのか誰ひとりわからない。シャープはメイフラワー号に乗っているコックスを呼び出し、ペラルタを連れてくるようにいった。ペラルタは航行に関する助言が的確だったことで、最近信用を取りもどしていた。南海の航行経験が豊かな船長なら、あの陸塊が何であるか、ほかの誰よりよく知っているだろうとシャープはにらんだのだ。おそらく入り江や湾ひとつひとつの名前も知っているに違いない。

確かにペラルタは知っていた。そこはバルバコアスといって、南米大陸の未開の土地（現在のコロンビア）だという。なんとバッカニアたちは出発時よりも、ガラパゴス諸島から百マイルも遠ざかってしまったのだ。みんなのうめき声が広がり、そろそろ分け前を分配したほうがいいんじゃないかという声もあがった。颪以上に、バッカニアは奇襲作戦を頼りにしていた。それがこの不運な出来事により、スペイン人たちに時間を与えてしまったとリングローズは日誌で不平をこぼしている。「海岸沿いのありとあらゆる港に、われわれがやってくるという知らせが行き渡るだろう」

しかしシャープはそうは思っていなかった。遅れが出たことで、こちらも有利になる点がある。きっと先方は、バッカニアはもう南海を去ったのだろうと思っているはずで、敵はガードを緩めるというのだ。この問題は会議で議論されることになった。このまま遠征を続けるべきか否か？　その結果をリングローズは、「略奪品によって現金を手にしている者たち」を、「その現金を賭博で失った者たち」が投票で打ち負かしたと記している。また男たちは、ペラルタの新たなアドバイスについても投票を行って、ゴルゴナ島へ向けて航海することに同意した。ゴルゴナ島は現地点からわずか十リーグしか離れていないところにある島で、この先も航海を続けるなら必須となる、船を傾けての清掃を行うのにうってつけだという。四六時中雨ばかり降っているような島で、「年間でほぼ一日も乾燥している日がない」ゆえに、スペイン人は寄りつかないそうだ。

リングローズは、傾船清掃のためにゴルゴナ島に寄り道することでスペイン人にさらなる準備期間を与えてしまうと危ぶんでいた。ゆえに仲間たちがそれに賛成する投票をすると、「自分は南海に居残ったことを激しく後悔した」と書いている。

しかし蓋をあけてみれば、雨はゴルゴナ島がもたらす問題のうち最小のものでしかなかった。コンキスタドールのフランシスコ・ピサロは、一五二七年に乗員たちとともに七か月間、この島で足止めを食らった。彼はそこを「地獄」と呼んだが、それは雨のせいではない。雨はむしろ、地獄の炎熱を和らげる役を果たしてくれる。地獄をつくりだすのは、その忌《い》まわしい土壌《どじょう》だった。この島の土は、おぞましい虫類を大量に吐きだすようだった。さらにヘビが多く、フェルドランスのほかに、人間にとってさらに命取りとなる、珊瑚ヘビも生息していた。ピサロの部下数名がヘビによって命を取られたこともあって、彼はギリシャ神話に登場するヘビの髪を持つ三姉妹ゴルゴンにちなんで、この島をゴルゴナと名づけていた。ゴルゴン三姉妹は自分たちを直視した者は誰でも石に変える力を持つ。

しかし雨や虫やヘビよりも、バッカニアたちはスペイン人の奇襲のほうが怖かった。十平方マイルの島は、近づいていくにつれて、こちらを差し招いているように見える。瑞々《みずみず》しい雨林に覆われたその島自体にも美しい山々が聳《そび》えているが、十七マイル東に位置するコロンビア本土では、壮大な雪の峰を熱帯の強烈な日差しに輝かせるアンデス山脈が聳え立って、この島の背景となっている。島の南側を流れる穏やかな川の河口に錨《いかり》をおろしたトリニティ号とメイフラワー号は、まるで海版エデンの園にたどりついたかのようだった。無人の島には自然が手つかずのまま残っていて、滝から立ちのぼる霧のなかで、あらゆるものが濡れたようにしっとりした輝きを見せている。海岸近くでクジラやイルカが跳びはねるようすはさながらファンタジーの世界だった。いったいピサロは、この島のどこが気に入らなかったのだろう？

シャープはゴルゴナ島に自分の名をつけることにした。リングローズは律儀にも、その名を自分で描いた地図に記している。「イスラ・デ・ラ・ゴルゴナまたはキャプテン・シャープズ・アイル」と。この地図には隣接する小島、ゴルゴニリャも記されている。当座のあいだ、バッカニアたちはクジラやイルカを撃とうとしてみるものの、「われわれの撃った弾はクジラやイルカから跳ね返ってきた」とリングローズが記している。あきらめた男たちは、海岸で食料をさがし、巻き貝、ウミガメ、牡蠣《かき》を大量に集めてきた。必要なだけの魚を集めたうえに、「その名前にふさわしい獣《けもの》」とリングローズが描写するナマケモノもつかまえた。「三インチ前進するのに八分から九分かかる」と、ダンピアはいろいろ実験した結果を記している。ポウヴィーをはじめ、肉なしでは生きていけないバッカニアの一部には残念なニュースだが、ナマケモノは「ほぼ骨と皮」だった。それでも島に生息するサルや、モルモットに似たウサギ大の齧歯類《げっしるい》インディアン・コニーがそれを補って余りあった。

ゴルゴナ島での蜜月はある日突然終わりを告げた。まるで遅れてきたのを挽回するかのように、しゃかりきになって雨がやってきたのだ。リングローズによれば、「昼も夜も、ほぼ毎時間、激しい雨が降り続いた」。この天候により、船を傾けての清掃はますます困難を極めた。そうでなくても損傷した船を相手にする二週間にわたる作業はとことん骨が折れるものだ。乾腐病《かんぷびょう》や大砲でやられた船体を修理したのち、付着物を擦《こす》ったり、焼ききったりする。さらに、フジツボやフナクイムシといった生物や、大量に付着した海草を手作業でひとつひとつ削り取る。船体に付着した海草はまさにジャングルといってよく、とりわけ熱帯の海を航行する際には、トリニティ号のように、これが仇《あだ》となって三ノットほども減速する。平均スピードの半分まで落ちる場合もあって、そうなると、グアヤキルを襲撃したあとに間違いなく追いかけてくるであろう軍艦から逃げるのに大きな妨げになる。

トリニティ号の清掃はまず艤装《ぎそう》を解くことから始まったが、豪雨に遭ってたちまち中断となった。

帆布は雨のなかでおろすことはできない。濡れたまま保管すると腐りやすいからだ。船の艤装は四日や五日で完全に解くことはできず、男たちが船首とメインマストと岸の樹木のあいだに滑車装置を置いたりする。船を傾けたときにメインマストが折れたので、その修理のためにさらに遅れが出た。

一方、ピサロが島をゴルゴナと命名した理由については、まもなくバッカニアたちも納得した。全長十一フィート、男の首の太さに等しい十四インチの胴回りを持つものをはじめ、さまざまなヘビを目撃したからである。バッカニアの視点からすると、それ以上に悩ましいのが食料の蓄えだった。「小麦粉と水以外、これといってめぼしいものがない」とリングローズが嘆いている。肉もワインもブランデーもないのだった。

この欠乏状態のさなか、この遠征で初めて乗員たちは病気の大発生に苦しめられた。ホセ・ガブリエルはカレンチュア、すなわち熱帯性熱病にかかって倒れた。譫妄《せんもう》状態に苦しむ病気で、当時は熱帯の熱が引き起こすものと信じられていた。この治療にあたってウェイファーのような医師は、十七世紀に万能とされていた治療法を採用した。すなわち、瀉血《しゃけつ》、発汗、浣腸、嘔吐によって、「過剰な体液を全身から排泄させる」のである。ガブリエルの場合、発汗によって排泄を促すことになった。とにかく大量の汗をかかせることが肝要で、患者を熱いベッドに寝かせて大量の布団をかけ、ロンドン糖蜜（ワイン、薬草、香辛料、ハチミツ、阿片を混合したもの）のような薬を与えて発汗を促すという一般的なやり方を取った。

しかし効き目はなく、ガブリエルは二日のあいだ意識を失って横たわっていた。きっと夢を見ているのだろうと、友であるバズ・リングローズは思った。グアヤキルでの襲撃が成功し、金銀の贈答品を山ほど携えてゴールデン・キャップの村落にもどり、美しい妻と、生まれたばかりの赤ん坊と、そのあとにも続々と生まれてくる子どもたちと過ごす幸せな人生を夢見ているに違いない。しかし病との闘いも三日目に入って、とうとうガブリエルは息を引き取った。「彼はいつでも誠実で、われわれに忠実であった」と、その死を悼《いた》んでリングローズは記している。

結局バッカニアたちは三十八日間にわたって悲惨な毎日を耐え抜き、七月二十五日になってようやく船の出発準備がととのった。トリニティ号をざっと検分して、リングローズはその変貌ぶりに目をみはった。トゲルンマスト（トップマストの上につけるマスト）、ステースル（支索に張った帆）、伸張されたトップスルが追加され、後部船室と、船尾についていた手のこんだ彫刻が取り去られている。もうこの船のスピードを落とすのに加担するものは何ひとつない。あるとしたらグアヤキルから運ぶ金の重みだけだった。しかしシャープはもはやグアヤキルに行く気が失せていた。「キャプテン・シャープズ・アイル」が気に入りすぎたためではなく、この島にあまりに長居したことで、通りすがりの人間か、近隣の島ゴルゴニリャで暮らしているのを最近になってバッカニアが発見した三家族から、自分たちの所在が外にもれたに違いないと確信したからだった。グアヤキルは防備を固めているだろうから、「わざわざそこまで行っても無駄足になるだけだ」とシャープは思っていた。

仲間たちのほとんどがそうだったように、これにはリングローズも面食らった。そういうリスクは最初から考慮すべきであって、ヘビがうじゃうじゃいるシチュー鍋のなかに、みんなを五週間以上も入れておいた挙げ句にそんなことをいうとは、あきれてものがいえない。しかし先方にこちらの動きが筒抜けであるというのはシャープのいうとおりであって、ならばこの先どうするのか、新しい作戦を司令官が明らかにするのをみんなは待った。ところがシャープに考えはない。彼ばかりか、バッカニアの誰ひとりとして、みんなのやる気を多少なりとも引き起こすような作戦は思いつかなかった。先の見通しが立たないままに、みんなが苛立《いらだ》ちを募らせていくと、とうとう捕虜のひとりが口をひらいた。「オールド・ムーア」とみなに呼ばれている男だった（おそらくイベリア半島近辺からやってきたムスリムのひとりで、当時スペイン船の乗員のなかに彼らがいるのは珍しくなかった。長くスペイン人と航海を続けていたので記録されたのだろう）。彼は、バッカニアを「アリカと呼ばれる場所」へ連れていくという。そこには、ポトシ、チキサカほか、方々《ほうぼう》の山々や鉱山から掘り出される「すべての銀――スペイン語でプラタ――が集まっている」らしい。銀は間違いなくアリカに保存されており、「船が持ち去るまで、手つかずのままになっている」とムーア人は続ける。そこへ行けば、「バッカニアひとりにつき、少なくとも二千ポンド」は確実に手に入るらしい。

アリカという名には、バッカニアたちも馴染みがあった。伝説に謳《うた》われる港湾都市（現在のチリ北部）だ。一五七九年、フランシス・ドレイクは、アリカから二百四十トンの銀を積んできた船を捕獲したのだが、あまりに重く、航海を続けるために、その多くをプラタ島で船べりから捨てざるを得なかった。それから百年下っても、町は依然として、その地域で掘り出された銀の貯蔵庫となっている。いやアリカの場合、世界で掘り出された銀のほとんどといったほうがいいだろう。新情報によれば、アリカの貨幣鋳造所《ちゅうぞうじょ》は、銀から大量のピース・オブ・エイトを鋳造しているらしい。それがろくな防備もない状態で置かれていて、船がやってきてスペインへ輸送されるのを待っているという。

司令官の作戦が発表されるのを待つ乗員たち

問題は距離だった。アリカは二千マイル近く離れた南米の海岸にある。そこへ行き着くためには、三千マイル航行しなければならないと、今のバッカニアたちにはわかっている。千マイル近く西の海へ出て、貿易風とペルー海流を回避しないといけないからだ。それからさらに南東へ二千マイル進む。しかし、そこでバッカニアたちは気づいた。これだけ距離が離れているということは、こちらにとって利点にもなる。アリカの住人たちが何らかの警告を受けるより先に、おそらくこちらはもう到着して、ふたたび不意打ちを食らわすことができるかもしれない。

アリカにはもうひとつ魅力があった。天候である。陸へ襲撃をかける際、雨によって作戦中止となることは多く、奇襲頼みならなおさらだ。しかしアリカはアタカマ砂漠に位置していて、ほぼ雨は降らない。年間平均降水量が一インチの百分の三で、人間の生活圏で世界一乾燥した場所のランキングで一位。サハラ砂漠でさえ、年間平均降水量はアリカの十六倍ある。三十八日間もゴルゴナ島でびしょ濡れの日々を過ごしたバッカニアは、たとえお宝がまったくなくても、アリカに魅了されたことだろう。

七月二十八日の早朝、船団がゴルゴナ島を出発して三日目となったこの日、メイフラワー号の船長ジョン・コックス――最初は乗員たちからそっぽを向かれたものの、なんとか乗り越えて、今も船長として舵を取っている――が目を覚まして外を見ると、トリニティ号が消えていた。単に霧で隠れているだけのようにも思える。しかし霧が晴れても、コックスも乗員たちもトリニティ号を見つけられない。これは自然に離れてしまったのではないなと、コックスは思う。前夜、トリニティ号に乗っているシャープと意見が食い違ったせいに違いない。

ゴルゴナ島で錨を揚げてから、トリニティ号とメイフラワー号は――ジグザグ航行に先立って――南米の海岸沿いを航行していた。そして当然ながら、あまりの無風状態に苦しんだ。しかしコックスは見抜いた。海岸に近づけば近づくほど風が強く吹いてくる。ということは、闇に乗じてせっせと海岸沿いを進めばいいのだ。これを実行してみたところ、トリニティ号からリングローズがボートに乗ってやってきた。コックスはリングローズを「頭のいい男」だと見ていた。しかし、その頭のよさも、シャープの伝言を持ってくるだけの仕事では発揮しようがない。案の定リングローズは、「岸から離れろ、でないとメイフラワー号が岸に乗りあげてしまう」と、シャープ船長の命令をそのまま伝えてきた。

コックスはばかではなかった。速度や方角と合わせ、メイフラワー号と岸との相対的な位置関係を細かくノートに取っていた。それで、日没から、せいぜい午前二時までなら、岸に乗りあげる危険はまずないと、リングローズに自信たっぷりにいった。リングローズはコックスがずいぶんと自分の考えに固執していると思い、トリニティ号にもどる前に一言いってやった。「方向を変え」て岸から離れろと。コックスはシャープの命令をきくことにするが、午前二時になるまでは岸ぎりぎりを航行した。それで別段問題はなかったのだが、自分がすぐにいうことをきかなかったので、頭に血がのぼりやすいシャープを怒らせてしまったのだろうとコックスは思った。

どこを見てもトリニティ号の姿が見えない今となっては想像に難くない。シャープは仲間たちにコックスのことは放っておけと命じたのだろう。いずれメイフラワー号のほうで、僚船とはぐれたと大騒ぎになり、その原因がコックスにあるとみんなが知ることになる。そのときになって初めて、コックスは命令に従わなかったことを後悔するというわけだ。ポウヴィーによれば、嵐は別として男たちが最も恐れるのは、「敵国や未知の海域において、孤立する恐怖」だという。実際、トリニティ号とはぐれてしまったことがわかると、メイフラワー号の乗員はパニックに襲われた。

現在メイフラワー号は、トリニティ号の風上にいると判断し、コックスは仲間たちに、トップスルをおろして、低い位置にある帆を揚げるよう命じた。そうすることで、こちらのスピードを抑えられ、より大きな船が追いつける。しかしその日は最後までトリニティ号の船影を見ることは叶わなかった。翌日も同様。三日目も同じ。一週間が経つとみんなは、トリニティ号はスペイン人か、予測不能の海の変化にやられたのだと思うようになった。ウィリアム・ディックが書いているように、「トリニティ号の運命を思って、われわれの胸にもさまざまな不安が去来した。あまたの不運に見舞われて、自分たちはこれからどうなるのだろうと」。

にもかかわらず、コックスは合流地点であるプラタ島へ船を進めた。ゴルゴナ島から南西へ三百マイル行ったところにある島だ。まだトリニティ号が海の上に浮いているのなら、その島でシャープはメイフラワー号を待ち、僚船がそろったところでアリカへ侵攻するだろう。もしトリニティ号が本当に失われたのなら、きっと「銀の島」という意味のプラタ島が、アリカ侵攻に代わる魅力的な代替物を提供してくれる。すなわち、一五七九年にフランシス・ドレイクがアリカから積んできて、船の重みを減らすために積みおろした余分な銀である。

コックスはその後も、メイフラワー号を海岸沿いに南下させた。その航海のほとんどは風と潮流との戦いだった。八月の第一週で、サンティアゴの高地、サン・フランシスコ岬の白い崖、パサド岬、マンタ、サン・ロレンソ岬を通過した。そしてついに八月十日、乗員のひとりがプラタ島を視認した。二平方マイルの無人島は、周囲を険しい崖に取り巻かれているが、てっぺんだけは平らになっていて、浅く丸い丸薬箱のような形をしている。背の高い樹木は皆無で低木だけが生い茂り、それを糧《かて》にして野生のヤギが生息しているのがわかった。岩だらけの海岸線で、船を着けられそうな場所は一箇所しかない。北東岸だ。ほかに船は見当たらず、トリニティ号の乗員も島にはいない。つまり、この島で合流するというのはあり得そうもなかった。

それは銀も同じだった。少なくともコックスの乗員たちがさがしたところ、どこにもなかった。ならばお宝は海でいただこうと決めて、コックスはメイフラワー号にふたたび糧食を蓄えることにした。何人かは真水をさがしまわり、それ以外の人間はカヌーで島を巡ってヤギを捕獲する。数匹をつかまえることができたものの、カヌーに乗せて運ぶためには解体する必要があった。しかし解体したヤギを積んで海に出るのに手間取るうちにカヌーが沈没し、彼らのもどりが遅れた。その結果、コックスの計画に反して、メイフラワー号はその日のうちにプラタ島を出発することができなかった。しかし結局はそれでよかったのだ。というのも、そうでなかったら男たちは「無上の喜

From *Harper's Magazine*, January, 1883

フランシス・ドレイクの乗員は銀を奪った。それがプラタ島にまだ残っている可能性があった。

び」に浴することはできなかった。ディックが記しているように、それからまもなくトリニティ号が到着したのである。

トリニティ号の男たちもまた、すっかり有頂天になった。リングローズが記すところによると、二週間前には、「われわれは（コックスを）夜の闇のなかで失ったと結論を出した。あまりに長いこと海岸に接近し、こちらのいうこともきかずに方向転換しなかった彼の意固地さが災いした」。再会の喜びは翌週へと流れこんだ。毎日がお祭り騒ぎで、男たちが少年のように島を跳ねまわって宝物さがしに興じ、動くものは何でも槍で突いて、ウミガメも数ダース仕留めた。「ここに生息するこの生き物は、まったくといっていいほど恐れを知らない」とリングローズが書いている。「捕獲する手が伸びてきても、水中に沈んで逃げることはせず、仕留められるまでじっとその場から動かないのである」シャープもまた、はめをはずした。「我らの司令官が、また抜群に（ウミガメを仕留めるのが）うまいのである」とリングローズがつけくわえている。その週には、みんなで百匹以上のヤギを仕留め、それを巨大なウミガメといっしょに塩漬けにした。ウミガメのなかには三百ポンドもの重量があるものもいた。「その脂肪は黄色で、肉は白身で、このうえなく美味だった」とダンピアが結んでいる。

この時期、バッカニアたちの精神は非常に高揚していたから、ドレイクが残したというピース・オブ・エイトがひとつも見つからずとも、意気消沈することはなかった。しかし特筆すべき例外もあって、プラタ島での賭博でシャープに負けて多額の金を失ったことを嘆く者たちがいた。サイコロ賭博に秀《ひい》でた腕以上にシャープがみんなを苛立たせたのは、その大げさなプレイの仕方で、それが仲間たちのあいだに憤《いきどお》りを生み遠征が進むにつれて悪化していくのである。

八月十七日、十分休養を取って、食料もたっぷり積んだところで、バッカニアたちは出航した。「新たな冒険に乗りだすのにふさわしい門出《かどで》だった」とコックスが記している。その新たな冒険の到来を、バッカニアは長く待つ必要はなかった。

19　浮かれ野郎ども

トリニティ号のスピードには誰もが目を丸くした。スペイン海軍の一員としてそれを指揮し、何もかも熟知している老練なペラルタ船長でさえそうだった。それもこれもバッカニアが改造し、船体を傾けてとことん清掃したおかげであって、今トリニティ号は波を切り裂いて、横腹に塩辛い泡をザブザブ立てながら、アリカをめざして飛ぶように進んでいる。これならスペインのどんな戦艦からも、いや南海のどんな船からでも逃げられる。問題はメイフラワー号だった。トリニティ号の船上からリングローズはこう説明している。「われわれはトップスルを揚げたうえに、数回とまることを余儀なくされた。それもこれも僚船を置き去りにしないためであり、そうでもしないとまた見失ってしまうのである」メイフラワー号を待つために、トリニティ号は毎日二時間から三時間を浪費することになった。

八月二十四日、プラタ島を出発して一週間が経つと、シャープはもううんざりして、メイフラワー号を曳航することに決めた。アリカに早く着くために、トリニティ号の目覚ましいスピードを犠牲にしようというのである。しかしタイミングが最悪だったと、その夜グアヤキル湾でシャープは気づいた。闇を透かして水平線に帆が浮かんでいるのを仲間のひとりが認めたのである。グアヤキルからやってきたスペイン船だとシャープはにらんだ。たとえ事なきを得たとしても、これでもう奇襲作戦には出られない。もしあれが軍艦だったら最悪だ。夜の闇がまだ数時間続くから、そのあいだに逃げられるというのが唯一の慰めだった。しかし帆が近づいてくるにつれて、それは艦隊でも軍艦でもないとわかった。小型のガレオン船一隻だった。そのとたんシャープの視点が獲物としてのそれから、捕食者のそれへと変わった。司令官になって三か月。部下たちに捕獲物をもたらしてやろうと考える捕食者はさらに、自分の勇み足による失敗からの名誉挽回も考えていた。ちょうど昨日、グアヤキル海岸の北岸に位置するサンタ・エレナ岬の沖に帆が立っているのが見え、バーク船のようだったので追跡のためにカヌーを何艘か送りだした。しかしバーク船と見えたものはまったく価値のない帆を立てた筏《いかだ》ふたつで、不要品として見捨てられたものだった。さらにもっとまずいことに、それを追跡させたことでバッカニアたちは、グアヤキルの見張り台のひとつに立つ男の注意を引きよせてしまったのだった。

シャープにもわかっている。あのガレオン船を攻撃することには大きなリスクがつきまとう。もし前日の失敗がグアヤキル湾に警告を響かせることにはならなかったとしても、今度失敗すれば、確実にスペインの艦隊が追ってくる。それに、あのガレオン船が積極的に抗戦に出てきて、正確に狙いを定めた大砲の一発や二発を命中させれば、トリニティ号のマストは木《こ》っ端《ぱ》微塵《みじん》になり、アリカで略奪する夢は消える。

そういった心配があるものの、シャープはためらうことなく、トリニティ号の乗員たちに、メイフラワー号を切り離してガレオン船を追えと命じた。だらけ気分で夜の警備にあたっていた者たちが瞬時のうちに戦闘準備に入った。あらゆる人員と武器を上甲板に集める必要があり、誰もが甲板を駆けずりまわって、所持品箱ほか戦闘の妨げになるものをすべて片づけにかかる。リングローズはおそらくショットプラグ――船体の喫水線より下にできる、あらゆる割れ目や裂け目を塞《ふさ》ぐのにつかう厚板と鉛のシート――を用意する大工の仕事を手伝わされたことだろう。その仕事には、船倉の内壁を清掃することも含まれる。砲撃によって穴があいた場合、あふれだす水の出所《でどころ》をたどっていかなくとも、大工が割れ目を見つけられるようにするためである。

ダンピアはおそらく、掌帆長の手伝いでマストのてっぺんにあがっていたことだろう。掌帆長は、索具の装備、投錨抜錨《とうびょうばつびょう》、鋼索《こうさく》の扱いなどを指揮する。彼の下でダンピアたちは、帆を帆柱に巻きつけて通常より少ない人数で船を動かせるようにしたり、戦闘のさなかに帆桁《ほげた》（マストにつかう円材で、そこから帆を張る）が乗員たちの頭に落ちてこぬよう鎖やロープで固定したりと、うんざりするほど多くの仕事があった。

ウェイファーはこの時点で、被害者の手当をする空間を甲板下に確保したことだろう。戦闘中、外科医は普通、操舵室《コックピット》にいるもので、そのため、ひと頃はコックスン（船の管理と操縦を担当する艇長）と呼ばれることもあった。

大砲は通常、非常に複雑で手のこんだ過程を経て発射される。しかし回転砲こそ備えているものの、トリニティ号に大砲はひとつもない。これだけの規模と価値の商船にしては珍しい。いくつかでも備えておかなかったのを、今になってバッカニアたちは後悔したかもしれない。あるいはまた、彼らには独特の流儀があって、相手の甲板に乗り移る際に敵船からの銃撃を抑えるには、マスケット銃のほうが効果的だと考えたのかもしれない。

お互い敵船がはっきり見える位置まで近づき、いよいよ戦闘が始まるという段になれば、シャープの部下たちは船長の激励演説を期待したことだろう。彼が何を話したか、その記録は残っていない。おそらくソーキンズの思い出を呼び起こし、乗員たちの憤怒《ふんぬ》をかき立てたのだろう。いや、ぶっきらぼうな彼の性格からすれば、黒髭の有名なスローガン「甲板に飛び移り、敵をずたずたに引き裂け」に近いものだったかもしれない。いずれにしろ、乗員たちの勇気をワインやブランデーで補ったのはほぼ間違いない。

突然ガレオン船が方向転換して逃げだした。それを見てシャープと仲間たちは、向こうはたった今こちらに気づいたかと、そんな印象を持った。風を得てガゼルに変貌したガレオン船を、トリニティ号はチーターのスピードで追いかけ、獲物との距離を一気に縮めていく。バッカニアの掌帆長がホイッスルを吹いた。「総員、部署につけ」の合図であり、リングローズ、ダンピア、ウェイファーをはじめとする仲間たちはそれぞれの持ち場についた。海賊船のなかには、弾が飛び交いはじめたところで、乗員が持ち場を捨てて甲板下で怠けるのを防ぐため、かんぬきをかけるか、紐で縛るなどして、あらゆるハッチを大工が閉鎖するものもある。ただし戦闘中に稼働する部屋のハッチや便所は除かれた。

あっというまにトリニティ号はガレオン船に至近距離まで近づいた。シャープはスペイン語を話す捕虜に命じて、敵船にトップスルをおろすよう伝えさせた。闇のなかから返ってきたのは不服従の答えだった。海賊船より、うちの船のほうが上だというらしい。バッカニアは銃撃で返答し、敵も同じ勢いで反撃してくる。リングローズと仲間たちは、気がついたら鉄釘弾の突風から身をかわしていた。釘やボルトをはじめ、さまざまな金属スクラップが秒速百フィートで飛んでくるそれは、被弾した木製の手すりや人間を木っ端微塵にすることができる。敵の銃撃はトリニティ号を徹底して叩き、甲板に残骸の雨を降らせ、索具装置も粉々にした。

バッカニア数名が撃たれた。軽傷の者はそのまま残って戦い続けることを求められた。しかしコックピットに運ばなければならない人間が三名出た。ウェイファーをはじめとする外科医たちは、台の上に帆布をかけてベッドを用意し、止血器、あらゆるサイズの針、糸、添え木、包帯、テープ、銃創から流れ出す血を吸収させるのにつかう綿くずに小麦粉を混ぜたものをそろえた。ここで外科医たちに求められるのは、プロフェッショナルとして淡々と仕事をすることであり、負傷した男たちのあげる耳をつんざく悲鳴にも、まったく動じない振りをしなければならない。

ウェイファーが命を助けるのに力を尽くすあいだ、ダンピアとほかの仲間たちは、索具装置の修理のためにマストをのぼったことだろう。高いところは敵の動きがよく見え、うまく狙いをつけて銃撃することもできる。これはトップファイティングと呼ばれる戦い方で、一歩間違えば、ピストルから出る火花が帆に引火してしまうリスクがあるうえに、そんな位置にいるのだから、敵の目にはまさに格好な標的に見える。しかし今、このトップファイターたちから耳寄りのニュースが届いた。大砲の火が見えないというのだ。ガレオン船に大砲が備わっていたとしても、それをつかう気配がない。となると、甲板下にスペイン人たちが潜んで騙そうとしているのでもない限り、敵の船に乗っているのは甲板にいる総勢三十人かそこらだ。つまり、メイフラワー号の損傷が激しくなって航行不能という事態にでもならない限り、最終的にはバッカニアが勝利できるというわけだ。

しかしながら戦闘が長引きすぎると、どちらの船も航行不能となり、バッカニアの船は、グアヤキルから必ずやってくる軍艦の格好の餌食《えじき》となる。つまりシャープと仲間たちはできるだけ早く、ガレオン船の甲板に乗り移らないといけないのだった。しかし闇に包まれた外洋で、これはかなりの難事である。視界の利かないなか、重たい甲板は波にゆられて上下している。もし向こうの船に足が届かなかったら、ふたつの船体のあいだに挟まれて潰されるのは必定。数の優位と射撃の腕前というバッカニアの強みも、闇のせいでまったく生きてこない。敵が撃つたびに銃口に閃光《せんこう》が光るものの、それもこちらが狙いを定めて引き金を引く前に消えてしまうのだった。

そんなわけで熾烈《しれつ》な銃撃戦が三十分にわたって続いたが、まもなくトリニティ号の射撃名人が敵の舵手にぴたりと照準を定めて撃ち殺した。「残った人間で、あえて自分が舵手に代わろうとする者はいなかった」とリングローズが書いている。同時に、また別のバッカニアが、ガレオン船のメイントップの帆桁と、メインマストのトップスルを上げ下げするロープを断ちきったことで敵の帆は落下し、スペイン人はもう逃げることもできず、即座に助命を嘆願した。シャープは願いをききいれて、新しく自分のものとなったガレオン船に乗る準備を始めた。

しかしどうも妙だ……。ガレオン船の甲板を巡りながらリングローズは思う。この船は軍艦でもなければ、沿岸警備隊がつかうような船とも違う。残念なことに商船でもない。少なくともこちらの船に乗り移ったバッカニアはまだ積み荷のようなものを何も見つけていなかった。シャープが生存者を尋問すると、謎はますます深まった。生き残った者たちのなかに二十四人の若者がいて、彼らがこの船の責任者だという。民間人で、最近スペインからグアヤキルに移ってきて、そこでベテラン船乗りと兵士を合わせて十人、さらに宗教儀式を行う係として修道士をひとり雇ったという。いったいこの集団は何者かといって、リングローズとシャープが思いつくのは、二十四人の若く野心に満ちたスペインの海賊しかなかった。

さらに事情をきいて、バッカニアたちは驚いた。彼らはその日の前夜にグアヤキルの酒場で出会い、その夜の話題はイングランドの海賊の話で持ちきりだったという。イングランドのならず者たちが自分たちの海を荒らしまわっているというのは、誰にとっても癪《しゃく》に障る話だった。そこでひとりが、みんなで海に出て、ごろつきたちを撲滅しようといいだすと、大きな賛同の声があがった。きっとその夜はスペイン植民地の全酒場で、アルコールの力を借りて空威張りをする者たちが同じ意志を表明したに違いない。しかしこの者たち――〝浮かれ野郎ども〟とコックスがあだ名をつけている――は、そういった輩《やから》とは違って、実際に実行に移したのだから驚くべきことだった。

この話は、コックス、リングローズ、シャープを一様にびっくり仰天させたが、それと同時に不安にもさせた。問題は「イングランドの海賊の話」という部分である。いったいスペイン人は何を知っているのか？　ニュースはどこまで届いているのか？　バッカニアたちはその疑問を、〝浮かれ野郎ども〟が雇ったトマス・ダルガンドナという、いかにも権威筋らしい男にぶつけてみた。この男はグアヤキルの元総督というだけでなく、優秀な司令官を代々輩出した家系の出身で、パナマ湾の戦闘で命を落としたドン・ハシント・バラオーナに代わって、最近彼の弟が太平洋海軍司令長官に任じられたという。

「みなさん。運命の支配する戦闘により、わたしは今あなた方の捕虜となりました」と、ダルガンドナはバッカニアたちに切りだした。「どれだけ金を積んでも、わたしを請け出せないことは重々納得しております。少なくとも当座のあいだ、わたしはあなた方の手の内にあります。よって、あなた方に嘘をついたところで何もいいことはありません。もし嘘をついたなら、それにふさわしいと思われるやり方で、わたしを厳しく罰してくださるよう望みます」

シャープもリングローズもコックスも、この男は「紳士」であり、「ひとかどの地位にある」という印象を受けた。シャープは先を続けるよう促した。するとダルガンドナの話から事の子細がわかってきた。この六月にスペインのバーク船二隻がグアヤキルに到着し、パナマ湾でバルコス・デ・ラ・アルマディリャが海賊にやられたというニュースを伝えて増援を募ったらしい。それからしばらくして、スペイン人のある見張りがラ・サンティシマ・トリニダッドを目撃。南海で知らない者はいない有名な船であり、それをきいてこの者たちは、つい昨日、海賊狩りに出発したと、そういうことだった。話の最後の部分から、見捨てられた筏を追跡したシャープの試みはやはり愚かだったとわかった。ただしその結果招いたのが、〝浮かれ野郎ども〟程度で済んだのなら、愚行の代償は、なんということもない。

しかしダルガンドナの話はまだ続き、そこからバッカニアたちは、〝浮かれ野郎ども〟とは比較にならない大きな脅威が迫っていることを知る。パナマ湾襲撃の知らせをきいて、ペルーの総督メルチョル・リニャン・イ・シスネロスが、海賊を撃退するために、グアヤキルに新しい砦をふたつ建設し、さらに海賊打倒計画の一環として軍艦を数隻配置した。その計画のもととなったのが、イングランド人のひとりから得た情報だという。いや、それは怪しい。ひょっとしたらダルガンドナの話は、これ以上バッカニアたちをスペイン領で暴れさせないようにするための方策ではないか。そもそも情報を得たという事実はあり得ない。ゴルゴニリャでスペイン人のいくつかの家族と密かに接触した以外に、いったい、いかなるイングランド人がスペイン人と情報を共有する機会があったのか？

やがてシャープも仲間たちもわかってきた。答えは、パナマからプエブロ・ヌエボに向かう途中で見失った二隻のバーク船のうち小さいほうが握っている。そちらのバーク船の船長モリス・コノ

酒場で計画を練る

ウェイは、嵐のあいだ、自分ほか六名の仲間たちとともに、パール諸島のガリョ島に避難した。岸にあがった一行は、スペイン人の小さな植民地を見つけて、そこで略奪に及んだ。しかしそのあと五十名の武装した男が本土から呼ばれてやってきて、コノウェイと五人の乗員を殺害。彼らは生かしておいたひとりに対して、じっくり時間をかけて尋問をし、バッカニアたちの企《くわだ》ての全貌を引き出した。その結果、リニャン総督はグアヤキルに新しい砦を建設し、バッカニアをつかまえるために軍艦を送りだすことになったのだ。

ダルガンドナはさらにいう。リニャンはほかに二隻の船をリマに停泊させており、こちらのほうが船体は大きく、海賊たちの居場所を知らせるニュースが届くのを待って、追跡に出発する。さらにリニャンは、三隻目の軍艦も用意していた。アリカで鋳造《ちゅうぞう》されたばかりの銀を積載して輸送するはずだった二十四門の砲をもつ船パタシェ号を、海賊狩りに出発する艦隊にくわえたのである。

バッカニアにとって、それは悪いニュースではなかった。リニャン総督の艦隊はまもなくパナマに到着し、獲物はとっくの昔にそこを去ったことを知って、南東の貿易風とペルー海流と戦いながらリマへ帰ることになる。鋳造したてのピース・オブ・エイトを積むために、アリカへ向かっていたパタシェ号を呼びもどしたということは、ピース・オブ・エイトはまだアリカに残っているということではないか？ バッカニアの疑問にダルガンドナは、それはありうる話ですと答えた。ただし現在リマの外港カヤオに停泊しているパタシェ号は、海賊が動きだしたと知るや否や、即出発できるよう準備をととのえていますと警告する。

リングローズ、コックス、シャープは、信じられない思いで互いの顔を見あわせた。リマに近づかないという、この一点を守るだけで、自分たちはアリカで銀を手に入れることができると、そう気づいたのだ。その驚きに追い打ちをかけるように、捕獲したガレオン船内をあちこちさがしまわっていたバッカニアたちが、三千以上のピース・オブ・エイトを発見した。どうやらとうとうバッカニアたちに幸運が巡ってきたようだ。

ところが、そこで突然シャープが銃を放ち、甲板にスペイン人修道士の血が飛び散った。誰もがその場面を目撃していた。〝浮かれ野郎ども〟もバッカニアも、唖然として口がきけずにいると、まだ息をしている修道士をシャープが海へ放り投げた。発砲は修道士への罰だったとリングローズは書いている。ほかに日誌を綴《つづ》っていた者たちもほぼ同様の説明で、シャープ自身はそれについて一言も触れていない。「こういった残虐な行いを、わたしは心から忌《い》み嫌っている。それでも口答えせず、だまっているしかない。わたしには事を左右する権限がなかったのである」とリングローズは書き添えている。

このシャープの行動は、頭に血がのぼりやすい男に脈絡なく起きる殺人衝動というわけではなかったようだ。その場に居合わせた人間はおそらくわかっている。これはむしろ、「海辺の同胞」独特の宣伝キャンペーンの一環であるのだと。バッカニアたちの船を認めたとたん、多くの商船が降伏するのは、ひとえに彼らが耳にしたバッカニアに関するうわさのせいだ。たとえば、フランスのバッカニア、フランソワ・ロロネー船長は、カトラスを抜いてスペイン人の胸を切りひらき、鼓動する心臓を取りだすなり、飢えたオオカミのようにそれをむさぼった云々《うんぬん》。実際には、戦わずして敵の抵抗を破って勝利を勝ち取るのが優れたリーダーであると、その教訓に従っていたバッカニアがほとんどだったろう。シャープもまた、〝浮かれ野郎ども〟と戦わずして勝利を収めようと考えて、敵を脅えさせる芝居を打ったのかもしれず、それから彼は全員を捕虜にしてトリニティ号に乗せ、彼らの船を沈めたのである。

　しかし修道士に発砲するのが計算尽くだったとしても、その仕事は誰か部下に任せたほうが事はうまく運んだはずだった。そうしなかったものだから、シャープは多くの部下から司令官としての適性を疑われ、その不信感がみるみる膨らんで、やがて叛乱《はんらん》に結実する。神のつくりだした人間を、いわれもなしに殺したことで、きっと天罰が下るだろうと信じていた者は、その考えが正しかったと二日後に知ることになる。八月二十六日、トリニティ号が、曳航していたメイフラワー号と衝突し、小さいほうの船のバウスプリットが乾いた枝のように割れて粉々になった。舳先は焚きつけに変わり、要するに救済のしようがないほど損傷してしまった。

　コックスと仲間たちはあきらめて荷物をトリニティ号に移し、メイフラワー号を沈没させた。しかしその無念は九月一日の夜に安心に変わる。檣頭《しょうとう》にあがって見張りをしていた仲間が船影を認めたのだ。もしあれがリニャン総督の組織した艦隊のひとつであるなら、コックスたちはトリニティ号に移ったからこそ、命が助かったということになる。

20　水、水

九月一日の夜、その光は誰の目にもはっきり見えた。もし海の上の何リーグも先でなかったら、街灯の光か屋内のランタンの光と思ったことだろう。ひょっとしたら前回と同じ、うち捨てられた筏《いかだ》かもしれないし、あるいは大砲を山ほど搭載した六百トンのスペイン軍艦かもしれない。ひとつだけ、あり得ないものとして除外できるのが商船だった。なぜならガレオン船の捕虜がいったように、イングランドの海賊がこの海域を荒らしているという知らせを受けて、スペインの商船はすべて出港禁止となっていたからである。

翌朝九月二日、リングローズは帆を認めた。ちょうど昨夜光が灯っていたあたりで、ここから六リーグ離れた風上に浮かんでいると推定した。船舶の身元を確かめるためには、もっと近づいて、掲げている旗を見ないといけない。スペイン船なら白地にブルゴーニュの十字架（ブルゴーニュの守護聖人である聖アンドレの鋸歯状の十字架）を染めた旗を掲げているはずだった。しかし、旗だけで決定することはできない。身元を隠すために、バッカニアはしばしば自分たちの船にブルゴーニュの十字架を染めた旗を掲げて、敵の目を欺《あざむ》くことがあった。今回の場合バッカニアたちは、もし撃たれたらトリニティ号が燃えるマッチ棒と化する距離まで近づかないと真実はわからない。

しかしまもなく、〝浮かれ野郎ども〟のパイロット（航行を指揮監督する）を務めていたニコラス・モレノが、その船の身元を突きとめた。彼がバッカニアに語ったところによると、その船は索具装置やウールや綿布など、キトで調達したさまざまな品を積んだ豪勢な商船だという。八月十三日にグアヤキルを出発し、その途上でマストを修理する必要が出て、三百マイルほど南にあるパイタに寄港した。なるほど、それで商船の出港禁止命令に従わない理由が判明した。つまり禁令が出される前にこの船は出航していたのである――モレノが誠実な人間で、彼にバッカニアたちをスペインの軍艦に向かわせようという魂胆がないのであれば。

未知の船を追うかどうか、バッカニアたちは思案を巡らした。リスクは脇においても、あの船を追うことでアリカに向かう本来のコースからはずれるわけで、そのために時間と、もっと大事な水を余計に費やすことになる。にもかかわらず、海賊船ではこういう場合、結論は話し合う前からすでに決まっている。お宝が手に入るという誘惑に、とうてい勝てないのだった。

というわけで、バッカニアたちは外洋での心躍る冒険に颯爽《さっそう》と飛びだした、と書きたいところだが、今回の追跡劇はナメクジ競争に近い。トリニティ号は商船よりも半ノット（時速〇・五七マイル）速いが、六リーグ離れていることを思えば、どんなに速く進もうとトリニティ号が追いつくまでに一日半はかかる。ゆえにバッカニアたちは前のように急いで戦闘準備に取りかかることはしない。当直にあたる人間は普段よりも多少運動量が多いように見えるが、それは単に寒いからで、リングローズはその日の気温を十一月のイングランドになぞらえている。

ふたたびペラルタ船長と同じ船に乗り合わせることになって、リングローズは喜んだ。この船長はいつでも物語に事欠かない。アンダルシア出身の彼は、ちょうど今いる地点がトゥンベスに近いと知ると、それにかこつけてイングランドの友にある話を語ってきかせた。ペルーに初めて植民したスペイン人たちの話で、スペインの帝国主義を正当化する物語だった。トゥンベスを発見したスペイン人は司祭であり、初めてその地に上陸する際、一万人の先住民が見守るなか、十字架を持って下船したという。岸におりるやいなや、森から二頭のトラが飛びだしてきた。そのうちの一頭の背中に、司祭はそっと十字架を置く。するとトラは畏敬《いけい》の念に打たれたかのように、二頭そろって司祭の前にひれ伏した。つまり、「この獣《けもの》たちにより、インディアンはキリスト教の素晴らしさを理解したのであり、まもなく誰もがその教えを信仰するようになったのである」とペラルタ船長は話を締めくくった。しかし、この話はリングローズに感銘を与えることはできなかった。ペラルタ船長を尊敬してはいるものの、リングローズの考えは違った。「哀れな先住民に対して彼らの取った残酷極まりない行いの数々が、いずれ全能の神の耳に入って、キリスト教徒の王子たちの心臓を切りひらき、他人を食い物にする彼らを駆逐してくれるよう願っている」

その日の終わりには、バッカニアの船は商船との距離を六リーグから四リーグにまで縮めていた。しかし、それから濃霧がおりてきて商船の影を隠してしまうと、相手は夜のうちに逃げてしまうのではないかという心配が出てきた。ところが夜になって、ふたたび商船の影が浮かびあがった。甲板から光が煌々《こうこう》とあふれているのである。何かの策略というより、単なる消し忘れではないかと、リングローズはにらんだ。そのおかげでバッカニアたちはまっすぐ商船に近づいていくことができ、翌朝には相手から三リーグ圏内の位置に入っていた。どうやら船員たちは追われていることを知らないようだ。もし何かしら感づいているなら、夜間には甲板上のあらゆる明かりを消し、近くの海岸へ上陸して、身を守るために内陸へ逃げているはずだった。

二日目の追跡が終わる頃には、バッカニアたちは二リーグ圏内まで近づき、三日目の夜明けには、あとわずか一リーグというところまで接近した。商船はトリニティ号を認めるなり、即座にジグザグ航行を開始した。これは、襲撃される可能性ありと認めた場合に、商船の長が取る標準的な回避行動だった。暗くなるまでつかまらなければ、逃げ切れる可能性はもっと高くなる。

シャープは商船を追ってジグザグ航行を続けた。いずれ商船がこちらに向き直って攻撃を仕掛けてくるか、バッカニアを脅して追い払うために攻撃する振りをしてくるだろう。あるいはスペインの軍艦に引っ張っていこうとするかもしれない。そこまで考えて、さあどう出るかとシャープは商船をじっとにらんだ。もし風に接近して航行することを選んだら、それは商船が貨物をぎっしり積んでいる証拠となる。その一方で、実際に重たい貨物を積んでいたとしても、あたかも船倉は空《から》であるというように風から離れて航行を続けることでバッカニアたちを欺くことも考えられる。しかしいくら見ていても、商船はバッカニアたちにまったく手がかりを与えなかった。それでもシャープと仲間たちは甲板を片づけて戦闘準備に入った。午後四時、トリニティ号は商船から百ヤードの距離まで近づいた。こちらを追ってきたのは海賊だったと、向こうの船員が十分気づける近さだ。商船はすぐ、船上のあらゆる帆をおろした。

トリニティ号の右舷と左舷にいるふたりの見張りのうち、どちらが先に商船の甲板に降り立つか、リングローズは仲間たちと賭けをした。勝ったのは左舷の見張りに賭けた者だった。それから二十名が商船の甲板に勢いよく飛び移り、船倉におりて好きなだけ略奪を働く。さまざまな物品に交じって、大量のカカオ豆と生糸が見つかった。なかなかの収穫ではあるものの、アリカで得られるであろう収穫とは、まったく比較にならない。

シャープと仲間たちは商船の乗員を取り調べ、航海中に最も役立つと考えられるスペイン人ふたりと奴隷十二名を捕虜にした。それ以外は商船に残すが、船の航行スピードを落とすために、後檣《こうしょう》の縦帆《じゅうはん》と大檣《たいしょう》を取り除いておく。港に到着するのが遅れれば、バッカニアの居所についての報告も遅れることになる。ただ、この者たちはその分、海で長いこと過ごすことになるので、窮乏しないようトリニティ号が積んでいる小麦粉と大量の水を分けてやった。人間愛として立派な行為ではあるが、この行為がのちの惨劇につながることを、まだバッカニアたちは知らない。

　海岸線沿いに南下するのではなく、五百マイルをジグザグ航行して外海へ出ていくことで、シャープはバッカニアの最大の敵三つを回避できる。南東の貿易風とペルー海流とスペインの軍艦だ。しかしそれには代償もあった。これまで彼は陸を手がかりに航行してきたが、広大な南海のまっただなかに出ると、陸はなきに等しい。陸がないということは、補給ができないということで、食料も水も危険なほどに残存量が減る。どんな理由であれ、ここで方向を見失い、航行に遅れが出たりすれば、喉の渇きを癒やすのに海水を飲むしかない。しかしそれをやってしまったら、何も飲用しないより遙かにむごい死に至る。飲食物が乏しいというのに、南海を知り尽くしているスペイン人捕虜ふたりは声をそろえて、ジグザグ航行を勧める。一歩間違えば、彼らだってバッカニア同様に喉の渇きに苦しむことになるはずだった。それなのに、やはりジグザグ航行だといい、そうすれば復路では「力に満ちた強風に恵まれる」とシャープに請け合うのだった。

　九月十二日、ジグザグ航行に入って一週間が経過すると、バッカニアたちは自分たちのいる位置を見失った。リングローズはアストロラーベをつかって、南緯十一度線上——赤道面より南に六百六十海里または七百五十九法定マイル——にいることを突きとめた。経度を計測する手段はないので、南緯十一度線上のどこにいるのかはわからない。十一度線は、二万一千六百二十四海里という地球で最長の緯度線であり、太平洋ばかりか、大西洋、インド洋、アフリカ、オーストラリア、南米まで横断している。手がかりにする陸塊《りくかい》がなければ、南緯十一度線上にぽんと置かれても、十七世紀の船乗りには、自分たちが世界のどこにいるのか、確かめる術《すべ》はないのだった。

ただし、そのときがたまたま食の時期に当たっていたなら話は別だ。リングローズは航海暦を読んでいて、その日――一六八〇年九月十二日――は月が太陽の中心を覆って、太陽の外縁が火の環《わ》のように見えるとわかっていた。航海暦はまた、この「金環食」が、カナリア諸島のイル・ドゥ・フェール（現在のエル・イエロ島）から見える正確な時刻も教えてくれた。その日の午後一時、南海の空にのぼる月の後ろに太陽が隠れるとき、リングローズはカナリア諸島の時間と現地時間の差を十五倍して――地球は一時間に経緯十五度回転するため――自分たちの船がいる位置を、経度二百八十五度三十五分、すなわちカナリア諸島のイル・ドゥ・フェールの東、または九十二度十九分、すなわちグリニッジ子午線《しごせん》の西と導きだした。トリニティ号は正しい針路を進んでいる。

そうなるとバッカニアたちの心配の目は、枯渇していく食料と飲料水に集中した。どちらも、船が進むスピードに比して恐ろしい速度で減ってきている。そもそも船は、あり得ないほどの弱風続きで、ほぼ麻痺状態に陥っていた。一週間後の九月十九日から、水の配給制が採用され、ひとりが一日に摂取できる水を四パイントと定めた。あまり運動をしない成人男性が脱水症状にならないために必要な一日の水分量は五パイントとされている。もちろんバッカニアの場合は、山ほどの帆布を巻いたりほどいたり、揚水機を稼働させたりするわけで、運動量は多い。おまけに九月の天候は最高気温がセ氏十五度ほどと比較的涼しいにしても、塩分を含んだ空気には脱水作用があるから、バッカニアたちの状況はますます厳しい。

　翌日の九月十三日、もう南西に向かって十分進んだものと判断して、シャープは船を大陸のある方向へ航行させることに決めた。その夜、空にマゼラン雲が現れた。天の川の周囲の軌道をまわるふたつの渦状銀河である。南半球ではそれが肉眼で見えるのだ。これを見た船員たちが、自分たちは果てしない闇のなかを漂っているのではなく、神の手に導かれているのだと、しばしばそう信じるほど荘厳な眺めだった。

　しかしシャープにしてみれば、そんなものより風に吹いてほしかっただろう。それから二週間、頼りになるような風はほとんど吹いてこず、一日の水の配給量はさらに減って三パイント半となり、食料は「煮たパンを平たく丸めたもののひとつ」になった。脱水症状がいよいよ一団を苛《さいな》みはじめる。まだ初期の段階では、主な症状はドライマウスで、口のなかと周囲の皮膚が収縮する。これは唾液腺が機能しなくなるせいで、食物の残滓《ざんし》を洗い流すことができない。食物の残滓はやがて歯と歯茎を腐食させ、嚥下《えんげ》障害や口臭を引き起こす。対抗策として乗員は「チューイングスティック」という小枝を噛《か》むものの、効果はほとんど期待できなかった。

　脱水症状によって娯楽も制限された。舌が口蓋にくっついてしまうので、舟歌を歌ったり、物語を語ったりするのも難しくなる。さらに、バッカニアたちの何よりのお楽しみであるアルコールの力も借りられない。ブランデーがあれば、あらゆる苦しみから逃避できるように思えるが、こういうときに飲酒をすれば脱水症状が悪化することは、どれだけ酒に強い人間でも知っている。それから二週間、水を巡る状況はどんどん厳しくなっていったが、周囲に無限に存在する海水が、いつでも喉の渇きを思い起こさせる。サミュエル・テイラー・コールリッジの「年老いた船乗りの唄」に書かれているように、「水、水、どこを見ても水ばかり／それでいて飲み水は一滴も口に入らない」と同じ状況なのである。

普段は饒舌《じょうぜつ》なコックスの、この期間の日誌を見てみると、海賊船は男たちがどんちゃん騒ぎをする、海に浮かぶ宴会場というイメージを覆《くつがえ》される。船の位置と、弱風と、船の遅々たる進み具合、それだけが彼の十日間の日誌のすべてである。

二十八。火曜。二十一リーグ。東緯二十二度三十分。風は南で雨を伴う。東へ百三十四リーグ。

リングローズをはじめ、数学の基礎を知っている者にとって、この時期のコックスの素っ気ない日誌は、彼の距離計測が正確だったとして、悲劇の叙事詩に等しい。航行距離を測るためにコックスは、十七世紀のたいていの船乗りと同じように、糸巻きに巻いた頑丈な紐をつかった。四十四フィートごとに結び目をつくって、動く船のなかから紐の先を海に落とす。四十四フィートは百二十分の一マイルだから、三十秒のうちにするするほどけた紐の結び目の数からトリニティ号のスピードが計算できる。九月二十日から三十日までに、わずか百八十リーグ、つまり一日あたり五十五マイルしか進んでいないとコックスは記している。リングローズはそう頻繁に計測はしていないが、どれもコックスの数値を多少上まわっている。それらを考え合わせるとトリニティ号が進んだ距離は最大に見積もっても、平均して時速わずか二ノット、あるいは二・三マイルとなる。人並みに歩ける人間なら、時速三マイルは出せるから、トリニティ号を追いこしてしまうだろう。十月一日、また水の配給量が減らされて、一日あたり二・五パイントとなった。それから四日のあいだ風も希望も到来しなかった。

　十月六日、とうとう強風が吹いてきた。このところのバッカニアの幸運続きがもたらしたのだとしても、いささかそれは強すぎた。前方から強風を受けたときに、大檣が倒れないよう大檣の支索を甲板に留めつけていた重たい金属製のリングボルトが壊れてしまった。大檣が自分たちのほうへ倒れてこないようにするためには、リングボルトを修理するまで、船を風下へ進めないといけない。この場合風下に向かうとは西へ向かうことであり、本来進むべき東方向とは逆に進むことになる。修理は「砂時計三、四回分」とリングローズが記しているように、一時間半から二時間かかり、完了すると同時に風はやんだ。

　翌日トリニティ号はわずか七リーグしか進めなかった。その遅々たるペースには、乗員の脱水症状も関係しているに違いない。その頃にはもう多くの人間にさまざまな症状が出ていた。筋肉の痙《けい》攣《れん》、頭痛、めまい、不眠症、神経過敏、尿は濃い黄色になって強いアンモニア臭を発するようになった。

　それでも十月七日と九日のあいだに、なんとかして五十リーグの距離を稼ぎ、十日には、「海の上に海草の茂みが顔を出しているのが見えて、そう遠くないところに岸があるのだと、みんなの胸に希望がわきあがった」とリングローズが書いている。翌日には、また新たな吉兆がもたらされた。かすんだ空である。「このあたりでは岸に近づくと必ずといっていいほど空がかすむと、われわれの舵手がいった」らしいが、しかしその翌日に空が晴れあがると、かすみは単なるかすみでしかなかった。十月十三日にはクジラが見えた。リングローズによるとそれは、「陸がそう遠くないところにあるという絶対確実な証拠であり、あと数日で陸が見えるだろうと期待した」。そして十四日、「陸棲の鳥が数羽飛んでいるのが目に入った。小さい鳥ではあるが、彼らが現れるのは陸から一、二日航海した地点の海だと舵手はいった」。しかし、どこの陸であるかは誰にもわからない。大陸だろうか？　今となっては、そこに真水があるならどこの陸でも構わない。

それから永遠に終わらないと思える日が三日続いたところで、リングローズと仲間たちは檣頭《しょうとう》から「陸だ！」と、しわがれ声が叫ぶのをきいた。かすみで懲りていたものだから、お祝いはひとまず保留とする。しわがれ声の見張りが八リーグ先に見たものは、本当に陸なのかどうか、まだわからない。リングローズにはすり鉢山のように見えたらしい。しかし日が落ちて、その陸と見えるものにトリニティ号が五リーグ圏内まで近づいてみると、高く険しい崖が見えてきた。あれだけ峻険だと上陸することはできない。

それから丸々五日間、海岸線沿いを航行してまわり、ようやく上陸地点にふさわしい場所を見つけた。海に突き出した不毛の岬が、十月二十二日の日の出とともに輝きだしたのである。〝浮かれ野郎ども〟の舵手、モレノによれば、今目の前に見えているのは、アリカから北へ七十五マイルのところにあるイロ岬で、リマに近いから安心はできないという。水を求めてこっそり上陸しても、スペインの沿岸警備隊に見つかれば、アリカの略奪計画はもちろん、自分たちの命も危険にさらすことになる。しかし今ここで真水を取りに行かなかったら、だまっていても命は露《つゆ》と消える。「水への強烈な渇望」がみんなをとことん苛んだとリングローズは書いている。彼自身、「強烈な渇きに一晩中眠れぬ日々を過ごしていた」のだった。

南東の貿易風とペルー海流と戦いながら海岸沿いを南下する。それはこの状況において決して理想的なタイミングとはいえないが、それでもほかに選択肢がないことをバッカニアたちはわかっていた。風は吹いても一日に六時間がせいぜいで、リングローズは十月二十三日に、「水への渇望はもう限界を超えていた」と書いている。配給はさらに減らされ、「一メジャー」――おそらく八から六オンス――となり、この時期に入ると、誰の日誌の記述も非常に素っ気なくなるか、まったく書かれない。シャープの十月の日誌は、「何事も起きず、ただ航海するのみ」としか書かれておらず、ディックは、「飢えと渇きが極限まで達する日がひたすら続いた」としか書いていない。

十月二十四日の朝は、もうもうと立ちこめる霧に邪魔されて岸がよく見えず、ペラルタさえも、トリニティ号が安全な上陸地点に到着したのかどうか決めかねた。しかし午後になると霧が晴れ、背の高い崖が無数にそそり立っているのが見えた。崖の表面はチョークのように真っ白な鳥の糞に覆われていて独特の景観を見せている。それでスペイン人捕虜たちは居場所を見極めることができた。

そこはモロ・デ・サマとして知られる場所で、近くに水源があるから上陸するにはもってこいだという。その水源は、フアン・ディアス川といって、アリカから四十マイル離れた、現在のペルーとチリの国境直下に位置する。そこなら地元の漁師からアリカの防備に関する情報も得られるだろうという。

スペイン人の見張りに見つからぬよう、バッカニアたちは日が落ちるまで、ひとまず岸から離れて海に出ることにした。そして夜八時、彼らは六十五日ぶりにトリニティ号を離れることになる。しかし八十名が四艘のカヌーに分乗し、一か月前に捕獲した部隊輸送用の大型ボートを曳航する。しかし漁師も川も見つからぬまま一行は朝になってもどり、これまで以上に喉の渇きに苦しんだ。脱水症状が末期に入ると、譫妄《せんもう》状態に近い重度の精神混乱に陥る。おそらく、それがバッカニアたちの次の行動に影響したのだろう。その日遅く、彼らは水と情報を集めることはせず、一息にアリカへ行って略奪することに決めたのである。

21 代償金

十月二十五日の夜に、リングローズと百十一名のバッカニアは、トリニティ号からカヌーに乗り換えてアリカへ略奪に向かった。耐えがたい喉の渇きに苛《さいな》まれ、心身ともに最悪の状態だったが、逆にそれが彼らを無謀な行いに駆り立てたともいえる。十八マイルの海を渡って、町から三マイル離れた人目につかない上陸地点をめざす。一晩中カヌーを漕ぎ続け、日の出の少し前に到着したところ、「大変悲しく、腹立たしいことに、海岸沿いはもちろん、国内全土にわたって、われわれが襲来するというニュースが広がっていたのである」とリングローズが書いている。

湾を取り囲む海岸にも、周囲を取り巻く崖のてっぺんにも、男たちとその馬が侵略者を撃退しようと待ち構えていた。しかしシャープは動じない。その外見から連中は地元民であると察せられ、戦いにおいては素人だ。本物の兵士はここにはいない。そもそもここを襲撃する計画が立ちあがったのは、アリカは防備が薄く、スペインの部隊はここから七百マイル離れたリマに集結しているという情報ゆえだった。よって、とにかく上陸さえしてしまえば、何の問題もない。民兵をあっさり蹴散らして、何の障害もなくアリカまで進軍して、できたてほやほやのピース・オブ・エイトを好きなだけいただく。たとえ番狂わせがあったとしても、少なくとも飲料水は手に入ると、シャープはそう考えたのである。

上陸すること自体が、まず難しかった。海は荒れに荒れて、岩に激しく叩きつけている。もしこれに巻きこまれたら、バッカニアの乗ったカヌーは「千のかけら」になるとリングローズは書いており、火薬は間違いなく水浸しになってつかえなくなるだろう。楽に着岸できそうな岸を見つけようと目を走らせると、水平線から太陽が顔を出し、海岸から一マイル離れたところに小さな島と新たな脅威が見つかった。六隻の船が停泊している。四隻は帆も帆桁《ほげた》もないが、残り二隻は帆走の準備ができているようだ。その二隻とも、パイロットのニコラス・モレノが知っていた。片方は大砲を六門、もう一方は四門搭載しているらしい。

ちょうどいい頃合いだというように、大砲が火を噴いた。雷鳴のような音が響き渡ったのは一マイル先だが、リングローズも仲間たちも骨が震えるのがわかった。砲弾はカヌーに届かず着水した。こちらを威嚇して追い払おうというのだろう。バッカニアにとってはお笑い草だった。パナマ湾の戦闘では現在の半分の人数で、あれらよりずっと強大な船を捕獲した。しかしアリカでは、複数の戦線で同時に戦うことになりそうだった。岸にいる騎手が発砲し、その直後に、そちらにも戦闘拠点が編成されたのである。新たな戦線から飛んできた砲弾も、バッカニアたちのカヌーには届かなかったものの、白波に隠れながら、彼らも再考せざるを得なかった。ここで攻撃に出てもいいことはない、「もっとよい時期が来るまで、お宝の獲得はお預けにする」とシャープは決めた。

バッカニアたちは方向転換してトリニティ号に引き返した。再集結はイロの海岸から七十マイル奥地にある村と決まった。背中に貿易風を受けているから、錨《いかり》を揚げて今すぐ航行すれば、遅くとも丸一日で着けるだろうと期待した。しかしその夜、風はぴたりとやんだ。「このとき、水は一パイントあたり三十ピース・オブ・エイトであり、金を残してあった人間には買うことができた。自分も買ったが、それだけの金を払った価値は十分あった」とコックスが書いている。

二日後の十月二十八日、一行はようやくイロに到着した。その夜遅く、カヌーを四艘連ねて岸へ向かったシャープと五十人の仲間たちは、金銀より水のことで頭がいっぱいだったろう。イロには、アンデス山脈の雪に覆われた峰から豊かな水が渾々《こんこん》と流れ出している。スペイン人には水を守らなくてはならない理由はなかったから、この穏やかな海を二マイル進んでいけば、何の問題もなく手に入るはずなのだ。空は雲ひとつなく、空気はひんやりしている。まもなく新しい日の曙光《しょこう》が静かな岸を浮かびあがらせ、そこにバッカニアたちは難なく上陸することができた。内陸に向かって歩きはじめてすぐ、暗がりから騎手が飛びだして村へ走っていくのが見えた。見張りだとすぐわかった。

「落胆する必要はない」といって、シャープは仲間たちに前進を命じた。村のある丘のてっぺんまでのぼっていくと、こちらを威嚇するように聳《そび》える胸壁が目に飛びこんできた。最近築かれたばかりらしく、七十五フィートほど続く土と砂の土手の向こうに騎馬兵と歩兵、合わせて六十人が戦闘隊形を取って待っている。こんな山奥で、これほど組織化された抵抗に遭うとは驚きだった。南海に行けば、木からナシの実をもぎとるようにピース・オブ・エイトを楽に集めることができると、そう信じていたバッカニアもいた。今思えば、まったくおめでたいとしかいいようがない。

カヌーを守るために八人を残すと、シャープとともに出撃するのはわずか四十二名になった。それでも彼は反対を押し切って前進し、敵と交戦した。結果は？「敵はほとんど抵抗することなく、われわれのために水を汲んだり、木を切ったりと、特別待遇で働いてくれた」とシャープは報告している。

スペイン人たちが雑用を肩代わりしてくれているあいだ、シャープと仲間たちは、イロにふんだんにあるワインやバラエティ豊かな食料を好きなだけいただいた。しかし楽天的な船長が略奪を楽しんでいるときも、リングローズをはじめとする数名はずっと緊張を解かなかった。これまでスペイン人は、こちらのあらゆる動きを察知していた。ならば今すぐスペインの部隊がイロに雪崩《なだ》れこんでくることはないにしても、少なくともリマからこちらへ向かう途上にあると考えてしかるべきだった。黙従するイロの人々を問いつめてみたところ、その予感は間違っていなかったとわかる。瀕死の守備兵――ゆえに証言に信憑性がある――が、リングローズの一団に白状したところによると、九日前には、村に海賊がやってくるという警告が届き、さらに昨日、アリカからやってきたひとりの使者が、そこでの衝突事件について報告したらしい。

そこでバッカニアたちは、リマからやってくる部隊からイロを守ることを最終的なゴールと決め、上陸地点に大急ぎでもどって旗を二本立てた。最初の旗は、トリニティ号に襲撃は成功したと知らせるもの。もう一本は、船内にいるあらゆる人間に、カヌーに乗って岸まで来るよう勧告するものだった。わずか六オンスという水の配給になってから六日目に入った彼らは、間違いなく記録的なスピードでやってくるはずだった。全員がそろうと、「骨休みとご馳走」の日々が三、四日続いた。それに関するシャープの日誌の記述は、「宴会」の一語である。

しかしこのとき、リングローズをはじめ、その友ダンピア、ウェイファーといった、もっと慎重な人間は、スペインの猛攻撃を覚悟して、つねに肩越しに後ろをうかがっていた。リングローズは六十名から成る偵察隊のひとりとして、村に隣接する谷に向かった。アタカマ砂漠を取り巻く消炭《けしずみ》色《いろ》をした不毛の黒い山々とは対照的に、谷にはオレンジ、レモン、ライム、イチジク、オリーブの木が青々と茂っていた（十六世紀にスペイン人は、オリーブを育てるのに、このイロが理想的な環境と考えた）。

何もかもが「非常に快適」だとリングローズは思ったが、やがてスペイン人たちが丘のてっぺんに現れ、バッカニアたちに向かって巨岩を転がしはじめた。略奪を思いとどまらせるつもりでそうしたのだろうが、逆効果だった。きっとこれは何かあるぞと、バッカニアは谷のさらに奥まで踏みこんで、大規模な製糖工場を発見する。砂糖のほとんどは避難場所へ移して隠されていたが、この工場には手を出さないといえば、スペイン人は喜んで代償金を支払うだろうとリングローズは考えた。牛で支払ってもらってもいい。アリカへふたたび向かう景気づけに、バッカニアたちには肉が必要だった。コックスと通訳をひとり連れて、リングローズが休戦の白旗を持ってスペイン人のもとへ行くと、相手は丁重に迎え、製糖工場に危害をくわえないという条件で、代償金として「八十頭の牛」を支払うと応じた。牛は翌日の昼までに港に届けるという。

翌日、自分たちの白旗を持って、スペイン人の役人がイロでシャープに近づいてきた。十六頭の牛はすでに港に送ってあり、残りは翌朝までに届けるという。シャープは有頂天になり、トリニティ号にもどる準備をするために仲間たちを港へ退却させた。しかしそれは時期尚早だとリングローズは考えた。製糖工場の支配権を放棄してしまっては、バッカニアは影響力を失う。その懸念をシャープに持ちかけたものの、あっさり却下された。ところがバッカニアたちが港にもどってみると、案の定「牛など一頭も届いていないのだった」とリングローズが報告している。

海に出る代わりに、シャープはイロにもどって、スペイン人たちに苦情を申し立てた。今度はうまくいきそうだった。夜までには約束の牛を運ぶという。しかし夜になっても牛は届かない。スペイン人たちのいいわけを、リングローズは苦々しげに綴《つづ》っている。「風があまりに強くて、牛を追えないというのだった」今度は、翌日の昼までには、というのだが、その時間になっても牛は届かなかった。

さすがに堪忍袋の緒が切れた。シャープは本来の自分を取りもどし、六十人の仲間に谷へ進軍せよと命じた。「われわれは家も、サトウキビ畑も、水車小屋も焼き払ってやった」とリングローズが溜飲《りゆういん》を下げている。「同様に家のなかにある鍋釜や歯車も、油が入った山ほどの瓶も、すべて破壊したのである」牛を追うよりよっぽど愉快だったようだ。

しかしその過程でバッカニアたちは、三百名以上のスペイン人が馬に乗って猛スピードで港へ走っていくのを目にした。港では七十名のバッカニアが、午後をのんびり過ごしていて、リングローズが書いているように、まさかこれから「八つ裂きにされる」とは思ってもみない。リングローズと仲間たちは、ほぼ壊滅状態にした製糖工場をあとにして海岸へひた走り、仲間たちを集めて「防衛の真似事」をするのにぎりぎり間に合った。

「敵は全力疾走でこちらへ向かってきた」とコックスは書いており、海へ追い払われるものと覚悟した。敵が射程内に入った瞬間、コックスと仲間たちは海岸から「小さな銃撃戦」を開始し、ありったけの散弾を放って先頭を行く騎士らの大半を馬から落とした。コックスが書いているように、「彼らの経歴と勇気をそこでストップさせたのだった」。スペイン人たちはすぐに攻撃を思いとどまって、くるりと方向転換をして丘に逃げた。「これで、もう牛肉は手に入らないと、はっきりわかった」とコックスは書いている。スペイン人がまた牛を届けると空約束をすることはあり得ない。

その一方で、「敵の戦力は刻々と増えていき、かなりの人数になった」とリングローズが記している。次から次へ馬に乗った人間が現れるのだ。今に命令が下されて、スペイン人たちは一斉に攻撃を開始し、バッカニアは海へ駆逐されるに違いない。シャープは先手を打ち、仲間たちにカヌーに乗るよう命じた。

みんなは無事トリニティ号にもどり、リングローズは略奪品に大喜びする。そのなかには「あらゆる種類の香草、根菜、最高級のフルーツが山ほどあった」。しかし全員がフルーツに興味を示したわけではなかった。それが壊血病を防ぐのに最も効果があると知っていたら、こぶしを振るってでも、われ先に手中に収めただろう。

22　八十五人の屈強な仲間たち

理想的な状況下において、トリニティ号は半日で八十五マイル進むことができる。しかし、イロとアリカを結ぶ八十五マイルの海岸には、南東の貿易風、ペルー海流、スペインの軍艦といった難物が待ち構えているために、バッカニアたちは回り道を取らざるを得ない。五百マイルのジグザグ航行で沖へ出ていって、大まわりして目的地にたどりつくのだ。残念ながら沖へ出る途上も理想的な状況ではなかった。とりわけ風には恵まれず、実質、無風といってよい。イロを十一月三日に出てから七日にわたり、一日あたり平均して、たった十九マイルしか進めない。時速〇・八マイルというカメの速度をわずかに上まわるスピードだった。この頃から男たちは、力が出ない、何もする気になれないといった心身の不調とともに、腕や腿《もも》の毛穴からの出血をウェイファーに訴えるようになる。

診断はあっさりおりた。壊血病はずっと早くから医学界で認知されている。皮膚が鱗《うろこ》状《じょう》になったり、病斑《びょうはん》が浮き出たりする病気で、船乗りたちが一度に数か月の長旅に出るようになった十五世紀から発症した。嵐や船の難破や戦闘以上に、この病気で命を落とす人間が多かった。東インド会社の医師ジョン・ウッダルが一六一七年に発表した『外科医の友』によると、十七世紀の船舶には、錨《いかり》と同じぐらい壊血病が付き物で、オレンジ、ライム、レモン果汁を食すると、「病気の予防と症状の緩和に役立つ」そうだ。しかし実際に海に出てみると、ウェイファーのような外科医には、ウッダルの治療法は実用に供するとは思えなかった。何しろ前述の柑橘類《かんきつるい》のほかに、「ワイン、スパイス、砂糖、卵の黄身」といった材料も必要なのである。リングローズをはじめフルーツを積極的に食した人間が壊血病にかからないという事実があったのに、その治療に柑橘類が有効であることを英国海軍が突きとめたのは一七九六年に入ってからだった。それからは船旅をする者はライム果汁に一・五オンスの砂糖で甘みをつけたものを毎日摂取するようになった。しかしなぜ柑橘類がこの病気に効くのか、その理由が見いだされるまでには、それからさらに百四十一年経過して、ハンガリーの生化学者アルベルト・セント＝ジェルジが壊血病の発症とビタミンCの欠乏に相関関係があるというノーベル賞受賞につながる発見をするまで待たないといけない。というわけで、十七世紀においては、船乗りが陸にあがると壊血病の症状が消えることから、この病気を治療するには、塩水にまみれたじめじめした環境から抜け出るしかないというのが一般的な考え方だった。

壊血病がトリニティ号を蝕《むしば》みはじめたとき、バッカニアたちは大陸への折り返し地点までの航行距離百五十リーグのうち約三十リーグ――五百マイルのうちの百マイル――しか消化していなかった。急ぐあまり、そこまで行かないうちに折り返してしまえば、彼らを狩ろうと待ち構えているスペイン軍艦とかち合う危険があるから、コースの変更はできない。よって、壊血病に冒された乗員たちは甲板下の睡眠室で回復を待つしかなかった。そこはゴキブリが這いまわる不潔極まりない場所であるうえに、木造船の宿命といえる水もれもある。どんな手段をつかっても、頭上の甲板を構成する厚板を完全防水することは不可能だった。天気のいい日でも、甲板の排水口から流れてくる海水が下甲板に入りこむし、悪天候では砲列甲板の砲門から流れこんできた海水が、槇肌《まきはだ》（古いロープをほぐ粗い繊維した目の）や継ぎ目を通過してしまうから、完全に乾くことはない。同様に、何日ものあいだ衣類は濡れたままで、寒くなっても暖を取る手段はなく、下甲板の悪臭を放つ闇のなかにぶら下がる濡れたハンモックに、溺死した——あるいはまだ生きている——ネズミといっしょに寝ているしかないのである。

この時期コックスの日誌は、ほかの日誌執筆者と同様に船内の惨状を物語っている。壊血病と闘いながら、みなの意識はただひたすら船が一日に進む距離に向けられている。病気の症状は今や第二段階に入った。歯茎が紫に変色し、スポンジのようにぐずぐずになって歯がぐらついている。ここからさらに二週間が経過すると、皮膚に巨大な青紫の痣《あざ》ができる斑状出血を発症し、古傷がひらいたり、潰瘍《かいよう》ができたりする。同時に、組織や細胞のすきまを埋めるゼリー状の細胞間質が劣化し、煉瓦《れんが》造りの建物からふいにモルタルが消えたような身体になる。血管が破れ、骨が簡単に折れ、傷は治らない。治療もまた、症状と同じぐらいひどいもので、「アリゲーターの睾丸《こうがん》（足の付け根の内部にひとつずつ、全部で四つある）を粉末にし、水に溶かして飲むのが一番効くと先住民はいっている」とダンピアが記している。

バッカニアたちにとって幸いなことに、十一月十一日に大風が吹いてきて、それから二日間でトリニティ号は五十リーグ以上進んだ。コックスは、十一日だけで三十二リーグ進んだとしており、これはイロを出発してからの総距離を超える記録だった。十一月十三日、トリニティ号の速度は倍増して六・四ノットとなった。これは馬が速歩で駆けるスピードに近く、みんなは大興奮だった。その日は遠征新記録となる五十リーグを航行し、それから二日間でさらに四十リーグを稼いだ。

しかし十一月十六日に降ってきた豪雨が風を消してしまったようで、トリニティ号の速度は馬の彫像並みに減じてしまった。「極めて弱風」と、その日の日誌にリングローズが記している。その週のみんなの健康状態についても、彼だけが記録している。「われわれの捕虜であるペラルタ船長が逆上した。あまりに多くの苦難と憂鬱《ゆううつ》を経験したせいだろうと、われわれは考えた」憂鬱は船内にまんべんなく広がっていたようだ。一六八〇年の大彗星は、十一月十九日の夜明け直前に出現したが、頭上の空に長い尾を引くそれを見ても、バッカニアたちはさほど騒ぎはしなかった。日誌を綴《つづ》っていた人間のなかでリングローズだけがそれについて記している。「全体は薄ぼんやりしていて、その尾だけでも十八度または二十度まで伸びていて、色は青白く北北西を向いている」それだけで終わっているのは、天文学に情熱を傾ける人間としては異例といっていい。

　また、この遠征を始めて以来、バッカニアたちが目撃した珍奇な光景についても、リングローズだけが記している。トリニティ号が大陸に向かって航行を始めて一週間近くが経過した十一月三十日の夜、全長一マイルほどの砂州のようなものがあるのに気づいた。ここは海のただなかであり、海底まで平均二マイルはあるのだから、砂州などあるはずもない。近づいていくと、その砂州が動いた。さざ波を立てながら、くねくねと動くようすはヘビのようで、鱗のようなものが月明かりにきらりと光った。確かに生きている。巨大なウミヘビの伝説が実話だっただけでなく、話にきく以上に大きかったと気づいて、全員が息を呑んだのは間違いない。さらに近くへ寄ってみて初めて、それがウミヘビではなく、異常に大きいものの、単なるイワシの群れであることにリングローズは気づいた。

　十二月二日、イロを発ってから丸三十日が経過したこの日、バッカニアたちは陸を視認した。その夜遅くに錨をおろすと、シャープはリングローズを含む八十五名の「屈強な仲間たち」を選んだ。そのメンバーで上陸し、ラ・セレナの町を攻撃しようというのだ。もともとは、そこから海岸沿いに千マイル北上した、もっとアリカに近い場所で上陸するつもりだった。しかし海のただなかで一か月も壊血病に苦しんだあとでは、ナビゲーションのエラーとはいえ、これはうれしい誤算だったといえる。何しろラ・セレナは果樹園、ぶどう園、農場がふんだんにある。もしこの町の絵地図を描いたなら、レモン、オレンジ、あり得ないほど大きなストロベリーがあふれかえる豊饒《ほうじょう》の角に等しいものになるだろう。この時期、南半球は晩春で、果樹類は盛りを迎えている。くわえて、スペイン人の捕虜たちから得た信頼できる情報によると、ここまで南に来ると、海賊襲来のニュースはまず届いていないというのだからありがたい。

大型ボートに満載となった五十三名のバッカニアのなかにリングローズもいる。あまりに大勢が乗っているので、ボートはなかなか進んでいかず、シャープたちを乗せたカヌーが横を飛ぶように過ぎていって、またたくまに前方に消える。しかしそのカヌーの一団が陸に近づいてみれば、そこには馬に乗った百五十人のスペイン人がいて海賊を見張っていた。シャープたちはボートを待ってスピードを落とさなかったのをたちまち悔いることになった。

「数が多いのを頼みに、（スペイン人たちは）われわれを取り囲んだ。こんな少人数相手なら楽に勝てると思っているらしい」と、カヌーに乗っていたコックスが書いている。しかし、この騎馬隊の多くは槍だけの武装だったから、一斉射撃を切れ目なく続ければ、ボートが到着するまで敵を寄せつけないでいられるとシャープはにらんだ。仲間たちを六つのグループ――一グループ五、六人――に分けて、それぞれのグループにシャープは一斉射撃を命じた。「無駄に飛んでいく弾はほぼ皆無だった」と最初の一斉射撃についてコックスが書いている。そればかりでなく、最初のグループが再度弾をこめる速さは、シャープの期待を上まわっていた――その六名は、四番目のグループが最初の一斉射撃を放ったときには、もう二度目の一斉射撃の準備をととのえていたのである。味方の被害は負傷者一名にとどめておいて、バッカニアはあっというまにスペインの将校三人を殺し、ほか四人を負傷させた。スペイン勢はそのあとも戦い続けたが、死体を回収するや否や、てんでんばらばらに町へ退却した。町の人間に警告されてはたまらないと、シャープと仲間たちは走ってその後を追いかけた。しかし馬に乗った彼らは町に向かわず、道をはずれて沼へ向かった。

ちょうどそのとき、大型ボートが接岸した。岸には、先に着いた仲間たちが銃に弾をこめ直すときに嚙《か》み切って吐きだした、紙の弾薬筒が地面に軌跡を描いている。リングローズと五十二名の仲間たちはそれをたどる。沼地でカヌーの一団に追いつくと、スペイン人の騎手がふたたび勢いよく走りだした。またその後を追いかけながら、バッカニアたちもようやくわかってくる。この騎手たちは退却しているのではなく、自分たちを当てのない追跡に誘い出して、町の住人が貴重品を避難させる時間を稼いでいるのだ。

シャープは仲間たちにすぐ引き返して町へ向かうよう命じた。残念ながら町はなかなか見つからず、翌朝八時になってようやくたどりついたときには、さらに大きな問題とぶつかった。ラ・セレナは想像していたより遥かに大きな町だったのである。少なくとも四分の三平方マイルはある面積のなかに教会が八つか九つあり、商業交易をはじめ、ありとあらゆる商売が盛んで活気を呈している。「まるでイングランドにいるかのように、家も庭も美しく手入れされ、見事な調度品がそろっていた」とリングローズが記している。いいかえればラ・セレナは騎馬隊などいなくても万全の防備で攻勢に出ることができるということで、バッカニアたちが田園地方をさまようのに夜の半分を費やしたために、町の住民に山ほどの準備時間を与えることになったのである。

ポルトベロでバッカニアたちが入手したスペイン商人の手紙は、ラ・セレナに関しては何も懸念を示していなかった。しかし、ここにもやはり問題はあった。植民地をどこまでも広げていった帝国の防備が次第に手薄になり、帝国支配の端々にほころびが出るという、その悪例をこの町が縮図のように体現していたのである。最初に防御施設を築いたときより、ラ・セレナはずっと成長し、摩耗や損傷が激しい部分もあるというのに手入れを怠ってきた。その結果、今では要塞が入場門に変わっていたのである。同様に兵士は駐屯こそしているものの訓練は受けておらず、人数も足りない。最新の武器など用意しているはずもないのだった。よって町の人間が彼らを送りだしたのは、侵略者と交戦するためではなく、侵入を遅らせるためだったのだ。

ラ・セレナの震えがききとれるかのように、シャープは自信たっぷりに仲間たちに町への進撃を命じた。対する守備隊は、騎馬隊がもどってきて数の上で優勢になったばかりか、地元の人間の強みで、迎撃するのにどこに位置するのが一番効果的かを知っていて、町の人目につかない通路や裏通り、早朝の薄暗がりに隠れている。そうであっても、結局バッカニアたちが一方的に勝利を収めた。それればかりか、日誌に書くべき内容にみなが事欠くほど、交戦らしきものがほとんどなかったらしい。「短時間にわれわれは覇者となり、被害はほとんどなかった」というコックスの記述が、その日の戦闘に関する最も詳しい記録となった。

略奪品は五百ポンドの銀のほかに、ブタ、家禽《かきん》、マトン、生野菜、ワイン、穀物、フルーツがどれも大量にあった。「クルミ大のストロベリーが非常に繊細な味わいで旨かった」とリングローズが記している。「要するに、ラ・セレナの町にあるものはすべて上等で味がよく、こんな辺鄙《へんぴ》な地でこれほどのものが手に入るとは、われわれの期待を遙かに超えていたのである」バッカニアたちの多くは、ここで休養と息抜きと「親交を深める活動」——酒を酌み交わすことを、シャープはよくこういった——を楽しんだ（この日々を表現するのに、「何不自由のない暮らし」とか、「粗食は記憶にあるだけ」といった婉曲表現もつかわれた）。

しかしリングローズはくつろぐことができなかった。上陸するなり騎馬隊とかち合ったのは、たまたま運が悪かったのか、それとも同じことがこの先も続くということなのか。彼をはじめ数人の仲間たちは、この疑問がつねに頭から離れなかった。「こんな辺鄙な地」でありながら、バッカニア対策が取られていた。ならば確実に襲撃を受けると予想されるアリカのような場所ではどうなのか？　リングローズは、ラ・セレナで新しく捕虜にした人間を尋問してみた。すると数日前、この町の防備を強化するためにアリカから陸路で送られてきた六十名の兵士が、海賊の襲撃に備えるよう町の住人に警告していたのだとわかった。くわえて前夜に騎馬隊がシャープと仲間たちに襲いかかっているあいだに、町の住人のほとんどは近くの港町コキンボに逃げ、ラ・セレナを救うためにもっと多くのスペイン兵を召集したという。にもかかわらず、バッカニアたちのほとんどはまだ宴会を続けている。そのなかのひとりウィリアム・キャモックは文字通り酒の飲みすぎで命を落とした。

リングローズは、同じ心配を共有する仲間たちと作戦を練ることにし、シャープと、彼とともに「親交を深める活動」に勤しむ仲間は、それを知りながら、リングローズたちに作戦づくりを任せて安心している。リングローズと仲間たちはまず、ラ・セレナのサン・ファン教会を作戦基地にした（スペインの都市では、教会は基地にするのに最適だった。町の中心地にあって大量の捕虜を収容できるうえに、信心深いスペイン人は神の家を攻撃するのは抵抗があるからだ）。

作戦基地にバッカニアたちが落ち着くや否や、スペインの紳士六人が白旗をあげてやってきた。訪問理由を尋ねると、総督が逃げた先の野原にはワインがないので、少し分けてほしいという。彼らの真の目的をさぐるために、リングローズと仲間たちは、ワインといくらかの家禽とともに、彼らの総督へのメッセージを託した。総督や奥方が、家に残しておいたもので欲しいものがあれば――黄金、銀、宝石を除いて――遠慮せずにいってほしいという内容だった。同じ紳士たちが返事を持ってもどってきた。封をあけてみればそれは、イングランド人は「敵でありながら、これほど社交的で情け深い客人」であるからして、ここはひとつ、シャープ船長といっしょに町に隣接する丘の上でワインを呑みたいという総督の誘いだった。武器は持たず、随行するのは部下ひとりにしていただければ、その恩に報いたいということだった。

本来なら、もっと慎重になるべきところを、シャープは誘いに応じた。顔を合わせるなり、総督とシャープは「酒を酌み交わし、ともに陽気に過ごした」。そのあいだにシャープは、町の住民が自分たちを恐れていることがわかってきた。ラ・セレナで「これといってめぼしい略奪品が何も見つからなければ」、海賊たちは町に火を放つのではないかと脅えている。シャープはそれを知って、数か月にわたる辛抱がとうとう報われる日が来たと思い、じつはバッカニアはラ・セレナにすっかり魅了され、焼き払うことはしないという結論に落ち着いたことは、自分の胸だけにしまっておくことにした。結局この日の終わりには、ラ・セレナの代償金として、九万五千ピース・オブ・エイトを翌朝十時にシャープが受け取ることで話がついた。町へもどると、シャープは部下たちから敬意のしるしとして、小銃の一斉射撃による礼砲を受けた。「それだけ多額の金が手に入るとなって、われわれの頭は期待でいっぱいになった」とコックスが書いている。「普段以上にみんなは大盛りあがりである」

翌朝、スペインの代表団は、イロで牛を約束した人間たちと同様に何も持たずにやってきて、もう少し時間をもらえれば、約束した額を支払うといった。ならば明日の朝八時までにと、シャープは期限を延ばしてやった。しかし、その夜に船着き場で起きた事件により、彼はスペイン人の信頼性を疑い、約束した九万五千ピース・オブ・エイトのうち、一枚たりとも目にすることはないだろうと確信した。事件は、スペイン人の工作員が馬の皮を、まるでゴムボートのように膨らませたところから始まった。そこに、槇肌、コールタール、硫黄ほか、可燃性の素材を積んでいく。次に、それを押してひとりがトリニティ号まで泳いでいき、その可燃物の塊《かたまり》を舵と船尾材のあいだにはめこんだ。それに火をつけて逃げると、みるみる炎があがって舵を包み、悪臭を放つ黒い煙が船を覆った。当直にあたっている男たちが火元をさがして必死になって走りまわるものの、どこにも見つからない。はじめ犯人はスペイン人捕虜ではないかと疑ったが、いくら尋問しても、何ら役立つ情報は得られなかった。と、バッカニアのひとりが、膨らんだ馬の皮が目の前を流れ去っていくのを目にし、そこに隠された陰謀をどうにかして見抜いて火元を突きとめたのだった。

イングランド人が火を消して船を守ろうとしているのを岸で見守りながら、工作員たちは代案を実行するべく動きだした。ラ・セレナの灌漑《かんがい》システムである送水路の水門をひらいたのである。町はみるみる水浸しになっていく。「われわれが町に火を放っても、そうしておけばすぐ消せる」と工作員たちは考えたのだろうと、リングローズは彼らの意図を見抜いた。ならばお望みどおりにと

船で「火災」発生

ばかりに、翌朝バッカニアたちは町に火を放ち、「できるだけ接近して、町のあらゆる家々」を焼き払ったと、リングローズは満足げに記している。ひとたびラ・セレナの町が灰になると、バッカニアたちは略奪品を抱えてトリニティ号にもどっていき、岸で待ち伏せしていた二百五十名の騎馬部隊に突っこんでいった。ラ・セレナで四日間静養して元気を取りもどしていたバッカニアたちは、「連中の上着に次々と穴をあけていって」スペイン人たちを追い払ったと、コックスが記す。

しかし、そのあとに彼らは、もっとしぶとい敵と向き合うことになる。すなわち、自分たちである。トリニティ号にもどってくるなり、みんなは二、三の問題で口論になった。そのうち最も重要な争点は、これから何をするべきかという、この集団の次の行動だった。激論を戦わせるみんなを、司令官であるシャープがまとめようとするかといえば、そんなことはなく、彼は総督の裏切りに相変わらず腹を立てて、「油断ならないスペイン野郎ども」と怒鳴り散らすばかりだった。皮肉にもそれが、バッカニアたちの次の行動を決めた。すなわち、叛乱《はんらん》である。

23　ロビンソン・クルーソー

チリ沖に位置するマス・ア・ティエラ島は、一九六六年にその歴史を祝ってロビンソン・クルーソー島と改名された。一七〇四年から一七〇九年にわたってスコットランドの船乗りアレグザンダー・セルカークがこの無人島に置き去りにされた事実が、ダニエル・デフォーに一七一九年に発表した小説を書かせたといわれている。しかし実際のところ、セルカークより四半世紀近く前に、この島に置き去りにされた人間がいて、それがトリニティ号に乗っていたひとりだった。

物語は、一六八〇年十二月七日に始まる。トリニティ号がラ・セレナから出ようと大急ぎで錨《いかり》を揚げる一方、バッカニアたちのあいだでスペイン人捕虜をどうするべきかが問題となった。船に火をつけた工作員に触発されて、捕虜たちもまた「われわれを倒そうと陰謀を企《くわだ》てるのではないか」と心配になったとリングローズが書いている。スペイン人捕虜がいなければ、船はこの先、手さぐりで進むしかない。それでも、ペラルタ、ダルガンドナ、フアン・モレノ、オールド・ムーアをはじめ、残りの捕虜たちもすべて岸にあげて、待ち望んでいた自由を与えてやるのが得策だという結論に落ち着いた。

ラ・セレナを急ぎ出発したために再補給が叶わなかったバッカニアたちは、まずマス・ア・ティエラ島をめざすことにした。そこから四百五十マイル南西にある島で、アリカからさらに遠く離れ

マス・ア・ティエラ島のアレグザンダー・セルカーク

ることになる。備蓄量は相当に減っていて、三週間はかかる航海の二日目に入ったところで、早くも水は配給制となった。何かあれば三週間では済まない航海だったが、今回は幸運の女神がバッカニアたちに微笑んでくれたようで、十二月二十四日の金曜日、真夏の暑い日にマス・ア・ティエラ島が見えてきた。一五七四年に最初に探検したスペイン人にちなんでファン・フェルナンデス島という名でも知られるそこは、十八平方マイルの面積があって、ファン・フェルナンデス諸島のなかで最大の島だった。諸島に属する島は依然としてすべて無人島だったが、のちにバッカニアたちが知るように、スペインの軍艦が定期的に巡察している。

リングローズは空腹に耐えながら、トリニティ号の甲板から目を皿のようにして諸島を眺め、食べられそうな鳥か魚でもいないかとさがした。しかし残念ながら、「岩が山になっている」以外、何も見つからない。ダンピアはもっと楽天的で、一世紀前にフェルナンデスが持ちこんだヤギたちが繁殖しているだろうとにらんでいた。

翌日の十二月二十五日、乗員たちは三発の祝砲でクリスマスを祝ってから、ファン・フェルナンデス島の南端にある湾に錨をおろした。上陸してクリスマス・ディナーの材料を手に入れる計画だったが、岸は「無数のアザラシ」で埋め尽くされていて、「通り道をつくるために、殺さなければならなかった」とリングローズが記している。

ひとたび上陸してしまうと、ダンピアはその美しい景観に心を奪われた。山の斜面は「サバンナと森に分かれている」という記述から始まって、そびえ立つキャベジ・ツリー（葉や若芽がキャベツのように食用になる熱帯の木）については数ページを割《さ》く価値ありとして詳しい記録を残している。さらに全長十二フィートから十四フィートある巨大な生き物を浜辺で見つけ、「外見はアザラシに似ているが、大きさはその六倍ある」と驚愕している。「頭はライオンのようで、幅の広い大きな顔には猫と同じように口元に長い髭が何本も生えている」ため、「シー・ライオン（海の獅子、つまりはトド）」という、それにふさわしい名前を与えている。「その肉は黒く、きめは粗いものの、食肉としては申し分ない」という。

一方ウェイファーほか数名は、フェルナンデスが持ちこんだヤギの子孫を発見した。山の急な斜面に広がるサバンナを住《す》み処《か》にして跳ねまわっているので、これを仕留めるのは至難の業《わざ》だった。そこでヤギをつかまえるために、島をうろついているほかの動物に引き具をつけて乗りまわすことにした。それを羊の変種と説明している者もいるが、ウェイファーは次のように記している。「口はウサギに似ていて、頭はレイヨウのようだが角は一本もなく……耳はロバに似ていて、短い首はラクダのようでもある。優雅に頭を下げる仕草は白鳥を思わせる」扱いやすい動物で、ウェイファーは日誌のなかでコルネラ・デ・テラと呼んでいるが、現在はラマという呼び名が一番よく知られている。まるで馬のように大人しく馬勒《ばろく》をつけられて、人間が乗っても平気なのだった。バッカニアたちはこれに乗って六十匹のヤギを追って食用にした。

残る仕事は飲料水の調達だ。十二月二十八日の朝、リングローズはカヌー二艘に十人の仲間とともに分乗して島の北側へ出かけた。水源はすぐに見つかって、二百個の瓶に飲料水を詰めてカヌーに運んだものの、南から吹く強風のせいで、トリニティ号にもどることができない。風がやむまで待つしかなく、みなは岸にとどまった。が、待っているあいだ、トリニティ号が錨を揚げて湾から出ていこうとするのがわかった。みんなは衝撃を受けた。おそらくスペインの戦艦を認めたのだろう。交戦するか、逃げるか。いずれにしろトリニティ号は、カヌーの一団を置いていくしかないだろう。いや、それは考えすぎだとリングローズは思う。強風にあおられて船が岸に叩きつけられることを予測して、単に岸から離れた場所に停泊位置を移すだけだろう。しかしトリニティ号は湾を出て、みんなの視界から消えてしまった。

なぜこんなにあわてて出発したのか。リングローズは確かめようと、カヌーの一艘に乗りこんで思い切って岸から離れてみた。ところがだんだんに風が強くなってきて、荒れた海に岸へ押しもどされてしまう。日が落ちるのを待って、今度は二艘のカヌーに全員が乗ってようすを見に出かけた。しかしトリニティ号が見つからないばかりか、激しい風と波に揉まれて一行は海で立ち往生してしまう。こうなると生き残れるかどうかは、いかに早く岸へたどりつくか、その一点にかかっている。しかし瓶に入れた水の重量が邪魔になって思うように進めない。全部海に捨てて、ようやく岸にたどりつくことができた。

ほかにどうしようもないので、カヌーを岸に揚げて野営することにした。しかし、この場所で眠るためには、アザラシたちと距離を取らねばならないと気づいた。アザラシの大群は、みな盛んに吠えていて、遊んでいるようにも見えるが、押し合いへし合いしながら、そこをどけと場所争いをしているようでもある。その喧噪から逃れるには、半マイルほど内陸に行かないといけない。新たな場所にテントを張り、火を焚いて衣服を乾かし、シダでベッドをこしらえて眠ろうとするのだが、眠れない。ひもじさと不安が、吠えるアザラシよりも強力に、眠りの訪れを邪魔するのだった。

そんなとき、どこからともなくという感じで、黒と白のツートンカラーの羽を持つ小さな海鳥、ミズナギドリが落ちてきて、自ら火のなかに飛びこんで焼かれて死んだ。普通なら腹を空かせた男たちは、これ幸いと思っただろう。しかし船乗りは迷信深く、海鳥は神意を知る手がかりだと頭から思いこんでいる。鳥は空にいるとき天使たちと親しく交わるから、じきに嵐がやってくるというような未来の事象に通じている。何か天変地異があると、それを察知して、鳥が事前に逃げていくのがその証拠だと船乗りはいう。また、海鳥は海で命を落とした人間の魂であって、それがやってくるというのは、このうえない吉兆であり、たとえ糞が落ちてきただけでも予期せぬ幸運が巡ってくる。その一方で、鳥が死ぬということは、差し迫る災難を予告していると信じているのである。

十二月二十九日、曙光《しょこう》が差してくると同時に、リングローズと仲間たちは湾にもどるべくカヌーに乗りこんだ。ひょっとしたらトリニティ号はファン・フェルナンデス島を去ってはいなかった、ということもあるかもしれないと思ったのだ。するとまもなく見つかった。ちょうど島から離れていくところだった。みんなはあわてふためいて岸にもどり、トリニティ号に気づいてもらおうと火を焚いた。これが成功し、船からカヌーが一艘派遣されてきた。事情をきいてみれば、やはり思ったとおり、海が荒れてきたのでもっと安全な場所に移動したのだという。飢えた漂流者たちは一刻も早くトリニティ号にもどりたかったが、残念ながら風がやむまでは無理だった。もどりが遅れるのを見越して、カヌーに食料を積んできてくれたのがありがたかった。

翌朝、リングローズと仲間たちが念願叶ってトリニティ号にもどったときには、荒れた天候同様に、乗員たちも荒れていた。悪いのは風であって、強風にやられて索具装置が壊れ、錨のケーブルも切れて、難しい修理が必要になったというのが表向きの原因だった。しかし実際は、もっと根深い問題がみるみる浮上してきたのである。シャープに対するみんなの怒りが我慢の限界に達していた。司令官として務めた七か月のあいだ、これといって目覚ましい収穫はなく、ひとり頭《あたま》千ポンドという約束にはとうてい届かない。それが今になって、もう南海での略奪はあきらめるしかないといいだした。スペイン人はいつでも用意周到で、バッカニアたちの最大の武器である奇襲作戦がつかえないのだから、もうあきらめるしかないと、そういうのだ。シャープと彼の支持者たちは、損失の少ないうちに手を引いて、マゼラン海峡経由でイングランドにもどることを考えていた。チリの先端まで南下した先にある、南海と大西洋を隔てる三百五十マイルに及ぶ海峡だ。

しかし、ほとんどの人間はこの遠征をまだ続けたかった。シャープが興味を失ったのは、サイコロ賭博で勝ち続けて懐《ふところ》が温かくなりすぎたせいだと、みんなはにらんでいた。彼の副官であり、ときに友人でもあるコックスによれば、シャープの勝ちは三千ピース・オブ・エイトに達しているという。遠征を続けるか否か、それに関していうならコックスはシャープの意見に反対であり、「意見の衝突は熾烈《しれつ》なまま続き、もし賢明な仲間たちが抑えなかったら、内戦になっていただろう」と日誌に書いている。一月六日、コックスと全体の三分の二の人間が考える「賢明な」判断とは、遠征を続けることだった。投票によりシャープは退任となり、後継者の投票が終わるまで手かせをはめられて監禁された。解任された司令官は裏切られた気分になり、コックスのことを「偽《いつわ》りのニューイングランド人」と呼び、「副官に任じたのも……昔なじみのよしみというだけであり、勇猛さや知識といったものを何ら持ち合わせておらず、それゆえに取り分も少なかったのだ」と日誌に書いている。

今回の遠征に出る前に船長だった五人のうち、最後に残ったエドモンド・クックが、年齢からいって新司令官にふさわしいといえた。しかし短いとはいえ、メイフラワー号の船長として務めた期間が波乱含みだったことが不利に働いた。それにくわえて彼は、フアン・フェルナンデス島で従者のウィリアム・クック（血縁関係はない）から性犯罪のかどで訴えられていた。ウィリアムの証言によると、彼の主人は「イングランドでしばしば男色を行った。妻を放っておいて、夜《よ》な夜《よ》な自分のベッドに忍んできた」といい、それはジャマイカでも、南海でも同じで、パナマの略奪まで続いたという。個人差はあるものの、海賊の社会は一般社会に比べて、同性愛には比較的寛容だった。それに比べてイングランド海軍はとことん厳しく、「もし艦隊に属する人間が不自然かつ唾棄すべき男色や、獣姦の罪を犯したならば、軍法会議によって死刑の判決が下される」とされていた。トリニティ号においてはしかし、男色よりも裏切り行為のほうがずっと罪深いと見なされ、仲間たちがクックの身辺調査を行ったところ、その裏切りが明るみに出た。「彼の書いたものを調べてみると、われわれ全員の名前が記された紙が見つかった。スペイン人捕虜に託すために作成したらしい」とリングローズが記している。その結果、クックにも手かせがかけられた。

もうひとり、新司令官にふさわしい人間がいた。ジョン・ワトリングという男で、頑健かつ勇敢な船乗りという定評があった。それ以上に適任な理由もあり、それはまだアリカを攻略できると堅く信じていることだった。くわえて信心深い男でもあり、シャープの毒を消し去りたいバッカニアたちにとって、まさに格好の後任者だった。投票の結果、新司令官がワトリングに決まると、彼は即座に仕事にかかった。サイコロ賭博の道具を海に放り投げ、毎週安息日を遵守することとし、ちょうど日曜日だったので、その日から始まった。バッカニアたちは盗みや殺人を自分に許していたものの、驚くべき割合でキリスト教徒がいて、ユダヤ教徒も少なからずいた。神様を引き合いに出すのは、絞首刑の処刑台に立つときぐらいだったが、ワトリングが信仰に篤《あつ》いのは気にしないこととした。信心深い彼が、山のような銀貨が手に入るようにと祈り、その願いを神様が叶えてくれるなら文句はないのだった。

一月十二日、ワトリングが司令官に就任して三日目に、巡視中のスペイン軍艦三隻が現れて、新司令官の腕が試されることになった。

最初に船を見つけたのは、ファン・フェルナンデス島で狩りをしていた一団だ。即座にラマからおり、カヌーのあるところまで走っていくと、大急ぎで乗りこんで出発した。波を白く掻き立てながら、猛スピードでトリニティ号に知らせにいく。それと同時に、岸で木を切ったり洗濯をしていたりする仲間にも、一刻も早くトリニティ号にもどってくるよう、銃を空に発砲して危険を知らせる。

三十分後、湾内に停泊しているトリニティ号からも望遠鏡で見える位置まで、軍艦が迫ってきた。小型望遠鏡を覗いていたワトリングは、三隻のうち最大の船をエル・サント・クリスト号と特定。一ダース以上の大砲を搭載する八百トンの船だ。二番目に大きい船は六百トンのサン・フランシスコ号で、こちらは少なくとも十門の大砲を搭載している。三隻目は名前はわからないが、三百五十トンという大きさで、トリニティ号よりわずかに小さい。それでも、こちらが大砲をまったく備えていないのに対して、あちらは八門を搭載している。パナマ湾の戦闘を再現して、スペイン軍艦をまわりこんで捕獲することもできると、ワトリングもわかっていた。しかし、そのためには広い海へ出ないといけない。この湾内で三隻に取り囲まれたら、もう敵を出しぬくことはできなくなるからだ。それでワトリングは、カヌーもボートも船に引き揚げて大急ぎで出帆するよう命じた。

錨を揚げるには、まず海底からはずし、二千トンから三千トンの鉄の塊《かたまり》を船上へ引き揚げて収納するという手間がかかり、全工程に優に三十分が消費される。それだけの時間の余裕はないため、錨をケーブルからはずして、海底に残しておくことにした。さらに、ウィリアム・ストライカーという名で知られていたミスキート族の船員も残していくしかなかった。ヤギ狩りに出ていたのだが、危険を知らせる銃砲の音をききのがしたようで、さがしたけれど見つからなかった。本人が森から出てきたときには、すでにトリニティ号は出発しており、遠ざかっていく船のシルエットを呆然と眺めながら突っ立っている彼の姿を、スペイン人が軍艦から目撃し、捕獲作戦を練りはじめた。

このウィリアム・ストライカーという人物については、ほとんどわかっていない。年齢も不明だし、名前があったとして、イングランド人がウィリアムと名づける前にどう呼ばれていたのかわからない。ダンピアによると、ミスキート族には「名前で呼び合う習慣はなく、われわれの誰からであろうと、名前をつけてもらったことを大変光栄だと思っている」。それが今、故郷から三千マイル離れ、最も近い文明から四百マイルも隔絶された無人島に置き去りにされた。生き残るためには、仲間たちがいずれもどってきて救出してくれるのを待つしかない。果たしてもどってくるのか。それより先にスペイン人につかまったら万事休すだ。

ウィリアムはまず小屋を建てることから始めた。内陸に一マイル入ったところに、スペイン人の目が届きそうもない場所を選んだ。きっと連中は今頃、自分をさがして島内をくまなく捜索しているとわかっていた。見つかれば殺される――バッカニアたちのアリカ襲撃計画について口を割ったあとで。しかしウィリアムが住居を構えた場所は当たりで、結局スペイン人は素通りして島を去っていった。それでも、またきっともどってくるのはわかっていた。

とりあえず暮らしの環境をととのえることに意識を集中する。ヤギの革を小屋の断熱材にしたり、木で枠をつくったソファやベッドの張り革にしたり、縫い合わせて毛布をつくったりしながら、ヤギ肉を食べて飢えをしのいだ。マスケット銃の弾丸が尽きてしまうと、もうヤギは獲れない。そこでナイフの刃に刻み目を入れていって、のこぎりのようなものをつくりだす。それで四フィートの長さがある鉄の銃身を小さく切り分けていき、それぞれ火に入れて、圧延できるまでに加熱してから、石で叩いて鍛造し、銛、槍、釣り針をつくっていく。できあがった道具をつかうと、アザラシを捕獲することができた。肉の味は美味とはとてもいえないが、その皮は新しい衣類の素材にできたし、内臓から釣り糸をつくって、フエダイやハタをいくらでも釣ることができた。餌などつけなくてもどんどんかかり、一時間も釣っていれば、五十人の男に食わせるほどの収穫があることも、後日わかるのである。

それから三年以上が経過した一六八四年の三月二十三日、ウィリアム・ストライカーは釣った魚にくわえてヤギ三匹をつかって、大勢をもてなす料理をつくることになる。とうとうその日に、仲間たちが救出にもどってきたのだ。

ふたたび時をもどして、一六八一年一月十二日。トリニティ号が湾から出るや否や、三隻のスペ

ウィリアム・ストライカーの救出

イン軍艦が赤い旗を掲げた。赤旗は、わずかも譲らないという決意表明であり、スペイン人に見つからずに逃げられると思ったバッカニアたちの思惑ははずれた。ワトリングもまた赤い旗を掲げ、こちらだって譲らないという決意表明をし、そうしながらトリニティ号をできるだけ風上へ近づけていって、八百トンのエル・サント・クリスト号をほかの軍艦から引き離そうとした。そうすればそちらの甲板に乗り移るのに邪魔が入らないと思ったのだ。しかし敵はこの作戦に気づいていた。三隻の軍艦ががっちりスクラムを組んで、もしトリニティ号がそのうちの一隻を狙いでもしようものなら、木《こ》っ端《ぱ》微《み》塵《じん》にしてやろうという構えだった。

　戦闘開始の予感と、その結果得られる略奪品への期待に胸を膨らませて、バッカニアたちはワトリングに熱いまなざしを向けた。さあ、これからどうすると、指示を仰いでいるのだ。しかし新司令官の望みは、アリカ攻略――あるいはディックによれば、アリカへの「逃亡」だった。それでもワトリングは、表向き民主的なプロセスを尊重して、この問題を全乗員に諮《はか》った。

ここでスペイン人と交戦したら、もし勝てたとしても、アリカ攻略は危うくなるということで、みんなの意見は一致した。蓋をあけてみれば、スペイン人も同様に「臆病風を吹かしたのか、われわれ同様、戦いに乗り気ではなかったのである」と、リングローズは好戦的な姿勢を見せて、そう書き記している。スペイン人はバッカニアを追跡するのはやめて、ファン・フェルナンデス島に錨をおろした。

ひとまず危機を逃れたものの、アリカへ向かうトリニティ号の乗員たちは新司令官の資質を疑いはじめていた。ワトリングは敵を前にして足がすくんだのではなかったか。司令官が臆病風を吹かすというのは、シャープがやったような修道士を勝手気ままに殺すといった行いよりも、さらに罪が重い。リングローズはそれについて、ワトリングは自分の「気の弱さ」を露呈してしまったと、かなり手加減して書いている。しかしワトリングのほうでも、これは非常にまずいと気づいていた。もし臆病者のレッテルを貼られたなら、司令官の資格は即剝奪される。そこでこれからは、慎重さをなげうって勇猛に徹しようと心を決めた。その二週間後、ワトリングはその決意のもとに、アリカで勇猛果敢な司令官を完璧に演じきった。戦闘に送りこんだ仲間の三分の一を、捕虜か死体のいずれかに変えてしまったのである。

24　非常に美しく堂々とした町、セント・マーク・オブ・アリカ

イキケ島に昔から住みついている住人は鮮やかな緑色の歯をしていることで有名だ。コカインの原料であり、それ自体穏やかな興奮作用があるコカの木の葉を始終噛《か》んでいるせいだ。またイキケ島の住人は、そこから百二十マイル離れたアリカについて、選《え》り抜きの情報を持っていることでも知られている。そのため一月二十四日の午後、ワトリングはトリニティ号からカヌーに乗り換えて、二十五名の仲間とともにイキケ島をめざした。そのときトリニティ号は、そこならスペイン人に見つからないと思えるチリの海岸から十二リーグ離れた沖に停泊していた。しかしワトリング隊はイキケ島を見つけることができず、翌日またトリニティ号にもどってきた。

その夜、第二陣がカヌーに乗ってイキケ島をめざし、翌日の午後四時に、島で捕虜に取った人間四人を連れてもどってきた。リングローズによれば、「ふたりは年老いた白人で、もうふたりはインディアンだった」。トリニティ号の甲板にみんなが集まったところで、ワトリングが一度にひとりずつ捕虜を尋問していく。一番手は白人の老人のひとりで、彼は前年の十月に海賊がやってきて以来、アリカの町がいかに強固に防備を固めているかという話をした。

嘘だとワトリングは断言し、この者を撃てと命じた。新司令官は脅しの手口に関して、シャープ方式を採用したようだ。が、ここで皮肉にもシャープ本人が――手かせをはずされて、ヒラの船員

にもどっていた——猛反対した。老人を撃つなどというのは残酷すぎる、実利の面から考えても性急だ。これから策を練るためには、アリカに関する情報を可能な限り多く集めないと——。

銃砲の音がシャープの言葉を遮った。操舵手のジョン・フォールがワトリングの命令を遂行し、煙をあげるマスケット銃をおろした。シャープが仲間たちに向き直っていう。「紳士諸君、オレは、このじいさんの血で手を染めるつもりはない」そういうと、甲板をつかつかと突っきってバケツがあるところまで行き、水で両手を洗うデモンストレーションを披露した。「そして諸君に断言する。この残虐な仕打ちにより、諸君はアリカのどこで戦おうと、必ず痛い目に遭うと」

彼を無視して、ワトリングはふたり目の老人に尋問をする。こちらはひとり目よりも役立つ情報を持っていた。アリカの豊かな漁場の管理者を監督する立場にある者で、アリカにいるスペイン人の同僚と定期的に連絡を取っているらしかった。それならアリカの最新情報をつかんでいてもおかしくない。彼がいうには、先ほどの者がいったとおり十月にイングランド人がやってきて以来、アリカが徹底して町の防備を固めているのは本当らしい。銅製の大砲を十二門、要塞のてっぺんに設置し、港に帆船三隻とバーク船一隻を追加し、王の中隊七個を配置して防備にあたらせているのもその一環であり、おまけにアリカの住民は、あらゆる金銀宝石を避難させるように、あらかじめ警告を受けているという。

この時点でワトリングが先ほどの操舵手に、もう一発マスケット弾をつかわせても不思議はなかっただろう。しかしそこで老人が、自分は金銀財宝がどこに隠されているか知っていると匂わせる発言をした。ワトリングは興味を引かれ、老人に先を続けさせた。すると、知っている隠し場所はふたつあり、ひとつはアリカから十リーグ離れた場所に、もうひとつは二十五リーグ離れた場所にあるという。それから老人は、どうすればバッカニアたちがそこにたどりつけるか、正確な道筋を語りだした。「これには全員が狂喜乱舞した」と、いつもの疑念や不安はどこへやら、リングローズが有頂天になって記している。そこには「豊かな銀鉱」や「貴金属、黄金、宝石」が山ほど隠されているらしい。

司令官を解任されてから、ずいぶん角が取れたシャープを除いて、話をきいている乗員全員の胸にリングローズと同じ情熱が燃え立った。この二人目の証言は、最初の証言者の処遇に影響されており、ここで何か色をつけなければ自分も同じ目に遭うと考えての証言だろう。それはバッカニアにもわかっていた。それでも、これは彼らにとって南海における最後のチャンスであり、もっといえば故郷イングランドや海外の新天地で夢を叶えるのに必要な財を成す最後のチャンスなのだった。崖っぷちに立たされた各自の情熱が合わさると、個人のそれよりも総和はずっと大きくなり、不可能が可能になるように思えてくる。コカの木からつくられるどんな興奮剤よりも、この老人の話はみんなを熱くし、半ばほろ酔い気分にさせていたのかもしれない。

ワトリングが、「舵柄を風上に操れ」――追い風を受けて進めろ――と命じたことで、みんなの心は完全に決まった。アリカを手中に収められなければアリカで死すのみと、ワトリングは誓った。

一月二十八日の真夜中、チリ沖数マイルの地点で、ワトリング、リングローズ、ウェイファー、シャープと百四人のバッカニアたちが、大型ボートと四艘のカヌー、それにイキケ島で捕獲した一隻のバーク船に分乗してトリニティ号を離れ、正式名称ラ・ムイ・イルストレ・イ・レアル・シウダッド・サン・マルコス・デ・アリカ（非常に美しく堂々とした町、セント・マーク・オブ・アリ

アリカ

カ）とされる、アリカの地へ略奪に向かった。
　成功は、アリカの要塞を掌握できるかどうかにかかっており、バッカニアたちは新しくつくった手榴弾をつねに乾燥させておくのに多大な注意を払っていた。帆布でぐるぐる巻きにした上に蠟を一度ならず二度塗っておいた。誰の日誌にも、手榴弾についてそれ以上のことは書かれておらず、製造法も不明だ。しかし当時の技術なら、鋳鉄《ちゅうてつ》製の球体に緩燃性の火薬を詰めて、てっぺんに灯心をつけるぐらいがせいぜいだろう。それよりもっと手軽につかわれていたのが、瓶に火薬を入れて、そこにマスケット銃の弾か金属の破片を詰めたものだ。ブリキや木製の箱、ヒョウタンなども容器の代わりにされた。その容器さえも入手できないときには、片手一杯分の松脂《まつやに》にマスケット銃の弾をくわえ、松脂が十分乾いてから、中心に火薬を詰めて手榴弾をつくった。いずれにしても、バッカニアたちは波にゆられて闇のなかを七時間も帆走したりカヌーを漕いだりするわけで、防水処理が成功したかどうかは、実際に要塞に向かって投げてみるまでわからない。

　一行は夜明け直前にカレタ・ビトルのギザギザした海岸に上陸した。アリカから十マイル南にあるそこで、聖堂ほどの大きさがある巨岩の陰に人間もボートも身を隠す。日中はそこにずっといて、できるだけ休養を取る。夜になると海にもどって、海岸沿いを北上してチャコタ湾まで行き、翌一月三十日の夜明けに、岩だらけの海岸に上陸した。この日はイングランド人にとって特別重要な意味があった。リングローズがその日の日誌の最初に、「イングランドの暦《こよみ》では、偉大なる王チャールズ一世の受難に捧げる日」と記している。これより時を遡《さかのぼ》ること三十二年前、カトリック教徒との結婚以来、苦難の連続を耐え抜いたチャールズ一世が、この日とうとう斬首されたのだった。その年忌《ねんき》の日に、できるだけ多くのカトリック教徒を破滅させることは、まさにふさわしい行いだと、リングローズと仲間たちは思ったらしい。

チャコタ湾から北へ四マイル、徒歩でアリカへ進軍するのは、ワトリングと九十一名の仲間たち。そのなかに、リングローズ、シャープ、コックス、ポウヴィー、ディックもいた。ダンピアは目下トリニティ号に乗ってチリ沖を北上し、のちにバッカニアたちがアリカから逃げるときに重要な役目を果たすことになる。同様にウェイファーもまた、チャコタ湾でボートを守る十五人のひとりとしてあとに残る。もし必要になれば、ウェイファーの一団は緊急救出部隊としても活躍する。町や隣接する野原から煙がひとすじ立ちのぼったら、カヌーの一艘をアリカへ送りだすのだ。その合図はバッカニアたちが独自に考えたものだと思われるが、残念なことにスペイン人に知られてしまい、それがもとで、のちに破滅的な被害を受けることになる。

ワトリング率いる一団はまだ行軍は始まったばかりだというのに、気がつけば煉瓦《れんが》のように赤い砂漠のなかにいた。まるで荒海を思わせるような地形だった。うねうねと隆起する砂丘や、そこらじゅうに舞う砂埃《すなぼこり》や、ひとすじの雲もない空から照りつける炎のような日差しのせいで、バッカニアたちの歩みは一向にはかどらない。何しろそこはアタカマ砂漠である。南極大陸のマクマード涸《か》れ谷を除けば、地球上で最も乾燥した砂漠なのだ。リングローズでも誰でも、それを知っていたなら、水を用意してきたはずだった。あのペラルタ船長がまだいっしょにいたら、たとえ荷物にはなってても水を入れたヒョウタンをひとつかふたつ、必ず持っていくよう助言したことだろう。実際水を持ってこなかったのは致命的なミスだったと、バッカニアたちもあとになってわかるのである。

歩行は難儀であるものの、背の高い砂丘は敵に見つかりにくいという意味では、バッカニアたちにとって都合がよかった。「こちらは砂丘の陰に隠れており、敵の姿はまったく見えない」とリングローズが書いている。「よって敵は、こちらが接近していることに気づいておらず、奇襲作戦が功を奏すると思えたのである」しかし苦労の末に二マイルを踏破したところで、一団は見張り所を見つけた。馬に乗った三人が高い崖の上に立っている。あれをすべてつかまえてしまえば、アリカに警告が広まることはなく、町の防御施設について情報を得ることもできるとワトリングは読んだ。問題は、馬を駆る歩哨が走り去るのをとめるには、銃を発砲するしかないという点だった。銃声が響けば、それだけで町は警戒態勢に入る。となると、見張り所をぐるっとまわりこむのが一番だとワトリングは考えた。

行軍を続けるバッカニアたちが身を隠すのに、不毛の山脈はまったく役に立たない。それでも、砂丘がそこらじゅうに落とす影があるから大丈夫だろうと思った。ところが、見張り所をまわりこもうと数歩を踏み出したとたん、三人の歩哨が一団を認め、全力疾走で砂丘をおりて町へ向かった。ワトリングは動じない。少なくとも仲間に動揺は見せず、攻撃計画を修正するのみだった。全員で町に進撃するより、九十二人のうち四十人を直接要塞に送りこむ。そうして歩哨たちが大量の援軍を呼び集める前に要塞を掌握してしまう。それができなければ、圧倒的な数の敵を前に手榴弾は何の役にも立たなくなる。

コックスもまた、ワトリングとともにアリカの町に進撃する五十二名から成る歩兵団にいた。着いてみればアリカは、ヤナギや果樹やアザパ渓谷の緑豊かなオアシスで美しく彩られた十六街区から成る湾岸都市だった。アリカの最も目を引く特徴は、おそらくその背景だろう。雲がまったくないせいで、現実とは思えないほど青い空が広がっている。しかし、コックスが興味を引かれたのは町の住人だった。侵入者が近づいていっても、住人は胸壁の外をうろうろしているのである。なぜ胸壁の内側にいないのか？　歩哨から警告が届いていないのだろうか？　その答えは、住民がこちらに向かって歩みだして、すぐわかった。完全に武装しているだけでなく、その数が恐ろしいほどに多いのだ。何百人という規模だった。コックスはソーキンズが失敗したプエブロ・ヌエボの略奪に参加しており、これはあのときとまったく同じだと思ったかもしれない。

一方リングローズは仲間たちとともに要塞を攻撃する。町に隣接する要塞は、港を一望できる高さ四百五十フィートの台形の岩モロ・デ・アリカの麓《ふもと》に位置している。嘘をいっていると糾弾された、イキケ島の老人のいったとおり、一ダースの銅製の大砲が岩のてっぺんできらきら輝いている。あれをもってすれば、イキケ島からやってくるバーク船を木っ端微塵《こ　ぱ　み　じん》にするのはわけもない。バーク船は今、略奪品をトリニティ号に積みこむために海岸を北上して、侵入軍との合流場所へ向かう途上にある。よって要塞を掌握できるか否か、そこがバッカニアにとっての生命線といえた。

スペインが支配する海岸の防御施設は、たいてい日干し煉瓦でつくった小規模のもので、ほとんど崩れかけている。ここもまた、ポルトガルの裕福な民間人マニュエル・ロドリゲスがスペイン人女性と恋に落ちて結婚するまでは、その例にもれなかった。ところが一六四三年にロドリゲスは、スペインの市民権と引き換えにアリカの日干し煉瓦製の古い防御施設を石造りの新しい要塞に建て替えるための費用一万八千ピース・オブ・エイトを支払うことに同意した。このロドリゲスが資金提供した要塞に侵入するためには、手榴弾を投げる人間が、胸壁に四角く切り取られた銃眼《じゅうがん》から投げこめるよう十分近づかないといけない。そうして手榴弾が爆発すれば守備隊を蹴散らして、バッカニアたちは胸壁を乗り越えて屋根に到達することができる。

最大の難関は、スペイン人が放つ爆発物が嵐のように飛び散るなかで要塞に接近することだ。マスケット銃の銃弾だけでなく、手榴弾も飛んでくる可能性がある（手榴弾を投げる人間は、このうえない危険に身をさらすことになるため、モーガンがパナマを襲撃する際に作成した契約事項には、敵に手榴弾を一個投げた者には五ピース・オブ・エイトが支払われると定めてあった）。バッカニアたちは銃眼を通して手榴弾を要塞内に投げこんだものの、どれも不発に終わった。湿気にやられたか、そもそもつくりが粗雑だったのか、あるいは敵に無力化されたか。原因は不明だが、その結果リングローズたちは高い石塀の上に位置するスペイン兵との銃撃戦に追いこまれた。サンタ・マリア要塞の矢来と違って、ここでは石塀を壊してすきまをつくることはできない。

代案を考えなくてはならないが、そこで遠くから銃砲が響きだした。すこぶる激しく頻繁に響くために、まるで続けざまに雷鳴が響いているようだった。硝煙のなか、リングローズはワトリングの一団が町から撃退されているだけでなく、五百人もの住民によって、殲滅《せんめつ》の危機にさらされているのを目《ま》の当たりにした。仲間を救出するため、リングローズたちは要塞の攻撃をあきらめて、斜面を駆けおりて町へ向かう。そのあいだも銃を発砲し続けて敵の側面を攻撃した。彼らが援軍に駆けつけたおかげで、アリカの住民たちを胸壁の向こうまで追いやることができたものの、その退却は敵にとって幸運に働くことが、それからすぐにわかった。次々と流れこんでくる援軍を得て、たっぷり増強してから、ふたたび戦闘にもどってきたのである。

丘の麓までおりたリングローズは、気がつけば煙と血にまみれた「ほとんど絶望的な」戦闘のさなかにいた。敵はこちらの進撃を食い止めただけでなく、三人のバッカニアを殺し、ふたりを負傷させた。しかしそれは凶事のほんのはじめでしかなかった。バッカニアに降伏したある男は、アリカの住民はこの戦闘のために三日かけて準備をしたと証言した。イングランド人がイキケ島に現れたとの報をきいてから、ずっと覚悟を決めていたらしい。ただちに六百名の兵士を町の防衛軍に任じ、さらに三百名を集めて要塞の防衛にあたらせた。それから数日のあいだにリマから四百名の兵が徴集され、彼らはここに来る際、アリカの住民用に七百名分の武器を運んできた。もしこの数字が正確なら――リングローズが目撃した状況からすると、間違いはなさそうだ――バッカニアの兵力は二十対一で完全に負けている。

一方、つい先ほどまでワトリングの歩兵隊は、武装した住民の圧倒的な数を前に回れ右してアタカマ砂漠に逃げるしかない状況に追いこまれていた。それが、要塞から四十人の仲間が駆けつけたことで、ワトリングは世界一流の射撃の腕を発揮することができ、結果、バッカニアたちは着実に前進した。ところがそこで太く低い反響音が遠くから長々と響いて、彼らの足をとめた。さらにその音をかき消すように、異様な轟音《ごうおん》がとどろいた。吐き気を催させるその音の源は、二十ポンド強はある鋳鉄製の砲弾だった。時速百マイル以上で群れになって落ちてくる、そのどれかひとつが当たっただけで、人ひとりが木っ端微塵になる。命中せずに十フィート余り離れたところに着地したとしても、その者の命はない。地面に加わる運動エネルギーが、岩や土塊《つちくれ》を弾丸に変えるからだ。

砲弾はモロ・デ・アリカのてっぺんに据えられた銅製の大砲十二門から発射された。本来なら要塞の掌握に向かった四十名が無力化するはずだった。今ここでバッカニアたちがアタカマ砂漠へ退却しようとすれば、敵の砲手たちに狙い撃ちされる。しかし今の場所にとどまっていても、いずれ無差別に落ちてくる砲弾の餌食《えじき》になるのは間違いない。が、町だけは砲手たちの射程圏外だ。ゆえにバッカニアたちは何が何でも前進しなければならない。それもできるだけ早く。

むせるような硝煙と銃弾のうなりに突っこんでいって、バッカニアたちは胸壁にたどりついた。しかしリングローズが記しているように、「敵は数箇所で後退しており、胸壁の向こうで分散して動いているのである」。リングローズと仲間たちは気がつけば、あらゆる方角から銃撃にさらされており、それらを一度に防ぐことができない。ようやく一箇所の守備隊を追いやったと思ったら、そこにまた新たな守備隊が人数を増やして現れる。数時間にわたって同じことが繰り返されるあいだ、バッカニアは日差しと砂と喉の渇きに苦しめられている。それ以上に彼らを苦しめるのがアリカの住民による銃撃で、すでに七人の仲間が殺されている。「しかし苦痛が増せば増すほど怒りが増幅し、われわれはひたすら前進を続けた」とリングローズが記している。「そしてついに、すべての敵をうちのめし、町のありとあらゆる路上を死体で埋め尽くしたのである」

実際そのとおりだったらしく、事後にアリカのある氏名不詳の住民が残した記録に、このときのバッカニアのようすが描かれている。イングランド人は「人間離れした力と、ライオンのごとき猛威と凶暴性で前進を続け、あらゆる危険を無視し、死神さえも侮《あなど》るような態度で戦い続けた」。アリカの住民の多くは命乞いをした。しかし、復讐心に燃えたバッカニアから、それを拒否される者もいた。コックスが表現しているように、「スペイン人自身はこちらに慈悲のかけらも見せない」

というバッカニアの強い思いこみがそうさせたのだった。それでも大半は命を助けられた。というのも、これもコックスが記しているように、「われわれの軽率な司令官が、あまりに安易に助命を許した」からだった。こんなに捕虜が多くいては管理しきれないとコックスは心配したのである。

バッカニアの前進がさらに進むにつれて銃撃がやみ、空気が澄んできた。すると息を吞むようなアリカの眺望が見えてきた。困難をものともせずに戦った結果、とうとう町を掌握したのである。残るは要塞の攻略であり、それに成功すれば完全な勝利を手にできる。

市街戦の見通しがたつと、バッカニアたちの注意はアリカの宝物の隠し場所に向いた。「みなさんは、ここに宝をさがしにやってきた」と、ある捕虜のスペイン人司令官が、バッカニアたちに取り入ろうと話を持ちかけてきた。「もし金や銀貨が欲しいのでしたら、わたしについてきてください。持ちきれないほどの宝が眠る場所に案内します」ワトリングはすでに金のある場所を知っている。イキケ島で助命してやった老人から得た情報があった。しかし、老人が記憶違いをしていたり、偽《いつわ》りの証言をしていたり、金が別の場所に移されていたりする可能性もあることを考えれば、このスペイン人の身柄は、同じ重量の銀ほどの価値がある。ただしそれは彼が真実を話すと仮定しての話だが。

しかしワトリングがその申し出を受け入れる前に、まずは要塞を無力化する必要がある。そうでないと、せっかくバーク船に銀を積んでも、敵の砲手に撃沈されておしまいという結果になりかねない。ワトリングは要塞にいる兵士たちに降伏するよう伝令を送った。しかし返事は返ってこず、きっと兵士たちは援軍到着まで時間稼ぎをしているのだろうとコックスは思った。もしそうなら、これ以上待っていたら敵の思うつぼだ。しかしコックスが苛立《いらだ》つことに、ワトリングは待ち続けるばかりか、捕虜の確保とその見張りをあてがうのに無駄な時間を費やしている。自分たちの総数以上に捕虜を取るというのは、どう考えても、司令官としての手腕を疑わずにはいられない。

丸々一時間経過してもスペイン人から何ら返答がないとなって、ようやくワトリング自らが要塞に向かうことになった。警備を任じていない男たちを引き連れていたのだが、コックスもそのひとりだった。彼はとうとう要塞へ進撃できるのを喜ぶと同時に、これだけ長く待たされたことに怒りも感じていた。そしてその怒りは、要塞が視界に入ったとたん激怒に変わった。マスケット銃を構えた大勢のスペイン兵で要塞があふれかえっている。

たとえあの半数であっても、こちらは戦える状態ではない。何しろ早朝より食料も水もまったく口にしていない。この地点までのぼると、周囲を取り巻くアザパ渓谷の全貌が目に入り、そこが今、町へ流入しようとするスペインの援軍で大いに沸き立っているのがはっきり見える。今要塞を攻撃しなかったら、もうあとはない。

ワトリングは大量の捕虜をバッカニアに有利につかった。「捕虜たちを自分たちの前に置いて要塞を攻撃するのである。ちょうどサー・ヘンリー・モーガンがポルトベロで修道女や修道士をつかったのと同じ作戦だった」とディックが説明している。要塞を守るマスケット銃兵は、バッカニアたちを撃退するために同胞――知り合いがほとんどだが、家族の可能性もある――をよけて発砲しないといけない。しかしバッカニアたちが驚いたことに、要塞の銃兵たちは無差別に銃を発砲してきた。それでもバッカニアたちは人間の盾となった捕虜に守られながら要塞に十分近づいて二回目の手榴弾攻撃を開始した。しかし、これまた一回目と同様に効果はなかった。またもや、ひとつの手榴弾も爆発しなかったのだ。

胸壁部分だけでも攻略しようと考え、ワトリングと仲間たちは近くの家屋の平らな屋根にのぼり、混雑する要塞に高所から弾を撃ちこんだ。射撃の腕に覚えのあるバッカニアたちは、そこから次々とスペイン人を倒していき、あっというまに勝利に手が届きそうになるものの、そこでリマから派遣された四百人のスペイン兵が町に流れこんできた。ワトリングたちが屋根にのぼっている家屋めざして、スペイン兵がどっと押し寄せてきたので、攻撃は中断し、まずは自分たちの身を守ることに専念する。屋根の上は攻撃には有利であるが、民家の屋根がたいていそうであるように、ここにも胸壁はなく、敵の格好の標的になってしまう。

「刻一刻と敵の数と勢いが増していく」なか、ワトリングは退却を命じた——町の中心部に自分たち用の野戦病院に転用した教会があり、そこへ逃げろという。そこへ着いたら、ふたたび町を掌握し直し、再集結できると考えたのだ。援護射撃をし合いながら、バッカニアたちは屋根の上から無事地面におりた。しかし教会へ向かう道はもっと危険で、建物に隠れている敵がいつ飛びだしてくるかわからない。今となっては脱水症状もバッカニアたちの退却の足をひどく引っ張った。体重二百ポンドの男が、通常五時間以上になる行軍と戦闘をすれば、十ポンド以上の水分が奪われる。しかもここはアタカマ砂漠である。歩くスピードは三割減を見こまれるうえに、筋肉は痙攣《けいれん》を起こし、何かあってもすぐに身体が反応せず、危険なほどに情緒が不安定になっている。

この大変な状況のなか、ワトリングは「reins」を撃たれたと、コックスが記している。「reins」というのは「腰」の古風な表現で、人間の情熱を制御《rein》するのがそこであるとの考えに基づいている。教会に着く前にワトリングは死して倒れたのだった。もうひとり、黒人のバッカニアも片脚を撃たれて倒れた。ワトリングがジャマイカで自由民にしてやった元奴隷だった。アリカの住民が取り囲み、今この場で助命してやろうと持ちかけたものの、彼はそれを拒み、四、五人のスペイン人を射殺したのち、スペインのマスケット銃兵に息の根をとめられた。その果敢な抵抗が同志たちの闘志に火をつけた。

コックスとリングローズは、教会にたどりついた七十名のなかにいた。ちょうどそのとき、スペイン人は自分たちの教会を攻撃するのを忌《い》み嫌うというバッカニアたちの思いこみを覆《くつがえ》して、モロ・デ・アリカのてっぺんから砲手が大砲を放った。落ちてきた砲弾が、教会の窓ガラスを吹き飛ばすのと時を同じくして、武装したアリカの千人以上の住民と兵士がどっと街路に流れこんできた。漆喰《しっくい》の埃と硝煙とでお互いの顔もほとんど見えないなか、バッカニアたちは手さぐりで隠れ場所に飛びこむしかなかった。

バッカニアの外科医三名は戦場にあって、全負傷者の手当をすることは敵《かな》わなかった。被害者があまりに大量に流れこんできたせいではなく、教会に備蓄してある聖餐用《せいさんよう》のぶどう酒を大量に胃に流しこんだせいだった。三人は早まって、バッカニアの勝利に祝杯をあげていたのだった。残念なことに、外科医たちはワインを飲み尽くしてしまっていた。一方、ここへもどってきた同志たちは、「その日一日、水も食料もまったく口にせず、ふらふらだった」と記すリングローズと同じだった。「それで、われわれの多くは死にそうなほどの喉の渇きに耐えられず、自身の水をつかうことになった」とポウヴィーが書き添えている。つまり、自身の尿を飲んだということだが、これは健康上まったく勧められないことだった。尿の塩分濃度は海水に匹敵するうえに、尿に含まれている老廃物が臓器障害を引き起こす。しかし、尿で喉の渇きをしのいだ者たちは、結果的にはまだしもましだったというべきだろう。少なくとも十人の仲間が死に、そのなかには操舵手数名と司令官も含まれている。バッカニアたちはリーダー格をいっぺんに失った。さらに十八名も「どうしようもない重傷を負って」倒れているとリングローズが記している。

血の臭いを嗅ぎつけて、スペイン兵が要塞から町へあふれだし、群衆に加わって教会を包囲する。人間の輪縄で建物をじりじりと締めつけられながら、リングローズはシャープの言葉を思い返していた。アリカのどこで戦おうと、必ず痛い目に遭うといっていた、あの予言が的中したと思い、前司令官を頼りたい気持ちになっていた。ほかにも同じ思いを共有する仲間たちがいた。欠点はあるものの、シャープは生まれながらのリーダーであり有能な策士である。この極限状況のなかから生きて逃げるためには、彼を頼みにするしかないと、そう思ったのだ。しかし仲間たちからいくら頼みにされても、シャープは最初のうちは無視を決めこんだ。スペイン人に応戦することで頭がいっぱいだったのかもしれないが、実際は、叛乱《はんらん》により一度は解任されたことをまだ根に持っていたというのが大きかったろう。そこをなんとかと、仲間たちはさらに懇願した。

シャープはしばらく口をつぐんでいたが、やがて命令を出しはじめた。彼の作戦は単純だった。つまり退却だ。四十七人の健康な男たちを、先兵、前衛、側衛、遊軍、後衛に分け、三人の外科医たちに負傷者を避難させるよう命じた。外科医たちはその命令をはねつけたばかりか、ここを立ち去るのも拒否した。要するに飲みすぎてしまったのだ。シャープの経験からいって、それはさほど珍しいことではない。一六六九年にヘンリー・モーガンの船オックスフォード号が火事になったとき、三百人の死者数のなかに、本来なら下船できたのに、単に泥酔していたという理由で逃げられなかったバッカニアが数名交じっている。

外科医たちと、やむを得ず負傷者の数名をあとに残して、シャープと前衛は銃を発砲しながら教会を飛びだした。ほかのユニットも彼らのあとに続いて通りに出ていき、後衛がマスケット銃を連射してアリカの住民を寄せつけないようにする。退却するバッカニアたちにも相変わらず銃弾が飛んできて、埃っぽい空気の四方八方を切り裂く。しかし、それだけの猛撃でもバッカニアたちを抑えるには十分でなく、彼らは彼らで発砲して、逃亡ルートを切り拓きながら、アリカから退却していくのだった。最終目的地は町のへりにあるサバンナだ。そこにたどりついたら海を背にし、前方に控える樹木と土地の隆起で身を守りながら、敵を寄せつけないようにして、ウェイファーたちが大型ボートと四艘のカヌーで救出にやってくるのを待つのだ。

類《たぐ》い希《まれ》な幸運か、それとも敵の射撃の腕がまずいのか、バッカニアたちは一発たりとも銃創を受けずに町を脱出した。アリカの群衆は絶え間なく発砲しながらサバンナまで追いかけてくる。弾は当たらないとはいえ、殺到してくる群れを追い払うのはそれなりに大変で、ボートを呼び寄せるために火を焚くことができない。ところがリングローズがふと見ると、もう誰かが先に火をつけてボートを呼んでいるのだった。町から立ちのぼる、ふたすじの煙を見つめながら、リングローズはぎょっとして凍りついた。酔っ払った外科医たちが脅迫されたか何かで、仲間内の合図をスペイン人に伝えてしまったと考えるしかない。バッカニアが仲間にSOSを知らせる合図をつかって、スペイン人は救出隊をおびき出して奇襲しようというのだ。

沖に出ているトリニティ号の船上から、ダンピアも合図の煙を見ていた。しかしアリカから立ちのぼる、そのふたすじの煙に、彼はどこか違和感を覚えていた。妙だったのは両者の距離だったろう。これはきっとスペイン人が火を焚いたのだろうとにらんだダンピアは、トリニティ号は港に入るのではなく、この場でじっとしているべきだと主張した。しかしボートに乗っている仲間たちは何も疑いを持たずに自ら地獄へ突っこんでいく。

町外れでは、新たに馬に乗ってやってきたスペイン兵の一団が、耳を聾《ろう》する蹄《ひづめ》の音を立てながらサバンナを突っきって、四十七人のバッカニアに向かっていった。しかし妙なことに——通り過ぎてしまった。その理由に気づいて、シャープと仲間たちは胃がねじきれるような心地がした。騎手たちはバッカニアが海に出る道を封鎖して、今や千二百人となった自軍とバッカニアを、スペイン人の将軍の指揮の下、ひらけたサバンナで対決させようというのだ。ポウヴィーによると、そのとき将軍は町全体がすっかり見わたせるモロ・デ・アリカのてっぺんで馬にまたがり、ハンカチを振りながら、「わが勇敢な兵よ、素晴らしく勇敢な兵よ」と、ひたすら叫んでいたという。「われわれのなかに彼を狙って発砲した者もいたが、命中する幸運には恵まれなかった」とポウヴィーが書き添えている。

今となってはシャープも策が尽きた。それでも前進をあきらめてはおらず、できるだけたくさんのスペイン人を倒して華々しく幕を閉じようという。それをきいて、コックス、ポウヴィー、ディックはもちろん、リングローズまでが奮い立ち、「われわれの受けた敗北と失望に返報するのだ」と復讐心を燃やした。かつて蛮勇を振るう男たちを「野蛮人ども」と蔑《さげす》んでいた堅物《かたぶつ》の事務長が、今やその一員となったのである。いかなる量の銀や黄金や宝石よりも兄弟愛に高い価値を見いだしたか、あるいはそこに加わるしか生き残る道はないと思ったか、リングローズも「仲間のために死を覚悟する」戦闘に参加したのである。

四十七人で負傷者たちをぐるりと取り囲み、バッカニアは兵士の海と向き合った。これで最後と覚悟を決めてマスケット銃を構え、次の瞬間、恐ろしいほどの正確さで敵に発砲した。至るところでスペイン兵がバタバタ倒れ、生き残った者たちはちりぢりになって逃げる。しかしそれもほんのわずかのあいだで、敵はすぐにまた集結し、新たに攻撃を仕掛けようとする。そのわずかな間隙《かんげき》にバッカニアたちは弾を再装塡し、第二弾の一斉射撃を開始。さらに数名の敵をあの世に送りこみ、生存者を動揺させた。

スペイン人は退却を始め、胸壁の陰に隠れた。これにより、海が分かれたように退却ルートがひらけた。「今だ！　急げ！」シャープが命じる。そのあいだにも退却ルートを塞《ふさ》ごうと、騎馬隊が全速力で走ってきている。バッカニアはひた走った。湾に近づいたところでシャープはみなに丸石の散らばる海岸線に突っこめと命じた。そこに入ってしまえば、もう騎馬隊は思うように動けない。

狭い砂浜にたどりついたところでリングローズは気づいた。こちらのＳＯＳの合図をスペイン人が悪用したのは幸運だった。そのおかげで、今水際《みずぎわ》でウェイファーと仲間たちがボートを用意して待っているのだ。

25
うずき

「思いあがっていると思われないといいのだが」と、シャープはトリニティ号にもどってから書いた日誌で、まずそう前置きしている。「今回の退却にわたしは大いに貢献したようで、船にもどった仲間たちは異口同音に、わたしがふたたび司令官の座につくべきだといったのである」一月三十一日に司令官の座に返り咲いたシャープは、アリカの住民からよく見えるように、トリニティ号を行ったり来たりさせて航海した。「波止場で目にした三隻の船をおびき出し、交戦に持ちこむ」ためだと、シャープ同様復讐心に燃えるリングローズが書いている。しかし悔しいことに敵の船はまったく動く気配がない。

ダンピアやウェイファーをはじめとする、もっと冷静な人間たちはそれに安堵《あんど》していた。バッカニアたちの息の根を完全にとめようと、今にスペインの軍艦が大挙して現れる。彼らの目には、南海は今まさに沸き立とうとしているように見え、チャンスがあるうちにここから逃げたかったのだ（この問題についてリングローズがどう考えていたか、それを含め、これから数か月にわたる彼の思考はまったくたどれない。二月一日から病に倒れ、当面のあいだ日誌は一切つけていないのだった）。次にどう出るかは会議で決定されるが、蓋をあけてみれば、大半が今手にしている略奪品で満足していることが明らかになった。そうであれば通常は、海賊船の航行はここで終わりとなる。

そこで、アリカの南六百五十マイルのところにある小さな港町ワスコで再補給、すなわち略奪を済ませてから、ダリエン経由で北海にもどることになった。

もうすっかり馴染みとなった南東の貿易風とペルー海流という敵をかなり首尾よくかわして、バッカニアたちは六週間後の三月十二日にワスコに上陸し、何ら抵抗に遭うことなく、フルーツ、野菜、ヒツジ百二十四、ヤギ八十四、飲料水を五百瓶手に入れた。この時期、北へもどるのはまさに絶好のタイミングだ。南東の貿易風とペルー海流が船の航行に有利に働いてくれるからだ。このまま一日あたり百五十マイル近い距離を航行していけば、三週間しないうちにダリエン地峡へ到達できる。

しかしアリカで受けた傷が癒えてくると、バッカニアたちはワスコの成功をもう一度再現したいと思って、心がうずいてきた。三月十七日には南米の海岸を七百マイル北上した地点まで来ていたが、これまでのところ軍艦の帆ひとつ目に入らなかった。そのため、うずきはいっそう激しくなり、またイロに立ち寄って〝再補給〟するのはどうだろうと、そういいだす者が出てきた。よりによって、なぜイロなのか？　仲間たちは首を傾げた。つい数か月前に略奪したばかりで、海賊に対しての守りはどこよりも万全の町ではないか？　しかし話し合ったところ、なるほどイロこそ略奪先として最適だと、みんなの意見が一致した。二度も略奪されるとは、いったい誰が考えるだろう？

蓋をあけてみれば、イロの住民もそんなことは考えていなかった。シャープが仲間を引き連れて三月二十七日の夜に町の寝こみを襲ったところ、銃弾を一発もつかうことなく略奪に成功したのである。この勝利でバッカニアたちのうずきはさらに強まり、略奪の欲求がますます高まった。それと同時に、こんなふうに簡単に成功したことで、耳にしたうわさが本当かどうかも怪しくなってきた。うわさというのは、ペルーの総督が海賊撲滅のために新たな艦隊を組織しているというもので、バッカニアたちのために絞首台を設置し、スペイン帝国のありとあらゆる町角から大勢の兵士が南海に流れこんで、海賊をつかまえようと待ち構えているという。

バッカニアたちはその疑問をイロの住民に投げかけてみた。すると、アリカでつかまったバッカニアたちの多くが「頭を殴打された」と、そう答えが返ってきたとコックスが記している。すなわち〝処刑された〟の婉曲表現だ。しかし三人の外科医は間違いなく処刑されていない。スペイン人が彼らの医療技術を無駄にするわけはなく、おそらく助命を条件にバッカニアたちの計画について知っていることを洗いざらい話せと要求したに違いない。となると外科医たちは、バッカニアはマゼラン海峡経由で南海を去ることになっている（戦闘の時点ではそういう計画だった）と、スペイン人にそう話したはずだった。血に飢えたバッカニアたちがアリカを去って南へ向かったとなれば、スペイン人は、これで海賊問題は解決したと結論を出してガードを緩めることになる。あれ以来スペイン人が海賊撲滅のために協働して動いているという話はまったくきいていないとイロの住民はいう。シャープにしてみれば、それはすなわち南海は開店中ということだった。しかし彼の部下のほとんどは依然慎重な姿勢を崩さず、もしここでシャープがトリニティ号の針路を変更したら、また叛乱の憂《う》き目に遭うとわかっていた。

それから三十日間、トリニティ号が千マイル以上航行を続けるあいだ、スペインの軍艦は一度も現れなかった。それでシャープの案を支持する者が増えた。ディックとコックスもそうだった。彼らからすれば、たとえスペイン人があらゆる軍艦や偵察用のボート、アビソスを最後の一隻まで配置したところで、トリニティ号は、ヨーロッパの面積に匹敵する大海原《おおうなばら》を動く標的であるから、見つかりはしない。最悪、スペイン人に見つかったとして、トリニティ号はいつでも逃げ切れると考えた。しかしダンピアが「もっと有能で経験豊かな男たち」と称する仲間はそれに反対した。最悪の場合はアリカの二の舞になり、こちらが上陸したとたん、スペイン軍に狙われるという。

　確かにアリカは誤算だったと、ダンピアが「下劣な集団」と称するシャープの支持者らは認めた。けれどそもそもアリカ襲撃には絶対反対だと、シャープは明確な姿勢を打ち出していたではないかと、船長に味方する。しっかり偵察を進めれば、今回は攻撃するのに最適な場所、すなわち防備が手薄な場所を的確に見定めることができる。成功すれば、大げさでなく一度で十万ピース・オブ・エイトが手に入り、みんなで山分けすれば、ひとりあたり千ピース・オブ・エイトの取り分になるという。しかし反対派は、それだけ手に入るという証拠はどこにもないとつっぱねる。一年近くも南海を荒らしまわったのだから、あらゆるピース・オブ・エイトはもうどこかに避難させているか、隠してあるはずだと。ところが賛成派は、その隠し場所にこそ、オレたちのチャンスがあるといいはった。

　そんなわけで、論争はどこまでも続き、海上ではほかにこれといった事件もないゆえに、目覚めている時間のほとんどが論議に費やされた。四月十七日、船内でふたたび内戦が勃発する危機が兆《きざ》したところで、コックスが全員を集めて、シャープ船長の提案について詳しく説明した。われわれはこのまま航海を続けて、全員が自分の取り分に満足するまで、スペインの船を襲い続けるのだと。「全員が満足できる十分な金を得るまで全力を尽くす」というシャープが誓った言葉に心打たれて、南海に残って航海を続けることに賛成する者が増えてきた。ポウヴィーもそのひとりだった。ダンピアとウェイファーも航海を続けるのには賛成だったが、シャープ船長のもとでそうすることに納得できない。確かに彼は策士としては優秀だ。アリカ退却の際に見せた手腕がそのいい例である。しかしリーダーとしては、まったくお粗末なのだ。結果ふたりは、「シャープのこれまでの行動にそろって不満を持つ」経験豊かな男たちのほうへ引きつけられた。それと同時にダンピアは、ほんの少し前までシャープを罷免しようと一番大きな声をあげていた者たちが、今は彼を支持する側にまわっている事実に驚いてもいた。

結局ふたつの派閥は折り合うことができなかったものの、ならば投票で決めようという案にはみんなが賛成した。投票で多数派となった側が船をつかい、少数派は大型ボートとカヌーをつかうということになった。結果、シャープの側が勝って、ダンピアとウェイファーは、ほかの四十五名とともにトリニティ号を去ることになった。「これはわれわれの側にとって、すこぶる大きな痛手であり、計画の遂行に支障が出ることになった」と、トリニティ号に残ることにした五十四名から六十名のひとりであるコックスはそう記している。「それでもわれわれは、できるだけ陽気にその損失を受け止め、期待したとおりの略奪品を手にするまでは、この沿岸から決して退《しりぞ》きはしないと心を決めた」この男たちは「完全に覚悟を決め、これまで以上にしっかり団結しようと互いに約束を交わしたのである」と、その仲間のひとりになったリングローズが記している。

その不屈の精神が、まもなく実を結ぶことになる。

第3部　苦　境

26　射殺を覚悟する

離脱組には特筆すべき決まりがあった——「誰であろうと、陸路の行軍について来られなくなった者は、射殺を覚悟しなければならない」。その理由をダンピアが説明している。なぜならジャングルのなかで、スペイン人はわれわれをとことん追跡するはずで、「ひとりが連中の手に落ちたら、われわれ全員が破滅するのである」と。ダンピアはその決まりに同意した。若く健康なウェイファーも同意したが、まさかそれをあとになって後悔するとは思いもしなかった。

この一団を構成する「有能で経験豊かな男たち」は、自分たちのリーダーとして、ジョン・クック（主人のエドモンド・クックを男色の罪で糾弾した従者、ウィリアム・クックとは関係ない）を選んだ。クックはカリブ海出身で、イングランド人の両親の下、セント・クリストファー島で生まれた。もとは立派な商船の船長だったが、一六七九年にキュラソー島（ベネズエラ沿岸沖）の近くで、自分の船を捨てることを余儀なくされた。スペインの沿岸警備隊の巡洋艦から逃れるためだった。普段はあまり人を褒めないダンピアが、彼のことは「非常に頭が働き」かつ「賢明である」と記している。

一六八一年四月十七日の朝、プラタ島（赤道近く）の北西十二リーグの地点で、クックの一団はトリニティ号を去る準備をととのえた。船に残る仲間たちと友好的に別れた総勢四十七名の離脱隊は、小麦粉、チョコレート、砂糖を含む補給品を十分に得ることができた。さらに奴隷も五人連れていく。これも遠征の分け前だった。ダリエン地峡を渡るためには、まずは海を二百リーグ、大型ボート一隻と二艘のカヌーという寄せ集め船団で進んでいかねばならない。カヌーの一艘は、つい最近のこぎりでふたつ割りにしてバンキンに転用した。バンキンというのは、ダンピアの日誌によれば「水を運搬するための舟」とのこと。以降、この一団の旅の行く末を知るには、彼の日誌だけが頼りとなる。この期間について日誌をつけていたのはダンピアひとりだからだ。二艘目のカヌーに耐水処理を施《ほどこ》して帆をつけると、その心許《こころもと》ない船に乗りこんで一行は朝十時に出発した。

最初のうち、船を進めるだけの風は吹かなかったが、昼に入り、もうトリニティ号にもどるには遅すぎるという時点になって強風が吹きすさび、継ぎはぎだらけのカヌーで荒海を二百リーグ渡る無謀さを、いやというほど思い知らされた。大型ボートも浸水して沈没の危機にさらされる。海に浮かせておくために、男たちは古革を切り刻み、工夫を凝らして船体に貼りつけた。その甲斐あって、日が落ちるまでには五十マイル余りの距離を稼いだ。

大嵐の悲惨な夜が明けて、また無風の朝がやってくると、バッカニアたちの目にさらに大きな危険が飛びこんできた。スペインのバーク船だ。場所は赤道を二十マイル南下したパサド岬の近く。錨《いかり》をおろして停泊しているのを確認すると、クックはその船にチャンスを見いだした。もっとよく見ようと湾内に入っていくと、船には木材が積まれており、乗員のほとんどは陸にあがっているとわかった。海賊が付近を通ることを考慮に入れなかったらしい。この船を奪うのは、居残っている乗員と戦うこと以上の危険がある。可能なら、スペイン人にはつねに近づかないようにするというのが、この離脱隊のもうひとつの決まりだった。しかしこのバーク船を手に入れれば、船団がアップグレードするだけでなく、材木を扱うスペイン商船の平凡な乗員になりすますこともできる。バッカニアたちは船を攻撃して乗り移った。結果、船団のアップグレードが叶ったばかりか、重要な情報を提供してくれるスペイン人捕虜数名も手に入れたのだった。

それから六日かけて、新しいバーク船で二百五十マイルを航行し、かつて根城にしていたゴルゴナ島に寄港した。水を入手し、必要なメンテナンスをするためだ。以前同様、島はヘビの魔窟だったが、それだけに、百人は収容できそうな新たな建物が建造されているのを見て驚いた。スペイン人だ、とバッカニアたちは思った。入り口上部に、大きな十字架がかかっている。捕虜のスペイン人たちには、その建物の用途がはっきりわかっていた。スペイン兵の兵舎である。今に兵士たちが現れてイングランド人を絞首刑にしてくれるだろうと捕虜たちが望みをかけたのは間違いないが、それについては一切だまっている。

建物内がからっぽであることをクックと仲間たちが確認して初めて、捕虜たちが「たまたま思い出した」情報が、極めて重大なものになった。すなわち、いつかイングランド人が船の修理のために立ち寄るのを見越して、本土から二日か三日おきにスペイン兵がここにやってくるというのだ。バッカニアを見つけ次第、そのニュースを兵士たちが大急ぎでパナマへ伝える。パナマには海賊を狩る三隻の軍艦が準備万端で待っているのである。

結果、バッカニアたちはゴルゴナ島滞在を早々に切り上げて、翌日四月二十五日に島を去った。その日は生憎《あいにく》の豪雨となった。それで、これから地域一帯が雨期に入ることをバッカニアたちは知った。雨期にダリエン地峡を徒歩で渡るのは非常に危険だ。しかしスペイン人と悪天候のあいだに挟まれた今、とにかくダリエンにたどりつければ、それだけでもうれしかったことだろう。それから数日、「過剰な雨」が一行をびしょ濡れにした。四月二十八日、雨がやんで広がった靄《もや》を透かして、バッカニアたちは五マイル西に二隻の船を認めた。捕虜によれば、あれはゴルゴナ島とパナマ湾のあいだを巡察しているスペインの軍艦で、二隻の船に三百五十人の乗員と三十門の大砲を分乗させているという。

もし追いかけてこられたら、バーク船を陸近くに避難させ、山に入ろうとバッカニアたちは心を決めた。馴染みのないひどく荒れ果てたジャングルに入ることになるだろうが、少なくとも生き残るチャンスはある。しかし、ありがたいことにその逃亡計画を遂行する必要はなかった。スペイン軍艦は相変わらず前方にとどまっていたのだ。靄が隠れ蓑《みの》になってくれたか、あるいはスペイン商船に乗りこんだのが幸いしたか。いずれにしても、みな大きく胸をなでおろしたのだった。

四月三十日、トリニティ号を出て十四日目となったこの日、一行はサン・ミゲル湾が見える場所までたどりついた。一年前、サンタ・マリアの町で略奪に成功したあと、あの湾から出てきたのだった。今回はそこに流れこむ川が、逃亡ルートとなる。しかし偵察を出したところ、残念ながらその河口は、兵士を満載したスペイン船が警護にあたっているとわかった。みんなは当然打ちひしがれたが、いずれスペイン船は移動するだろうと期待して望みは捨てなかった。

二度目の偵察にはダンピアも参加し、カヌーで河口まで出かけた。着いてみれば、スペイン船は去っていないばかりか、バッカニアの存在にも気づいているようだった。スペイン船から兵三人がカヌーに飛び乗って、急いでこちらに向かってきた瞬間、それがはっきりわかった。ダンピアたちはすぐ逃げだした。小島をぐるりとまわり、カヌーを岸にあげて隠れ場所をさがす。追跡者の目には、獲物は湾に入っていくと映ったに違いない、とダンピアたちは考えた。ところがスペイン兵の乗ったカヌーはまっすぐこちらの島へやってきて、急いで岸にあがった。ダンピアたちが隠れ場所で息を詰めて待っていると、まるで獲物がどこに隠れているかわかっているように、下生えをザクザク踏んで、どんどんこちらへ近づいてくる。あっというまに七十五ヤードまで距離が詰まり、こちらの射程範囲に入ったところで、ダンピアたちは銃を発砲することなく、奇襲をかけて三人を取り押さえた。

それから捕虜にした人間を尋問にかけ、スペイン人の計画をさぐりにかかる。スペイン船とそれに乗りこんだ百五十名の兵は、川の河口に六か月前から駐屯していると捕虜はいった。彼らには、北海にもどってくるイングランドの海賊を途中で取り押さえるというはっきりした目的があり、これから二十四時間以内に、さらに三百名が加わるという。なおまずかったのは、このあたり一帯の先住民は今、スペイン人に協力しているという事実だった。それというのも、地峡を渡るにはどうしても案内役が必要だったからだ。つまり、離脱隊はサンタ・マリア川を脱出路にはできない。

偵察隊がこの知らせを携えてバーク船にもどってくると、だったらどうすればいいのか、仲間内でいい争いになった。ダンピアは、ほんの十マイル西に進んだ、湾の突端にあるコンゴ川をつかおうと提案した。しかし仲間たちは誰ひとり耳を貸さない。その河口はサン・ロレンソ岬の近くにあり、かつてバズ・リングローズのカヌーがそこでつかまったものの、スペインの兵士たちによって解放された場所だと、ダンピアはみんなに思い出させる。コンゴ川ルートなら、地峡の大部分をカヌーで進むことができ、ジャングルと格闘するよりよっぽどいい。ところが仲間たちは話に乗ってこないばかりか、そういう川の存在さえ信じようとしない。ダンピアは苛立《いらだ》った。

結局一行は、もっと北上してから地峡を渡るということで落ち着いた。一晩中船を走らせて――ダンピアが驚いたことに幅一マイルほどのコンゴ川の河口を見ながら通り過ぎてしまった――サン・ロレンソ岬の四マイル先に上陸した。そこは恐ろしいジャングルで、一年前に、まるで孤島に置き去りにするようにスペイン人捕虜をおろした場所だった。みなは衣類や食料の荷作りを済ませ、いざジャングルへ徒歩旅行に出発する。総距離はダンピアが提案したルートよりも五十マイル長い。これに比べたら、海での二週間は快適なクルージングに過ぎなかったといえる、世にも過酷な旅の始まりだった。

案内人なしでは、北海にたどりつける見こみはゼロに近いとわかっている。そのため、何よりも先に民家さがしを始めた。もちろん、見つけて訪ねたところで、毒を塗った吹き矢か矢が飛んでこないという確証はない。どこへ行っても樹木や滝のような雨ばかりで、まるで嵐雲をふたつに割ったように、ずっと土砂降りが続いている。強風にあおられて落ちた木々の枝が、そこらじゅうに散らばっていて、歩きにくいことこのうえなく、足が遅れがちなメンバーは、ついてこられない者は誰でも射殺するという、この隊の決まりを思って気を揉んでいた。一年も船上で暮らし、そのあいだ栄養状態はつねに悪かったから、みな等しく、長期にわたる活動にはなんであれ耐えられない身体になっている。ましてや、地球上最も踏破するのが困難なジャングルを歩く体力などさらさらない。ここは小屋でも建てて、嵐がやむのを待ったほうがいいとクックは決めた。

実際そうしてみたところ、翌朝は晴れて、ふたたび案内人さがしに出ることができた。たまたま目に入った小道をたどっていくと、先住民が暮らす小さな村に着いた（例によって、日誌には「インディアン」としか書かれていないが、おそらくクナ族だろう)。村人は温かく迎えてくれ、女たちはビールに似たチチャ・コーパーという飲料をヒョウタンになみなみと注いだものを勧めてくれ、男たちは有能な案内人について、進んで詳しい話をしてくれる。そのうちのひとりが、手斧と引き換えに、その案内人の家まで連れていってやろうといいだした。バッカニアたちはそれを受け、翌朝、八マイル先にあるというその家をめざし、山登りに近い徒歩旅行に出発した。

ここでもまた数名の足に遅れが出て、一番遅い者が勝手に集団からはずれてジャングルの奥に消えた。そうすれば、少なくとも生き残るチャンスがあると思ったのだろう。「われわれの目をくらまして逃げた」とダンピアが書いている。残された仲間たちは、スペイン人より先にジャガーが彼を見つけてくれるよう祈るしかなかった。

結局一日がかりで、コンゴ川の土手に建つ案内人の家に到着した。村人たちと違って、この案内人は「じつに流暢《りゅうちょう》なスペイン語」を話したが、残念ながら、そこから北海へ出る道についてはまったくわからないという。それをきいて、ダンピアの胸に疑念が兆《きざ》す。その代わりサンタ・マリアへ案内するとその男がいいだすと、やはりそうかと了解した。そこへバッカニアたちを連れていけば、スペイン人から大金が支払われる。非常にわかりやすいからくりだった。冗談じゃない、誰がサンタ・マリアになど行くものか。しかし案内人はほかにいない。それでこの男を味方につけようとしたものの、それがかえって相手の怒りを買ってしまい、こっちは「あんたたちの味方じゃない」ときっぱりはねつけられてしまった。

同じ買うなら友情を買おうと思い、ビーズ、硬貨、手斧、マチェーテ、カトラスといった、所持品のほぼすべてを目の前にずらりと並べ、全部まとめて勧めてみるが、男は乗ってこない。しかしその妻が、バッカニアのかばんに入っていた空色のペチコートを気に入った。夫と激しい論争をした結果、妻は新品のペチコートを自分のものにし、クックは案内人を得ることになった。ふいに男が、地峡を横断して北へ向かう道を思い出したのだ。が、それと同時に、自分は足に怪我をしていて長くは歩けないことも思い出した。それでも、もしそのペチコートをもらえるなら、ここにあんたたちを連れてきた男に、また別の案内人の家まで行く経路を教えてやろう。その案内人なら、あんたらを北海へ連れていけるだろうと男は請け合った。

これ以上に怪しい申し出はないと、さすがのバッカニアもわかってきた。けれどもそれを断ったら、あとは男に背を向けて南海へもどるしかなく、それはすなわち敵と正面衝突することに相違ない。スペイン人も今頃はもうこちらの足取りをつかんで追跡しているはずだった。バーク船はサン・ロレンソ岬で沈没させたものの、これまで見てきた限り、ダリエンのこの地域には日和見主義が蔓延《まんえん》しており、バッカニアの足取りに関する情報が、スペイン人に売られていないとはとても考えられない。最初の案内人に報酬としてもう一本手斧を渡すと、バッカニアたちはふたたび彼のあとについてジャングルに入っていった。とにかく、一刻も早くスペイン人と距離を離したかった。

翌日は朝こそ晴れたものの、午後になってまた降りだした。けれどこのときにはもう天気など気にしていられなかった。前進を続けるために十五分おきに川を渡る必要があったからだ。翌日、無視できないほどの大雨になり、午後のまるまると夜の半ばまで、激しい雨が男たちの全身に打ちつけた。泥に足を取られて速度が落ちること以上に、急斜面で加速するのが困ったものだった。寝るために粗末な小屋を建ててはみたものの、水を締め出すことはできなかった。小さな火を焚くのも大仕事となり、濡れた衣類を乾かすことはできず、身体も温まらない。痛いほどの空腹を抱えていなければ、もう少し耐えやすかったかもしれない。それでも土砂降りの雨にはひとつ利点があって、「スペイン人のことはめったに頭に浮かんで来なかった」とダンピアが書いている。

こういった状況では、火薬を湿らせないようにするのは難しい。まぁちょっとした悩みの種といったところだが、このときばかりは、それがもとでライオネル・ウェイファーの人生が大きく変わってしまった。ウェイファーはこのとき地面にすわっていたのだが、そのすぐそばで、銀めっきの皿に火薬を置いて乾かしている人間がいた。そこへ火のついたパイプを持った男が通りかかり、くすぶっているタバコのかけらが火皿から落ちた。ほんのわずかな量だったが、それと接触したことで火薬が爆発し、ウェイファーの膝に火の玉が飛んできた。炎が片膝の組織をほぼ食い尽くし、膝蓋骨《しつがいこつ》を露《あら》わにした。火から逃れてみると、腿《もも》の大部分が重度の火傷《やけど》を負っており、膝を中心に片脚の肉がほぼすべて壊死《えし》していた。

ウェイファーの医療道具一式には痛み止めの軟膏や消毒剤も入っていたから、傷の手当をすることはできた。けれど普通に歩くのもつらいのに、これから数日かけて荒れたジャングルを踏破するのは地獄の苦しみだろう。しかし、この隊の決まりを思い出すに至ってウェイファーは、今にきっと仲間のひとりが自分のために銃弾を処方すると考え、それからは「死に物狂いで歩き続けた」。しかし皮肉なことに、この事件がきっかけとなって、ウェイファーの存在はこの隊に欠かせないことにみなが気づいた。つまり、医者がいなくなっては、みんなが困るのだった。

ウェイファーの歩みを助けるため、一行は「彼の荷物を奴隷に持たせることにした」とダンピアが記している。奴隷はすでに、各自バッカニアひとり分以上の荷物を運んでおり、ジャングルを踏破するのは苦行に近い。そこへきて豪雨を浴び、泥に足を取られるのだから、医療道具一式の重量を追加で担うとなれば拷問を受けるに等しい。夜のあいだは「つねに見張りをふたり立てることにした。でないと奴隷にいつ寝首を掻かれるかわからないからだ」とダンピアが書いている。当然だろう。

見張りを立てたにもかかわらず、五人いた奴隷のうち四人がその夜に逃亡した。ウェイファーのマスケット銃と、彼が遠征で得た全収入であるピース・オブ・エイトを持っていかれた。さらに包帯を替えようとして、ウェイファーは医療道具一式も盗まれたのに気づいた。「それで以降、傷に包帯を巻くことはできなくなり」、痛み止めもつかえなくなったとウェイファーは書いている。いずれにしても彼は、まもなくこの隊を去らねばならないようだった。しばらくのあいだは力を振り絞って前進し、ほぼ落伍しかけているふたりと足並みをそろえていた。そのふたりとは、ロバート・スプラトリンという船乗りと、ウィリアム・ボウマンという元仕立屋。ボウマンは以前から「病弱な男」と見なされていた。

即席の杖をつかって、負傷した脚に体重がかからないようにはしたものの、これがかえって進行の邪魔になることもあった。流れの速いコンゴ川を何度も渡らねばならず、毎回へどろに杖をついて、不安定な姿勢で激流に耐えねばならない。そういう川渡りの最中に、バッカニアのひとりジョージ・ゲイニーが流れにひっくり返された。ジャングルに入って八日目のことで、茶色の水にすっぽり呑みこまれてしまった。仲間たちは彼を見つけることができず、ほかにどうしようもないので、先へ進んだ。おそらくゲイニーは重たい背嚢《はいのう》で水中に押さえつけられているのだと、みんなは想像した。背嚢のなかには、ほかの荷物といっしょに三百ピース・オブ・エイトも入っており、それだけでも総重量は二十ポンド近くある。ウェイファーのピース・オブ・エイトは盗まれていたから、ゲイニーと同じ運命をたどることはない。それだけは彼も安心することができた。

そしてとうとうバッカニアたちは新たな案内人に会うことができた。珍しいことに、今度は何のからくりもない。ただ、年配のガイドは優秀に見えたが、川を迂回する道は知らなかった。それでバッカニアたちは歯を食いしばってコツコツ歩いた。自分たちが今どこにいて、あとどれだけ歩けばいいのか、何もわからないままに、その日と翌日のほとんどを雨に打たれて過ごした。「尋常ならざる豪雨」だったとダンピアが記している。「稲光が何度も空を切り裂き、雷鳴が恐ろしげに炸裂した」夜の見張りを立てる必要もなかった。誰ひとり眠れないからだ。

地峡渡りも十日目に入ったその日、ウェイファーは、自分と同じように遅れを取っているスプラトリンとボウマンとともに川岸に立ち、案内人とほかの仲間たちが格別激しい流れを難なく渡っていくのをじっと見守っていた。次は自分だと、ウェイファーは一歩を踏み出した。しかし水に入るが早いか激流が襲いかかってきた。闇に突き落とされ、流れに押し流され、そのまま失神するかと、見ている仲間たちは思った。しかし、ぱっくりあいた傷口と露わになった膝蓋骨に、倒木の枝と川床のとがった岩が突き刺さり、正気を失わずに済んだ。

川の曲がり角に渦《うず》を巻いている場所があり、そこで気力を取りもどしたウェイファーは死に物狂いで岸へ這いあがった。事後には愚痴ひとつこぼすことなく、「自分は渡りきった」とだけ記している。しかしこの顛末《てんまつ》にスプラトリンとボウマンはすっかり縮みあがり、川を渡ることをあきらめて脱退することにした。仲間とのあいだに激流を挟んでいる今だからこそ選べる選択肢であり、そうでなかったら射殺されていただろう。そういう意味でふたりはウェイファーより幸運だった。彼にはもう、そういった選択肢は残されていない。

27　積み薪

一六八一年五月、まだ海を航行している六十名のバッカニアたちの毎日は、ダリエン越えをしている離脱組よりも比較的順調だった。「人員も武力も一気に減ったが、われわれの意欲はまだ衰えていない。行く先々で多くの失望を味わってきたが、今度こそはなんとかして目的を達成できると希望を持っている。目的とはすなわち、みなが大金持ちになることである」トリニティ号に残ったディックが記している。

リングローズは、「これまでのところ陸上でのわれわれの企《くわだ》ての大部分は、まったく不首尾に終わった」と分析している。シャープも同意見で、彼はターゲットを商船に移すことを提案した。それならバッカニアの強みを生かした戦略がつかえるし、敵の奇襲も避けられるというのだ。ほかの仲間たちも賛成し、一行は赤道の南の商船が通る航路をターゲットにすることに決めた。

しかしその前に、船を傾けての清掃が必要だった。ほぼ一年近く放りっぱなしにされていたトリニティ号は目を覆いたくなる惨状を見せていた。さらに船のリフォームも必要で、戦闘や乗船の邪魔にならないよう甲板を改装したかった。具体的には、船首楼を取り除いて後甲板をおろすという作業になる。残念ながら、現在船に残っているメンバーではそこまで大がかりな工事はできない。

しかし五月八日に傾船清掃の場を求めてニコヤ湾（現在のコスタリカにあたる海岸を半ば北上した

ところにある、くの字形に曲がった入り江）をさがしまわっていると、たまたま運よく、活気に満ちたスペインの造船所が近くにあるとわかった。

シャープは二十三人の部下を引き連れて造船所に向かい、われわれの仲間に加わらないかと、「友好的な」招待状を大工のかしらに差しだしたとコックスは書いている。しかしシャープの日誌に綴《つづ》られた新兵徴募の顚末《てんまつ》からすると、友好的にはほど遠い。彼は部下を引き連れて造船所にずかずかと踏みこみ、大工たちを寝床から引きずりだすと、大工道具や鉄製部品、そのほかの「必需品」ごとかっさらって、そこを去ったのだった。必需品とシャープが書いたもののなかには、ワインとブランデー合わせて六本が含まれており、後者を飲みすぎたスコットランド人のバッカニア、ジョン・アレグザンダーはドリー（平底小舟）に大工道具や鉄製部品など荷を積みすぎてしまった。そのためトリニティ号にもどる途中で舟は沈み、アレグザンダーは溺死した。にもかかわらず、それから二週間でスペイン人の大工たちはシャープの望んだとおりにトリニティ号を改装した。船の速度と敏捷性を向上させるためのさまざまな改良にくわえて、マストも安定させた。シャープは感謝のしるしに大工たちを解放し、特別手当として、最近捕獲したバーク船を与えた。

このリフォームではしかし、思わぬ痛手を被った。スペイン語を流暢《りゅうちょう》に話すオランダのバッカニア、ジェイムズ・マーキスが大工たちとずいぶん親しくなり、心を奪われた地元の女性とともに彼らの仲間になってしまった。遠征での自分の取り分である総額二千二百ピース・オブ・エイトを置いていったものの、バッカニアたちの計画をスペイン人に暴露する可能性を考えれば、残された者たちには、ささやかな置き土産としか思えなかったろう。くわえてマーキスは通訳を務めており、手放すのが惜しいほど優秀だった。幸いなことに「われわれにはまだミスター・リングローズがいる。彼は機略の才に富み、数か国語を非常に流暢に話すのである」とコックスが記している。

改良は済ませたものの、トリニティ号にはまだ傾船清掃が残っている。これは本来難しいものではなく、時間さえかければ終わる仕事だ。しかしマーキスがスペイン兵に情報を流す前にニコヤ湾から大急ぎで逃げだす必要があったから、バッカニアたちは百四十マイル南に下ったドゥルセ湾まで行き、そこで船の清掃を行った。これで一難去ったと思っていると、ふいに竜巻が発生してトリニティ号の錨鎖《びょうさ》が断ち切られ、船は海岸に押しやられた。ところが幸いなことに、潮は満ちていたものだから、六月二十八日にはついに海へ出て、トリニティ号はふたたび海賊行為を再開したのだった。

それから二週間近くが過ぎた七月十日の昼、赤道の北百マイル近辺でバッカニアのひとりが帆を認めた。こういうときのために一か月かけてリフォームした甲板を、みなは戦闘準備のために片づけ、早速追跡を開始した。午後のあいだに獲物の正体を見極められる距離まで接近すると、その船は十四か月前にシャープがパナマ湾で捕獲したサン・ペドロ号だとわかった。あのときはあの船から、ワイン、火薬、約五万ピース・オブ・エイトを略奪したのだった。

今回サン・ペドロ号は、「ずっしりと貨物を積んでいた」とリングローズが書いている。「それが証拠に、船体が海に沈んでいるのがはっきり見えた」問題は、バッカニアの数が激減しているのに対して、サン・ペドロ号は山ほどの乗員を乗せており、戦闘に適した男たちが四十人も交じっていることだった。しかし、あちらはバッカニアの数が減っているとは夢にも思わない。トリニティ号の掌帆長がホイッスルを吹いて「全員集合！」の合図を出せば、バッカニアたちが大急ぎで甲板に走り出てきて持ち場につき、マストの高いところに人がそろうと同時に索具装置が一斉に息を吹き

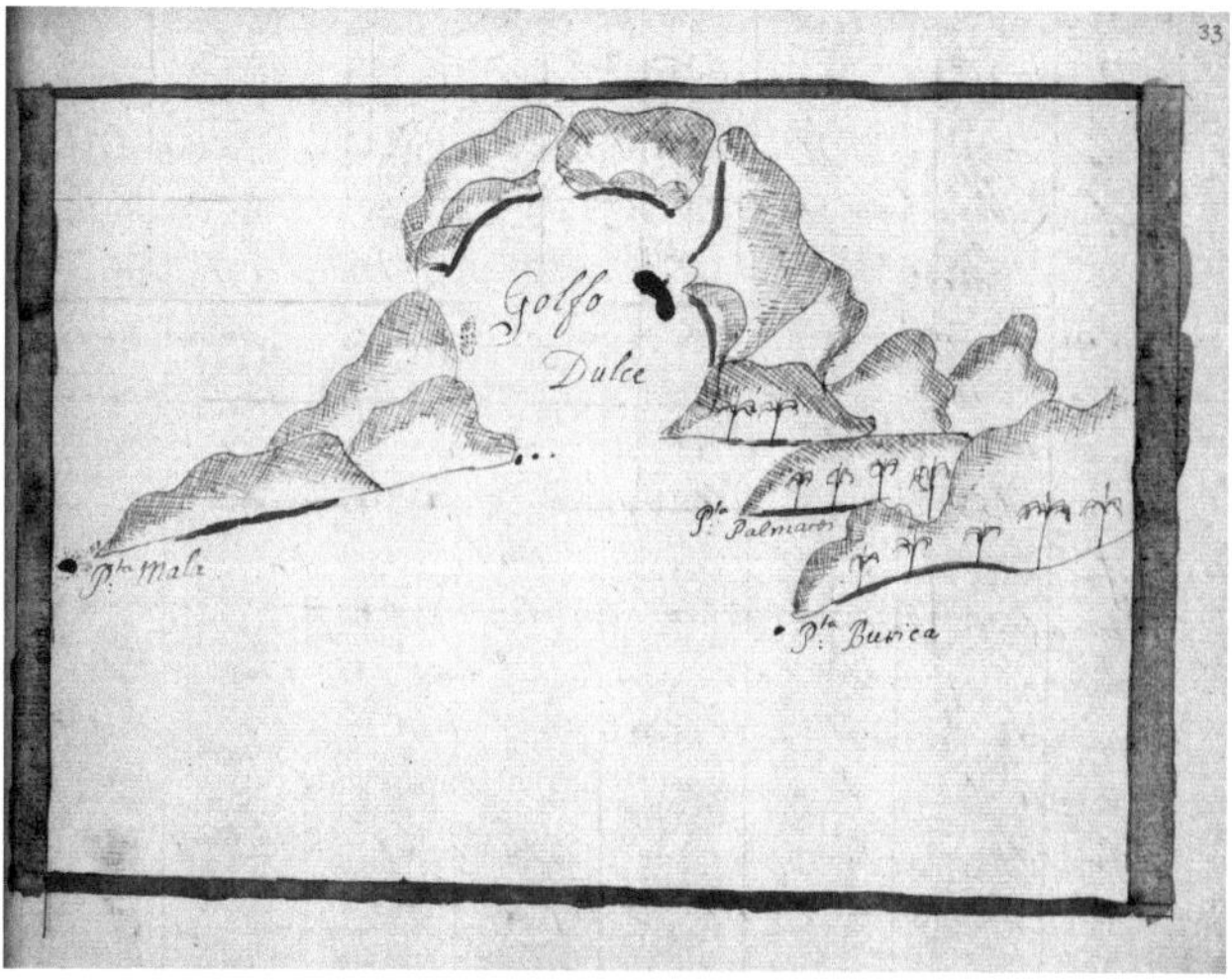

バジル・リングローズの描いたドゥルセ湾の地図

返す。そうしてトリニティ号が射程範囲まで近づいてくれれば、サン・ペドロ号に乗った四十人のスペイン兵はもう立ったままじっと見ていることはしない。射撃の名手である海賊がひとり、マストのてっぺんに立とうものなら、全員が一番近い隠れ場所へ突進するのは間違いなかった。

その後の戦闘については、「われわれの偉大なる船は敵船と対戦し、夜八時頃には勝利したのである」とリングローズが書いている。ほかの日誌記録者たちも、ほぼ同様のことをもっと少ない語数で記している。要するに、パナマ湾の戦いのときと同様に、シャープはスペイン人に降伏の合図として帆を下げるように命じ、敵はそれに応じて、自船の甲板にバッカニアたちをあげたのである。

サン・ペドロ号の船倉で、バッカニアたちは高価な積み荷を発見した。ココナツ、絹、布、長靴下、八つの長持に収められたピース・オブ・エイト——合計二万一千——と袋に入った一万六千ピース・オブ・エイトである。金だけでも、ひとり頭《あたま》五百ピース・オブ・エイトの取り分となり、これはまっとうに働いて得られる収入のざっと五年分に相当する。今回の収穫を見てバッカニアたちは、行く先々で味わった「多くの失望」は、こうして実を結ぶのに必要な、勤勉と忍苦であったと考え、このまま略奪を続けようという意志をいっそう堅固にしたのだった。

一方ダリエンでは、遅れを取る者は誰でも射殺という決まりを思い出したウェイファーが、離脱隊に加わることにした自分の決断についてふりかえっていた。そもそものはじめに、ポート・ロイヤルでの医業を捨てず、海賊にもならなかったら、どうなっていただろう。あのとき自分は何を考えていたのか？　昔から、あえてリスクを取る傾向はあった。あちこち旅をしてまわる生活は子ども時代から身に染みついている。一六六〇年にスコットランドで旅まわりの両親の下に生まれ、幼い頃はスコットランド高地地方、ウェールズ、アイルランドを行ったり来たりしていた。十代後半には商船に乗って、ジャワ島、スマトラ島、ボルネオ島へ旅に出た。仕事は船医助手。患者にラブラリー（濃い粥）を出すのが主たる仕事であるために、ラブラリーボーイと呼ばれていた職種だ。

一六七九年、十九歳でふたたび床屋医者として――当時は床屋も医者も仕事はほぼ同じだった――貿易商船に乗り、今度はジャマイカへ向かった。船長はバッケンハムという男で、ロンドンでは「紳士」であり、「信頼に足る船長」だと評判を取っており、貿易と農園を統率する役人に見こまれて西インド諸島の植民者への連絡役と砂糖の運搬を任されていた。バッケンハムはウェイファーをはじめとする乗員を連れて、旅の目的である砂糖の製糖準備がととのう前にジャマイカに到着した。それでバッケンハムたちはカンペチェ湾まで航行してロッグウッドを貨物にくわえることにした。このときウェイファーは兄に会うために、ユカタン半島を目にできるチャンスをふいにした。兄はジャマイカの砂糖農場で働いていたのだった。この選択がまさに幸運だった。というのも、カンペチェ湾に向かったバッケンハムは、盗んだロッグウッドの不正取引をしたとしてスペイン海軍に逮捕され、メキシコのパン屋に奴隷として売られたからだ。いっしょに逮捕されたものの、なんとかして逃げだした乗員がウェイファーに語った話では、バッケンハムは足を鎖で丸太につながれて通りに出され、日がな一日パンを売っていたという。海で生計を立てようとする者なら誰でも、教訓にしたい逸話だった。

ウェイファーも、さすがにもう陸に根をおろそうと考え、兄の力添えもあって、ポート・ロイヤルのある家に落ち着き、外科医として定職についたのだった。しかし、それからわずか数か月後、気がつけば、ふたりのバッカニアから話しかけられ、いつのまにか就職面接をされていた（ウェイファーはバッカニアではなく、もう少しきこえのいい私掠船《プライベーティア》の船員という用語をつかっている）。話しかけてきたのは、エドモンド・クックと、リンチという名の船長だ。バッカニアの船長にしてみれば、外科医はいくらでも欲しかった。船員の職業病といっていい壊血病や梅毒の治療はもちろん、海賊の労働災害においても外科医は必要不可欠だからだ。しかし当然ながら、通常雇い入れる借金持ちややくざ者、穀潰しや無宿者といった、失うものは何もない輩《やから》と外科医は違うから、簡単には雇えない。それでいて、もし船長が医者を乗せずに港を出発しようとすれば、船員たちの士気は一気に下がる。そういう船では医者の仕事を船大工が肩代わりすることになるからだ。医者の技術と道具は、大工のそれと重なる部分がある。少なくとも料理人より大工のほうが医者に近い。四肢の切断手術には、船体からフナクイムシにやられた部分を切り取るのにつかったのこぎりをその

新兵徴募

まま流用する。そんなわけで、捕獲した船の乗員を全員解放しようと船長が決めたとしても、そのなかに外科医は含まれない。同様に、港で外科医と出会った船長は、いっしょに船に乗りこんでもらうという選択肢以外を相手に与えない。そういう状況の犠牲となって、自分はクックとリンチに連れていかれたと、そう暗示する書き方をウェイファーはしている。海賊と手に手を取って冒険に飛びだしたと書くより、そちらのほうが確かに外聞はいい。いずれにしても、離脱隊とともに地峡を越える旅のさなかで、あの日診療所から一歩外へ出たことをウェイファーが悔やんでいたのは間違いないだろう。

一六八一年五月十日の時点で、一行がどこまで進んでいたのか正確に知るのは難しいが、その日ウェイファーは、「自分はもうこれ以上進めない」とわかったという。バッカニアたちも誰ひとり、自分たちが今どこにいるのかわからなかったはずだ。しかし、さすがにここまで来れば、ウェイファーがスペイン人の手に落ちて、一行が北海にたどりつくチャンスを失うことはないと思えた。それでウェイファーはクナ族の村に残されることになった。さらに同じように、みんなの足手まといになっていたふたりもいっしょに残る。熟練船員ジョン・ヒングソンと、ロンドンで薬剤師になるためにそれまでの学問の世界を捨て、やがて海賊になった元学者のリチャード・ゴプソンだ。

この展開は、イングランド人三人にとって理想的なシナリオにはほど遠い。闇と敵意に満ちたジャングルの奥地に無期限に放置されて、あとはもう村人の好意にすがって生きていくしかないのに、村人たちはなぜか自分たちを目の敵《かたき》にしている。「こちらを下劣な人間と見なす者もいて、縮こまって震えているわれわれに、青く未熟なプランテーンを放り投げて寄越《よこ》すのである。犬に骨を投げるのに変わりなかった」とウェイファーが書いている。少年時代にウィリアム・ライトの私掠船《しりゃくせん》に乗っていたクナ族の男、ジョン・グレットの話が村人に広まっていることも考えられた。イングランド人の奴隷商人の手にかかって時期尚早な死を迎えた男の顚末が、このダリエンの地峡に伝わっていてもおかしくはない。いずれにしろ、ウェイファー、ヒングソン、ゴプソンにとっては、たとえ敵意を向けられながらでもこの村にいたほうが、旅を続けるよりも安全なのは間違いない。雨期が終わる四か月後に、また北海へと徒歩の旅へ出ようと三人は心を決めた。

しかし、そんなに長く生きていられるかどうか、ウェイファーは自信がなかった。傷の手当をすることも、痛み止めで苦痛を和らげることもできないままに、クナ族の呪術医に身を任せるしかない。幸いなことに相手は治療を引き受けてくれ、薬草を口中で噛《か》んでペースト状にしたものを膝の傷に塗ってから、その上をプランテーンの葉で覆ってくれた。

村人は誰ひとり英語を話せなかったが、スペイン語を話せる若者がひとりだけいた。少年時代にスペイン人の捕虜にされ（最終的には逃げおおせた）、そのときに言葉を覚えたという。ウェイファーとふたりの仲間が話すカタコトのスペイン語であっても、その若者とのあいだに友情を育むには十分で、真夜中に追加でプランテーンをこっそり分けてくれるほどまで仲良くなった。彼がいなかったら、三人は飢え死にしていただろう。

この若者はまた、どうしてウェイファーたちがほかのクナ族から温かく迎えられなかったのか、その原因にも光を当ててくれた。北海に向けて村を出発したとき、クックの一団は村人ふたりを案内人として無理やり旅に同行させていた。そのふたりの消息がいまだにわからないので、きっとクックたちが、スペイン人に余計なことをしゃべらぬよう彼らを殺したのだろうと、みんなそう考えているという。蔑《さげす》みを露《あら》わにしながらも、それでも村人たちはウェイファーの世話を続けた。到着から三週間近くにわたって、毎日新しく湿布をしてくれたのだ。その甲斐あって、まだわずかに力が入らないという後遺症は残ったものの、驚いたことにウェイファーの傷は「完全に治癒」したのだった。

しかし、村人ふたりが依然として北海からもどってこないため、「われわれの仲間が彼らに危害をくわえたと考えて」、クナ族は「復讐をしようと心を決めたらしい」。村人のなかには、殺してやらねば気が済まないと考える者や、スペイン人に取り入るために、イングランド人を引き渡そうと考える者もいた。幸いなことに、残忍なイングランド人以上にスペイン人を嫌っているクナ族が大半だったから、後者の案は却下された。それでも前者の案にはやはり心引かれるらしく、イングランド人を殺して復讐を果たすことが決まった。何しろクックの一団が出発してからもう二十日も経っている。どんなに遅くなろうとも、北海到着にそれより多くの日数がかかるはずがない。復路に要するのは最大でも十日と考え、案内人として連れていかれたふたりが、もしそれまでにもどらなかったら、ウェイファー、ヒングソン、ゴプソンを処刑すると決めて、村人たちは火あぶりの刑につかう積み薪を用意しはじめた。

数日後、よろけながらふたりの男が村に入ってきた。しかしそれは案内人ではなかった。コンゴ川を渡らずに逃げたボウマンとスプラトリンだった。激流を渡るほうが、案内人もなしにダリエンのジャングルを二十日間さまよい歩くより楽だったとわかり、死が間近に迫るなか、クナ族の村に救いを見いだしたのだった。

新たにやってきたふたりをもてなすために、村人たちは積み薪の山に薪を追加した。それにどんな反応を示したのか、ボウマンについてもスプラトリンについても記録は残っていない。しかし、おそらくそれから数日、同郷の三人は、まったき恐怖にがんじがらめになって、過去の選択の何がいけなくて、こんなことになったのか、来し方《こかた》に思いを馳《は》せたことだろう。十日目に入っても、ふたりの案内人の消息が何もわからないとなって、村人たちは宣告した。日が落ちたら、五人のイングランド人をてっぺんに置いて、積み薪に火をつけると。

28　瀉《しゃ》血《けつ》

少なくとも貨幣研究家のあいだでは大変に有名な、バッカニアの南海遠征にまつわるエピソードがある。長らく歴史に埋もれていたそのエピソードは、二〇〇三年になって、フロリダを拠点に宝さがしをする人々によって明らかにされた。すなわち「ペルーの山々から掘り出した金銀宝石を満載した」スペインのガレオン船サンタ・マリア・デ・ラ・コンソラシオン号に、バッカニアが出会った顚末《てんまつ》である。『オーランド・センティネル』紙の記事によると、その物語は一六八一年のある時期に始まる。スペイン本国に財宝を運ぶ、商船と護衛船から成るスペイン財宝艦隊に貴重な積み荷をおろすため、コンソラシオン号が帆を揚げて、リマからパナマへ向かおうとしたそのときだった。イングランドの海賊が近辺にいるという知らせを受けて、ガレオン船の船長ファン・デ・レルマは錨《いかり》を揚げるのを躊躇《ちゅうちょ》した。しかしリニャン総督は、コンソラシオン号には鉄と真鍮《しんちゅう》でできた二十六門の大砲が備わっているのに対して、海賊船――トリニティ号――は大砲をひとつも備えていないことを指摘し、レルマの心配を吹き飛ばして海に出るよう命じた。

慎重に動きたいレルマだったが、それでも総督の命令に従った。すると案の定コンソラシオン号はレルマのいう「極悪な海賊」に遭遇した。海賊をかわそうとしたレルマは、最終的にグアヤキル海岸に行き着いたものの、そこで岩か岩礁《がんしょう》に衝突してコンソラシオン号が沈没しはじめ、手の施《ほどこ》しようがなくなった。レルマと三百五十人の乗員は大急ぎで小さなボートに乗り移り、財宝が海賊の手に落ちることのないよう船に火をつけた。しかし、それからすぐ、レルマは後悔する。財宝を失って激怒したシャープと仲間たちはスペイン船を追いかけ、グアヤキル湾に浮かぶサンタ・クララ島という小さな島まで行き、「報復のために乗員乗客、推定三百五十人の首をはねた」。以来その島はラ・イスラ・デ・ラ・ムエルト、すなわち死者の島と呼ばれるようになったのである。

というのが、『オーランド・センティネル』紙の語る話である。その主な情報源は、フロリダで宝さがしをしている人々であって、彼らは当時、グアヤキル湾で見つけた十七世紀の銀貨を売っていた。「物語とその背後にある歴史ゆえに、その銀貨は価値がある」と、売り手のひとりが新聞で語っている。

しかしシャープと仲間たちは、少なくともこの件については無罪である。サンタ・クララ島は、シャープたちが太平洋に入る前から、ダンピアが他の島について書いているのと同じように「埋葬布の下に男が横たわっているように見える」ゆえに、死者の島の名で知られているからである。さらに、トリニティ号で日誌を書いていた人間は、ほかの犯罪については得々と語っているのに、この件については誰ひとり言及していないというのも妙な話だ。コンソラシオン号については、リングローズの八月二十九日の日誌に次のように書かれているだけなのだ。

この日、われわれの舵手がいった。これから風上に出ることになるので、運がよければリマからグアヤキルに向かう船と出会えるかもしれない。その船はサンタ・クララ島で十万ピース・オブ・エイトの価値がある財宝をおろすらしく、うまくいけば、それをそっくりそのままいただけるというのだ。

さらに、コンソラシオン号が難破したとき——おそらく一六八一年の五月か六月——のスペイン側の記録によると、その頃コンソラシオン号はサンタ・クララ島の北千マイル近くにあるニコヤ湾にいたとされている。バッカニアたちがコンソラシオン号と対戦しながら、その事実をもみ消したと宝さがしの人間たちが主張するなら、それは一六八二年から一六八九年のあいだに作製されたグアヤキルの地図に基づいて推論していると思える。この地図はバーソロミュー・シャープと昵懇《じっこん》のあいだ柄であるイングランドの地図製作者ウィリアム・ハックが作製したもので、「一六八一年、シャープ船長はこの海域で一隻の船を追跡し、その船はサンタ・クララ島に近い海鳥の生息地で難破した。難破した船には十万ピース・オブ・エイトにくわえ、貴金属をはじめとする価値あるものが積まれていた」という注釈がついている。ほかに証拠はなく、ハックはシャープ自身から間違った情報を提供されたのかもしれない。

実際には、リングローズも仲間たちも、コンソラシオン号と出会わなくて幸運だったといえる。というのもリニャン総督のいうとおり、コンソラシオン号に備わる強大な砲撃能力を思えば、そちらが岩礁に衝突する前にトリニティ号は確実に撃沈されるはずで、二隻そろって海の底に沈んでしまえば、リングローズたちは、その夏に間違いなく出会うことになる、もっと大きなお宝、サント・ロサリオ号を逃すことになるからである。

五月中旬のダリエンにもどろう。ここでウェイファーと四人のイングランド人が焼き殺されるのを待っているあいだ、近隣に住むクナ族の王子ラセンタが、たまたま村を通りかかり、用意されて

ラセンタをかしらとするクナ族

いる積み薪を見た。案内人として連れていかれたふたりが、その後どうなったのか確認もできていないのに、イングランド人を処刑するのはやりすぎだとラセンタは考えた。それで村人たちに、まずはこの者たちを連れて地峡を北上し、北海海岸の事情に通じている人間が多く暮らす地域へ行ってみたらどうかと提案した。

どんな状況であれ、とにかく村を去ることができるとわかれば、イングランド人たちは歓喜したに違いない。「沼地ばかりの土地で、豪雨と雷と稲妻に打たれる」のも承知で、いそいそと出発したとウェイファーが記している。本当に喜んでよかったのかどうか、それはこれからの数日間で答えが出る。案内人が分けてくれる一握りの乾燥トウモロコシ以外に食料はなく、眠りにつくのは冷たい地べた。木は雨をよけてくれてありがたいものの、風にゆさぶられたとたん、枝がバラバラと落ちてくる。旅が始まって三日目、丸一日食料をさがしたものの見つからず、小さな丘の上で雨の一夜を明かしたところ、朝にはそこが洪水に浮かぶ島になっていた。五人のイングランド人とふたりのクナ族は、水が引くまでそこから動けない。しかし、いつ水が引くのかは誰にもわからない。ここまで案内人を務めてきたクナ族ふたりは、イングランド人はもう死んだも同然だと満足したのか、泳いで消えて二度と現れなかった。

ウェイファーと仲間たちは、とにかく水が引くまで待つことにした。ダリエンではヘビやワニをはじめ、水中に生息する生き物が見えるから、コーヒー色の水に入っていくのは並大抵の勇気では無理だった。それでその場にすわり、少しでも水位が下がるよう祈りながら、じっと待っている。しかしその日一日はまったく変化がなく、気晴らしにみんなはギリシャ語の聖書をひらいた。ゴプソンは聖書を読むのが好きで、即興で翻訳もしてくれた。「こういう状況に陥ったものだから、みんな進んで耳を傾けた」とウェイファーが書いている。

翌日になると、思いがけず水は一気に引いて、ふたたび歩きだせるまでになっていた。先導してくれる案内人がいないので、クナ族の教えに反して、一行は携帯用のコンパスをつかって北へ向かう。以前に何度かコンパスをつかって方角を確かめ、それをクナ族に見せたことがある。すると相手は決まって首を横に振り、別の方角を指さすのだった。コンパスは面白いけれど、実用には適さないとクナ族はいった。今、実際にこの未開の地をコンパスの示す通りに歩いてみて、ウェイファーはその理由を十分に理解した。クナ族がどうやって方向を見極めるのか、それについてはウェイファーも多少知っている。太陽が見えるときはそれを目印にし、見えないときは、風が木に与える影響を頼りに考える。しかしウェイファーも仲間たちも、目下の状況を見てどのように方角を判断すればいいのか、まったくわからなかった。

その日の終わりには、目の前に幅四十フィートの川が立ち塞《ふさ》がった。水深がすこぶる深く、激流といっていい流れだったから、歩いて渡るのは無理だった。ここで行き止まりだと観念しかけたとき、ふとあることに気づいた。鉄砲水になったり、その翌日に急に水が引いたりしたのは、川の水位が急激にあがりさがりしたせいだ。雨量の変化だけでは、これだけ短いスパンであがりさがりはしない。そうであれば考えられる原因は潮だった。つまりここはもう北海の近くに違いないのだと一行は考えた。

それを裏づける証拠がもうひとつ見つかった。川に木の幹が渡してあったのだ。自然に倒れたものではなく、川を渡るために置いてあるようだった。きっとクックたちが数週間前にここを渡るために置いたのだ。そうであれば向こう岸に渡って、仲間たちがたどった道を自分たちもたどればいいと考え、川を渡ることにした。残念ながら雨で木の皮はすべりやすくなっていたから、そこを歩いて渡るのは不可能だった。ウェイファーは木にまたがって座位で進むことにした。ヒングソン、スプラトリン、ゴプソンも同じようにして、みな向こう岸に渡ることができた。しかし元仕立屋のボウマンは木からすべり落ちてしまった。急な流れに持っていかれて、ボウマンの身体はあっというまに水中に引きずりこまれ、影も形もなくなった。溺れたのだと、仲間たちはすぐに結論を出し、胸を痛めた。そしてさらに新たな事実がわかるに至って、今度は仲間を無駄死にさせたという罪悪感に苛《さいな》まれることになる。川を渡った先は完全なぬかるみで、通行不能だったのだ。実際にクックたちが木の幹を伝ってこちら側に渡ってきたのだとしても、危険を察知して、すぐさま引き返すことになったに違いない。

ウェイファーと残った仲間たちはすっかり気落ちしながら、木の幹を伝って、来た道を引き返した。と、道半ばでボウマンを見つけた。四分の一マイル下流に川が渦《うず》を巻いている場所があって、頭上に垂れさがる枝につかまって岸にあがることができたのだ。もし引き返さずにそのまま前進していたら、ボウマンとふたたび会うことはなかった。再会の喜びにみんなは胸を熱くしつつも、厳しい現実に手放しでは喜べなかった。ここに至ってふたたび道に迷ってしまい、もう永遠にこの苦境から脱することができないように思えたのだ。「飢えと疲労によって、死の扉の前まで運ばれてきたのだ」とウェイファーが書いている。

それから一行は一本のベリーの木を見つけ、数日ぶりの食事で腹ごしらえをすると、さらに先へ行軍することができた。行軍といっても、洪水のせいで足の下の地面は「泥と水」に変わっていたから、じりじりとしか進めない。しかも足には水ぶくれができ、衣類が乾く暇もなく、つねに濡れ鼠状態だったから、腿《もも》の内側が擦《こす》れて挫傷を起こしてしまい、ますます進行は阻まれる。擦れていない皮膚は蚊の刺し傷だらけになって、ギザギザした下生えにやられて、傷がぱっくり口をあけることもあった。

いっそのこと、川に流されてしまうのもいいんじゃないかと、あるひとりがいいだした。ほかのみんなは最初こそ笑ったものの、話し合っていくうちに、それもさほど突飛《とっぴ》な考えとは思えなくなった。川は確かに北海に流れこんでいる。ならば筏《いかだ》をつくってみたらどうだろう？　内部が空洞になった竹を森で見つけると、これこそまさに筏をつくるのにおあつらえ向きだと思い、竹を同じ長さに切りそろえてから、植物の蔓《つる》で結び合わせていく。丸一日かけてようやくできあがると、残った材料で火を焚き、そのそばで眠りについて、川下りをする夢を見た。

しかし、日が沈んでそう経たないうちに、天と地と、そのあいだの空間がすべてひとつになって水の塊《かたまり》に変わったようにウェイファーには思えた。いや、水というよりタールといったほうがよく、黒々とした闇に息の根をとめられそうだった。しかしそれから光が攻めてくると、先ほどまでの闇が恵みのように思えた。ジャングルに光が炸裂した次の瞬間、「恐ろしい雷鳴」が響き渡って次から次へ雷が落ち、宙にまき散らされる硫黄の臭いに息が苦しくなる。真夜中になって雷がやむと、左右からごうごうと川音がきこえてくるのに何も見えず、去ってしまった雷が恋しくなる。小さな火を焚いたものの、押し寄せる水にあっというまに運び去られてしまった。

もっと大きな出水《しゅっすい》が来たら自分たちもさらわれてしまうと思い、一行は一番近くの丘にのぼった。閃光《せんこう》に一瞬浮かびあがった出水は恐れていた以上に大量だった。両側の川が合流してひとつになり、刻一刻と膨れあがって、地面に根を張っていないものはすべて押し流していく。丘のてっぺんにいても、いつ押し流されるかわからない。しかし今となってはほかにどうしようもなく、各自の才覚だけが頼りだった。

ウェイファーは地上から四フィートほどの高さに口をあけたパンヤノキの腐った幹の洞に飛びこんだ。水かさと勢いを増して、洪水はまわりの木を次々と倒していく。凍えながら夜を過ごし、飢えを忘れようとして忘れられず、どうか命だけは助けてくださいと神に祈った。

夜のあいだには朝が来るとはとても信じられなかったが、気がつけばジャングルに鳥や獣《けもの》の声が響き渡っていた。さまざまなカエルや蚊、それに「シューシュー、キーキーと、ヘビや虫たちが響かせる大きな音が耳障りで、アヒルの鳴き声に似た音もきこえた」。のぼる朝日が洪水を蹴散らしてくれたようだとわかると、ウェイファーは木の洞から思い切って外へ出てみる気になった。ずっと同じ姿勢を続けていたので四肢が思うように動かないうえに地面はすべりやすく、倒れずに立っているだけで一苦労だった。それでも仲間が見つかるのではないかという期待を胸に、みんなで火を焚いた場所にもどってみる。あたりはひっそりしていた。大声で呼んでみると、同じように声が返ってきて、一瞬ぱっと心が沸き立ったが、それからすぐに木霊《こだま》だと気づいた。つまりこれは誰も生き残っていないという証拠である。とたんに恐怖に襲われ、飢えと悲しみに押しつぶされそうになり、もう無理して立っている必要もないと思えてくる。地面にくずおれて死体のように横になった。今に本物の死体になる。

そうやって横になっていると、声がきこえてきた。ヒングソンの声。彼は木にのぼって生き延びたのだった。ほかの仲間たちも無事で、すぐにウェイファーとヒングソンを見つけた。全員涙に曇った目でお互いを迎え、助かったことを神に感謝する。

それからみんなは昨日つくった筏を見にいった。前夜のうちに木に縛りつけておいたのだ。木はまだ立っていて、筏もあったけれど、竹でつくったというのに水中に没していて、もはや水に浮くことはない。苛立《いらだ》ちと疲労と、腸を抜かれたような飢え――クナ族の村を出てから七日が経っていたが、そのあいだに口にしたのはベリーだけだった――に苛まれながら、男たちはふたたびクナ族の村にもどろうかどうか考えた。もどれば村人の敵愾心《てきがいしん》と闘わなくてはならず、生きたまま焼かれるかもしれないが、少なくとも生き残るチャンスはある。帰り道が見つかったとしての話だが。

ほかに選択肢もないとわかって、一行は川を逆にたどることにした。そうすればいずれ村にたどりつけると期待したのだ。すると、たった一日で着いてしまい、いったい一週間にわたる、あの苦難の日々はなんだったのだろうと、むなしい気持ちになった。しかし、いよいよクナ族の村に入り、村人の視線にさらされる場所まで来ると、恐怖が先に立って足が前に進まない。しかし今ここで村人に助けを求めなければ、いずれ飢え死にしてしまうと、ウェイファーにはわかっていた。

ほかのみんなが後ろに控えて待っているあいだ、ウェイファーはひとりで前へ進み出た。一軒の家に村人が多数集まっている。おそらくよくある兵舎か砦だろう。いきなり現れて、いやな顔をされるだろうと思ったらそうではなく、村人たちはウェイファーを見て驚き、次々と質問を浴びせかけた。答えたかったが、家のなかで煮立っている肉料理のおいしそうな匂いに、考える力も意識も持っていかれ、ついに失神したのをウェイファーはかすかに覚えている。

村人たちに介抱されて正気を取りもどすと、新たな村人ふたりを紹介された。数週間前にクック一行の案内人にされた男たちで、つい最近村に帰ってきたのだった。

五月二十四日、底知れぬ苦しみを味わいつつ十二日間ジャングルを踏破して北海にたどりついたクック一行。彼らはここで、のちにクナ族の村にふたたび舞いもどることになったウェイファーと四人の仲間たちの運命を左右する決断をしたのだった。クックとともに北海にたどりついたひとりであるダンピアは、「最初にこの国に足を踏み入れたとき、インディアンはわれわれの敵だといわれた」と前置きをしてから、「しかし実際には、インディアンたちは大いにわれわれの力になってくれたといわねばならない」と記している。もしクナ族がいなかったら、自分たちはどうなっていただろうか。ダンピアは自問する。答えは明らかだった。それで、北海の海岸ラサウンズ・キーでフランス人バッカニアの一団を見つけたとき、クック一行が真っ先にやったのは、クナ族の案内人が最も欲しがっていた品物を「彼らが望むだけ」物々交換で手に入れることだったとダンピアが書いている。ビーズ、ナイフ、ハサミ、鏡といったものにくわえて、一行の各自が案内人に五セントずつの謝礼を与えた。ふたりの案内人は大喜びだった。村にもどると、ふたりそろって「われわれの仲間たちの優しさと寛大さを大いにほめたたえた」とウェイファーが記している。クックの一団が大盤振る舞いの祝儀を出したおかげで、一週間前にはクナ族の村で火あぶりの刑に処されるはずだったウェイファーと四人の仲間たちは、今彼らの「非常に親しい友だち」になったのだった。

新たな友人たちのもとで、一週間ゆっくり休んで栄養を取った五人のイングランド人は、それからふたたび北海に向かって出発した。今回は四人の優秀な案内人がついている。以前は三日かかったのに、今度は一日で川にたどりつき、そこからカヌーに乗りこんで、なんと上流へ向かった。そこでウェイファーは気がついた。一週間前、もし竹の筏に乗って川下りに成功していたら、パナマ湾で待ち構えているスペイン人の掌中に正面から飛びこんでいくことになっていたと。

六月半ば、旅も六日目に入った。二本目の川をのぼっていくと、処刑を先延ばしにしてくれたクナ族の王子ラセンタの統治する村にたどりついた。ラセンタは館でみんなを迎えてくれた。館は二本の川の合流地点――おそらくチェポ川の上流にカニャサス川がぶつかるあたりだろう――を見おろす高い丘に立っていた。その周囲には王子の下で働く人々が暮らす五十軒余りの家屋と、ウェイファーがこれまで目にしたこともない堂々たるパンヤノキの森があった。どの木も直径が六フィートから十一フィートはありそうだった。

雨期が終わるまでは、北海に出るのは不可能だと王子はいった。クックの一行は雨期に入る前にぎりぎり間に合ったらしい。そのあいだ、この村で客人として過ごしたらいいと王子はいう。このうえさらに何か月もジャングルで過ごすのは気が進まなかったものの、ほかにどうしようもなく、結局そうすることにした。それでもダリエンの沼地を何週間も歩き続けた男たちにとって、この村は楽園のように思えた。が、それからすぐ、ウェイファーがラセンタを激怒させる事件が起きて、一行の命はふたたび危険にさらされることになった。

問題が発生したのは、ウェイファーが瀉血の治療を観察しているときだった。患者はたまたまラ

ラセンタの妻の瀉血

センタの七人いる妻のひとりで、熱と繰り返し起きる痙攣《けいれん》に苦しんでいた。呪術医は川の中程にある石の上に王子の妻をすわらせて、長さ二フィートほどの小型の弓をつかって、十インチの矢を彼女の裸の身体のあちこちに射っていた。ウェイファーはラセンタに、瀉血には「もっといい方法がある」、そちらのほうが「患者をそんなに苦しめずに済む」と話した。

　実際にやってみてほしいと、王子はウェイファーにいってきた。それでウェイファーは、患者の腕を木の皮で縛ったあと、両刃の小刀で腕を突っついて血管から血を吹き出させた。ウェイファーの意図したとおり、血は絶え間なく流れ出した。「しかし、これは思慮が足りなかった」と、あとでふりかえって書いている。「この行いにより、わたしは命を失ったかもしれないのである」血を一滴ずつ出す瀉血しか見たことのないラセンタは、吹き出す血を見て激怒した。王子をなだめながらウェイファーは瀉血を続け、さらに十二オンスの血液を出したところで女性の腕に布を巻きつけて、丸一日休養するよう指示を出した。ラセンタはウェイファーから小刀を取りあげ、もし妻が回復しなかったら、そのときにはおまえの心臓から血を吹き出させてやるといいはなった。

ウェイファーは結果が出て審判が下るのを待った。それから二十四時間が経過すると、ラセンタが従者たちの面前でイングランド人医師に頭を下げ、医師の手に口づけをした。妻の熱は下がり、もう痙攣も起きないとラセンタはいった。ウェイファーの医術の腕をラセンタがひとしきりほめたたえると、彼の従者たちがイングランド人医師をわっと取り囲み、両手、両膝、両足と、くまなく口づけをしてから、ハンモックに彼を乗せてみんなで運び、村を練り歩いた。「そうしてわたしは、プランテーションからプランテーションへ運ばれていった。栄誉と評判を勝ち取った暁《あかつき》には、求める者には誰でも、医術でも瀉血でも施してやりながら、ここで暮らすようになった」

またウェイファーは、ラセンタと狩りをする旅に出るようになり、ふたりのあいだに友情が花ひらいた。それと同時に彼はクナ族の文化にどっぷり浸かった。クナ族の言葉を話し、そのシンプルな装《よそお》いを自分でもするようになり、彼らにされるままに皮膚に彩色を施して、黄金でつくった半月形のプレートを鼻中隔からぶら下げることまでした。さらにダリエンの風土そのものにも愛着を持つようになる。この土地の妙味は、ここで初めて彼が出会ったあるフルーツが体現しているように思えた。全面トゲに覆われたそれは、一見人を寄せつけない手強さを見せるものの、食してみれば、ありとあらゆる果実の旨味を凝縮したような、えもいわれぬ甘露が口中に広がるのである。松《パイン》ぼっくり《コーン》に形が似ていることから、その果実はのちにパイナップルとして知られるようになる。

「かようにして、一種わたしを崇《あが》めるようなインディアンたちに囲まれて、数か月を暮らしたのである」と、ここでの新生活をウェイファーはそうまとめている。しかし故郷へ帰ることを切望する医師を、クナ族はいささか崇めすぎたようだ。ラセンタがウェイファーに、結婚相手として自分の娘のひとりを差しだしたのである。「わたしの命が尽きる最後の日まで、彼はわたしをここに置いておくつもりなのだと、そのときはっきりわかった」とウェイファーは書いている。

ウェイファーとバッカニアの仲間たちは、逃亡計画を立てはじめた。

29　温められた甲板

事を大げさに書くことはしないウィリアム・ディックが、一六八一年七月二十九日を「最大とはいえないまでも、この遠征始まって以来の大きな事件が起きた日」と記している。その日は朝から曇り空が広がって霧雨が降っていた。パサド岬沖およそ十二リーグの地点に至って、トリニティ号のマストにのぼっていたひとりが、風上に目をやって霧の向こうを見透かした。「帆だ！」彼の叫び声をきいて、例によって乗員たちの全身に電流が走った。しかし気持ちの高ぶりは一瞬にして去った。獲物をこの目で見ようと走りだしてすぐ、それが途轍《とてつ》もなく巨大な船で、こちらめざしてまっすぐやってくるとわかったからである。スペイン軍艦屈指の巨船がバッカニア撲滅にやってきたのだと、リングローズはそう思った。

こちらのほうが風上にある。その有利な位置関係に目をつけ、シャープは勝てるとにらんで戦闘を命じた。船長と仲間たちが大急ぎで甲板を片づけているのを横目で見ながら、リングローズは首を傾げざるを得なかった。いったいどうやって、あれだけ大きな船を捕獲することができるだろう。シャープの作戦が失敗すれば、逆にこちらが拿捕《だほ》されるし、それだけで済まない場合ももちろんある。が、こちらへ近づくにつれて、その船は軍艦ではなく商船であるとわかってきた。しかも貨物の重みに耐えかねるように、船体が深く海に沈んでいる。海賊の目には、これほど喜ばしい風景はない。

　まもなく二隻の船は正面から向き合い、「スペイン船が小口径の火器をこちらに向かって数発、発砲してきた」とコックスが書いている。ふたつの船が出会って最初に手を出したのはどちらであるか、この言葉は海賊行為を働いたとして裁判にかけられたときに運命を決することになる。バッカニアたちも小口径の火器を大量に発砲して応戦し、コックスはそれを「相手の船の甲板を温めてやった」と記している。一斉射撃により、スペイン人が四人倒れ、そのうちふたりが死亡。そのひとりが船長ドン・ディエゴ・ロペスだった。船長を失って気力をくじかれた乗員たちは助命を嘆願した。

　シャープ、リングローズほか、十一名のバッカニアは敵船の甲板に乗り移った。その船サント・ロサリオ号はリマからパナマへ向かう途上だったらしい。乗員は「およそ四十名かそこらだった」とリングローズは記しており、普段と違って筆に切れがない。おそらく彼もこのとき、「南海広しといえども、これほどの美女にお目にかかったことはない」という乗客のひとりに目を奪われていたに違いない。そういう見立てをしたのはリングローズひとりではなかった。普段と違ってサント・ロサリオ号から奪ったワインやブランデーのことはさらりと流し、「われわれはさらにもうひとつのお宝を確保した。ドナ・ジョアンナ・コンスタンタという、年の頃十八歳ほどの婦人である」とシャープは記している。「お宝」というのは文字どおりで、彼女も確保した商品のひとつだった。その肩書きと社会的地位と美貌からして、多額の身代金を手にできると思えた。シャープの描写もリングローズと同じで、「わたしの見た限り、南海でこれ以上に美しい生き物はいない」と記している。シャープ、あるいはその仲間たちが、彼女への「奉仕活動に勤しんだ」かどうかはわかっていない。しかし、今回だけは例外で海賊たちも多少のわきまえをもって行儀よくしたと考えるのは無理がある。最終的にはトリニティ号はコンスタンタを含め、サント・ロサリオ号の乗員のほとんどを解放した。それだけの捕虜を維持するだけの人力と食料がなかったからである。

いずれにしても、この美女に目が眩《くら》んだせいか、バッカニアたちは百万ピース・オブ・エイトという大金をふいにしてしまうことになった。サント・ロサリオ号に乗り移ったバッカニアは、一万ピース・オブ・エイト相当の硬貨や貴金属をサント・ロサリオ号から奪ったが、コックスがあとで気づいたように、「六百七十ピッグズの金属を（愚かにも）ブリキだと思って」見逃したのだった（ピッグズは、百ポンド強のインゴットで、溶解した金属を流しこむ給鉱機と鋳型が、雌ブタのまわりで乳を吸う一腹の子ブタに似ていることからその名がついた）。コックスは何度かシャープに、ピッグズをトリニティ号に運び入れるよう説得してみたが、船長は一向に興味を示さない。サント・ロサリオ号を去る前にひとつだけ持ち去ったが、それも一部を溶かして弾丸にするという扱いだった。遠征のあとのほうで、乗員のひとりが残っていた七十五ポンド分を売ろうとしたところ、じつはそれは銀で、千二百ピース・オブ・エイトの価値があった。「かようにしてわれわれは、この遠征で得られたはずの最も高価なお宝を、無知と怠慢から手放してしまったのである」とディックは記している。

しかしながら、彼らはそれ以上に価値があるとのちに判明するお宝も手に入れていたのである。それは、もしスペイン人が海に投げ捨てようとしなかったら、おそらく見過ごしていたところを「しかし運よくわたしが救ったのである」とシャープが記す全三百十五ページから成る一冊の本だった。「それを手に入れた瞬間、スペイン人たちが大きな悲鳴をあげた」これには、南海の海図、地図、航路、スペインのあらゆる港に関する広範かつ詳細な情報が満載されていたのである。スペイン語ではデロテロとして知られているこのような本は、軍事情報として値のつけられないほど貴重なものであり、そのためスペインは、これを印刷したり、量産したりするのを禁じており、わずかながら存在する手描きのものが外部にもれないよう細心の注意を払っていた。イングランドでは基本的に南海は未知の世界だったから、スペインのデロテロは、最低でも王の身代金に値する価値がある。それでバッカニアたちはイングランドに帰国を決めた。

略奪品を陸上輸送するのは難しく、マゼラン海峡を経由して海路で運ぶのが最も適切だと考えた。バッカニアたちは全乗客と、船員ふたり以外をそこに残し、前檣《ぜんしょう》以外のマストを切り倒してサント・ロサリオ号をあとにした。捕虜に取ったのは、この海域で最も腕のいい操舵手を自称するビスケー湾出身の男ひとりと、十八人の奴隷と、シャープの従者となる十五歳のシモン・カルデロンという名の少年だった。カルデロンが捕虜としてどのように働いたのか、それについては何もわかっていないものの、その少年を捕虜に取ると決めたことを、のちにバッカニアたちは後悔する。海賊行為で訴追された裁判で、この少年が重要な証人になるのである。

一方、ダンピアと三十九人の仲間から成るクックの一団は、クナ族の案内人ふたりのために、ラサウンズ・キーでビーズ、ナイフ、ハサミ、鏡をフランスのバッカニアたちから買い取ったあと、故郷へもどる計画を破棄した。フランス人たちと手を組んで、バッカニア八組から成る船団で略奪に出ようというのだ。このなかには百名の仲間を率いる元船長ジョン・コクソンが交じっている。十三か月前、パナマ湾の戦闘に参加したあと、地峡を渡る際に七十人の仲間のうち数名を失っている。ゴールデン島にもどってくると、コクソンと残った仲間たちは、北海でふたたび海賊行為を始めていたのだった。

依然として敵愾心《てきがいしん》が尾を引いていたとしても、今はそれを脇に置き、かつてコクソンの部下だったバッカニアたちは夏の終わりをカリブ海での略奪に費やそうという彼の仲間に加わって、それが幾分成功を収めたのだった。八月、彼らはラサウンズ・キーに近いクナ族の村にもどることにした。ダリエンに残してきた五人のイングランド人について、何か情報を得られるかもしれないと思ったのだ。ところが蓋をあけてみれば、クナ族は彼らの消息を知っているばかりか、彼らを迎え入れていたのだった。スプラトリン、ボウマン、ゴプソン、ヒングソンは、バッカニアたちのスループ型帆船の一隻に乗ることになった。

再会を喜び合って大騒ぎする仲間たちを尻目に、ダンピアだけはむっつりしている。友人のウェイファーがいないせいだった。ところが一時間もすると、仲間のひとりが大声を張りあげた。「うちのドクターだ！」そういって、祝いの末席に、かかとに尻をおろしてすわっているクナ族の一団を指さした。そのすわり方はクナ族の伝統的な流儀だった。装《よそお》いもまた伝統に則《のっと》って、みな裸にウエストバンドだけをつけ、全身に絵の具で縞《しま》を描いている。鼻につけた飾りを口元にだらりと垂らした男に、ダンピアは見覚えがあった。ウェイファーだ！　ほかのみんなもまもなく気づき、最初の大騒ぎがここでも繰り返され、長い年月を経て運よく再会できたことを喜び合ったのだった。

そんなわけで、クナ族に「医術と瀉血」を施《ほどこ》してきた一流の医者は、いまや故郷同然となったダリエンを出て、ラセンタとの狩りを楽しむのに必要な猟犬調達にイングランドへ出発することになった。もちろん猟犬云々《うんぬん》というのは、旅に出るための許可を王子から得るための方便に過ぎず、実際にはイングランドからもどってくるつもりはなかった。しかしダンピアから、バッカニアの新しく組織された素晴らしい船団の話をきくに至って、ウェイファーの計画はすぐ変更となった。ふたりはともに西インド諸島に出て、フランス人船長ジャン・トリスティアン（あるいはトリスタン）の下で新たな旅に出ることになったのだ。目的は、ダンピアが「私掠船活動《プライベーティアリング》」と呼ぶところの、つまりは海賊行為である。

30　ホーン岬

南海から脱出しようと試みる今回の航海に比べれば、これまでの航海はすべて順調だったと、バッカニアたちは思わざるを得なくなった。八月四日、サント・ロサリオ号を捕獲して六日が経ったこの日、シャープはペルーの町パイタに向けて針路を設定した。マゼラン海峡を横断して大西洋に入る前に、三百五十マイル南にあるその町で再補給をしようと考えたのだ。その日はかなり強い向かい風が吹いていて、トリニティ号の航行した距離は五マイルにも満たなかった。さらに次の二日間はもっとスピードが落ちた。さすがにこれで底をついただろうと思ったものの、その次の二日間を経験するに至って、そうではなかったと気づくことになる。八月七日は「まったく進まず」、さらに八月八日も「まったく距離を稼げなかった」とコックスは記している。しかしリングローズの記録によれば、トリニティ号は進まなかったどころではない。三リーグ後退したのである。

船が進まない。それが最も憂慮すべき問題だったかというと、これも違った。サント・ロサリオ号から奪った通信文を読んで、リングローズははっきりわかった。スペイン側がつかんでいるバッカニアの情報は驚くほど広範囲にわたり、しかもじつに正確だ。こうなるとサント・ロサリオ号で取った捕虜の証言を信じないわけにはいかない。ペルーの総督リニャンが、自ら十七隻の艦隊を率いてトリニティ号を拿捕《だほ》しようと意気ごんでいるという情報だ。しかも、海賊を見つけて交戦すべしと、リニャンが兵士たちにかける重圧は日々増している。イングランド人がゴルゴナ島で傾船清掃をしているあいだに攻撃しなかったことで、総督はスペイン海軍で最も著名な海軍大将のひとりを斬首に処したと、サント・ロサリオ号の舵手はいった。その一方でリングローズの読んだ通信文によると、現在のヨーロッパはおしなべて平和らしい。ということは、もしつかまれば、バッカニアたちは命をつなぐための支援を母国に期待することはできない。イングランドは平和を維持しようと考えるからである。片側にはバッカニアを殲滅《せんめつ》しようとスペイン艦隊が待ち構えており、反対側には絞首台が待っている。簡単にいえば、南海にいるイングランドのバッカニアたちにとって、今はおそらく歴史上最も間の悪い時期なのだ。

それからの日々についてリングローズは、「日中に風のおかげで稼いだ距離を、夜間に潮流のせいで失う」と綴《つづ》っている。欲求不満がたまるのは当然で、通常バッカニアたちは、その苛《いら》立《だ》ちを仲間どうしぶつけ合うことになる。ちょっとした言葉の行き違いでかっとなり、人を小ばかにした言動が決闘につながってしまう。そうしてあの穏やかな気性のリングローズまでが、気がつけば決闘に巻きこまれているのである。船内の緊張が高まったせいか、あるいは、ともに暮らしているあいだにリングローズも、荒くれどもの気性に少しずつ染まっていったのかもしれない。いったいどういう状況から決闘になったのか、その記録は残っておらず、次の上陸地点で決闘が行われた、とだけ記されている（決闘は乗員たちを分断するので、海上では禁止されていた）。

トリニティ号がプラタ島に到着した八月十二日、八日間でわずか二十三リーグしか航行できないままに決闘が行われた。おそらく「剣かピストル」を持って決闘者ふたりは背中合わせに立ち、立会人の声でふりかえって攻撃する。それでもまだふたりとも立っていたなら、次はカトラスをつか

って引き続き戦い、最初に相手に血を流させたほうが勝者となる。その日のリングローズの日誌は決闘の話題一色で、それも「われわれの操舵手ジェイムズ・チャペルとわたしが陸上で決闘を行った」と書かれているのみ。それ以外にわかっているのは、リングローズもチャペルも、ともに生き残ったという事実だけだ。

　決闘の顛末《てんまつ》については、仲間内の日誌でもっと深掘りされてもよかったはずだが、トリニティ号に乗せられた奴隷が叛乱《はんらん》を企《くわだ》てていることがわかって、それどころではなくなった。奴隷のひとりがシャープに打ち明けたところによると、共謀者らはバッカニアが「全員酔っ払う」夜になるまで待っているという。全員が酔い潰れて寝入ったところで、ひとり残らず八つ裂きにし、一切助命はしないつもりらしい。シャープ船長は甲板に躍り出て、首謀者であるサンチャゴという男とにらみあった。サンチャゴはイキケ島で捕獲した奴隷であり、計画が露見したと知ると、すぐさま船べりから海へ飛びおりた。そこを逃がさずシャープが射殺。共謀者たちは恐れをなして服従し、少なくとも当面のあいだは大人しくなった。

奴隷たちが遂行できなかった仕事をペルーの総督が受け継ぐのを防ぐため、バッカニアたちはトリニティ号に「ブーツとトップス」を施すことにしたとリンググローズは記している。ブート・トッピングと呼ばれるこれは、船底の水面直下にある部分だけを掃除することで、傾船清掃の簡略版といえる。急ぎの旅で、船体すべての掃除はできないときに行う。傾船清掃より手軽だとはいえ、ブート・トッピングにも数日にわたる骨の折れる作業が必要で、特に今回の場合、いつ十七組の帆が水平線上に現れるかわからない不安のなかで進めないといけないのだから辛い。今回トリニティ号のブート・トッピングには四日を要した。作業しながら、一刻も早くスペイン人たちと距離を離したいと焦るはずだろうに、バッカニアたちは「とても機嫌良く過ごしていた」とリンググローズが記している。サント・ロサリオ号から奪ったワインとブランデーのおかげだと彼はいう。八月十六日に錨《いかり》を揚げるときには、まるで母なる自然までが宴会に加わったかのようだった。風や潮流の大盤振る舞いでトリニティ号をぐいぐい推し進めてくれ、それから十二日間でパイタへ到着した。

ペルーの海岸沿いがたいていそうであるように、パイタもまた、山ばかりの不毛な土地だった。町自体も貧相なもので、わずか七十五軒から八十軒ほどの軒の低い家が建ち並び、小さな湾に教会が一組あるばかり。こんな場所を守るためにスペイン人がマスケット銃の銃弾を多数費やすとはとても思えなかった。八月二十八日の晴れて涼しい夜に、シャープと三十二人の仲間たちはふたつのカヌーに分乗し、パイタの町に奇襲をかけようと、期待満々で出発した。ところがふと見あげれば、湾を見おろす丘につくられた胸壁の陰に、マスケット銃兵が並んでいる。

　パイタの住民はトリニティ号がやってくると事前に通告されていたのだ。リングローズにはそれがはっきりわかった。あるいは、海岸沿いを航海しているあいだ、ずっとトリニティ号を見張っていたのかもしれない。パイタには追加の軍も到着していて、そこには騎兵隊と歩兵隊三個が含まれ、その全員が銃を持っている。合計七百五十名の守備者がいて、そのうちの百五十名が、カヌーに乗ったバッカニアに狙いを定めて発砲した。一斉射撃による白熱光を放つ銃口炎と衝撃音に、バッカニアたちは虚を突かれて恐れおののいた。しかし、もしこちらを確実に殺傷しようと考えているなら、銃撃が効果をあげるようカヌーが射程内に入るまで待つはずだった。「この無分別な発砲に、われわれは望みを賭けた」とリングローズは記している。バッカニアたちが岸にあがるまで待ったなら、スペイン人は彼らをひとり残らず殺せるはずなのだ。

　シャープはトリニティ号に退却するよう命じた。今回の遠征において、これほど易しい決断はない。一行はふたたび南へ向かって航海した。それについてリングローズはこう記している。「南海の海岸沿いに広がる町を襲撃してまわるという望みは、この時点で完全に潰えた。どこへ行こうとも、われわれの動きは事前に読まれている。それがはっきりわかって、全員の意見が一致した。もう略奪はすっぱりあきらめてマゼラン海峡に向かおうというのである」

マゼラン海峡の入り口はパイタの真南にあって、直線距離で三千マイル。しかし航路だと、またもや南東の貿易風とペルー海流に逆らって進むことになる。かつての宿敵たちを回避することで——三十度まで南西に向かって航行すれば一か月以上短縮できる計算だ——より早い到着が見こめるものの、ここで問題になるのが食料だ。そもそもパイタを襲撃しようと考えたのは食料の不足を補うためだった。三十度に向かう途上には陸地がないため、食料も水も調達する術《すべ》がない。今ある食料だけでこの航路を進むというのは賭けに出るも同然で、それも確実に負けるとわかっている賭けであるのはシャープも承知の上だった。それでもスペイン艦隊の十七隻と戦うよりは勝率は高いはずなのだ。

四十五日間の窮乏生活を耐え抜いた一六八一年十月十二日、トリニティ号の主檣《しゅしょう》にのぼっていた見張りが陸地を視認した。船は今、東へ向かう航路を進んでおり、その旅は危険に満ちた冬の気候と餓死寸前という、当然予想されるべき事態を除いて、特筆すべきものが何もなかった。それが今、雲のようにぼんやりとしか見えなかった陸の塊《かたまり》が、徐々に明確な形を現し、雪をかぶってそびえ立つ島々が見えてきた。そのひとつにトリニティ号は少しずつ近づいていく。シャープの知る限り、この島々の最初の発見者は自分だった。

錨をおろすのに最適な場所をシャープがさがしているとき、スプリットスル（スプリットに張られている小型の縦帆《じゅうはん》）にのぼっていたヘンリー・シャーガーという名のバッカニアが足をすべらせて落ち、凍るような海の水面を突き破った。仲間たちが助けようとしたが間に合わず、溺れて死んだ。仲間たち数人が、それを島に近づくなという自然からの警告だと見なしたため、上陸するか否か議論が巻き起こった。結局ひもじさが勝って、男たちは上陸した。

不毛の土地と見えたものの、この島ではイガイやカサガイのほかに、ガン数羽、ワシ一羽、ペンギン一羽を含む各種の海鳥が見つかって、バッカニアたちは胃袋を満たすことができた。また、草を編んで先端に結び目をつくった六フィートの長さの紐が見つかったことから、自分たちより先にここを訪ねた人間がいるのもわかった。にもかかわらずシャープは自分が発見したのだといいはり、その島と周囲の島々を、兄が嫡子を残さず亡くなったあと一六八五年に王となる、国王チャールズ二世の弟ジェイムズに敬意を表して、「ヨーク公殿下の諸島」と名づけた。

今日《こんにち》まで、「ヨーク公の島」の名で知られる二百平方マイルの広さを持つその島は、マゼラン海峡の北西三百マイルに位置していると、リングローズの観測によって明らかになった。この時点で彼ができるのはそれぐらいで、それというのも、ほかの仲間たちの多くと同じく、ここ数日来しつこい腹部の差しこみに苦しんでトリニティ号の外に出られなかったのである。この病の流行こそ、シャーガーの溺死が予言した最初の凶事だと、迷信深いバッカニアたちは指摘した。

次の凶事はその日の夜に起こった。岩に錨鎖《びょうさ》を断ち切られ、トリニティ号は一番重い錨《いかり》を失った。男たちは残った錨鎖と、引っかけ錨《びょう》と、岸に立つ木をつかって、大急ぎで船を係留することになったのだが、この木が、二日後の夜にまた新たな問題を生み出した。真夜中頃、南から襲いかかった強風が猛威を振るい、その木を根こそぎ倒してしまったのだ。みんなは雨と大粒のひょうに打たれながら、新たな木に船をつなごうと力を振り絞ったが、そのうち船が岸に流されていき、ガリガリといやな音がした。船尾の底が岩で削れているとわかって、すぐに救出にあたるものの、舵軸——舵の裏に留められた太い軸——がひどい損傷を受けている。同時にグースネック——舵が回転できるようにするための鉄の器具——も完全に壊れてしまった。船大工をまた見つけるか捕獲するかしないと、もはや船の進む方向を制御することはできず、バッカニアたちは「ヨーク公殿下の諸島」に永住することになってしまう。「われわれは大変な苦境に置かれた」とリングローズは記している。「もし神がよき天候を恵んでくれなければ、その苦境はさらに悪化する」と。

神は恵んでくれなかった。それから二週間のあいだ、「わずか一分の休みもなく」雨、みぞれ、雪、ひょうがトリニティ号を猛打し、特別な機能を持つ船の重要な部分が次々と損傷する。そのあいだバッカニアの誰ひとりとして船から出ることはできなかった。しかし十月二十六日になると突然スイッチが入ったかのように冬が春に変わり、これなら思い切って島の探検に出ても大丈夫のように思えた。十一月四日、トリニティ号の舵軸を修理し終わり、グースネックの代用品をこしらえて舵に掛け直した。バッカニアたちはマゼラン海峡へ向かって出発し、一日で百二十五マイル航行して海峡の西の入り口までやってきた。

しかし、そう思ったのは勘違いだった。地図ならば、その入り口は見逃しようがない。南緯五十二度二十五分にあるチリのパチェコ島と、その二十五マイル南東にあるピラール岬のあいだに伸びる巨大な青い広がりなのだから。しかしパチェコ島自体はボウルに入れた米の一粒と同じで、そのあたりに固まっている五百四の島々のひとつなのである。諸島のなかには大陸にぎりぎりまで接近しているものや、海峡内に入りこんでいるものもあった。くっきり晴れた日でさえ、海峡と大陸を見分けるのが困難なときもあるのだ。一六八一年十一月六日、トリニティ号は今、南緯五十二度に位置しているとリングローズが判断すると、パチェコ島と海峡の入り口が見えるものと、みんなは期待した。しかし靄《もや》が濃くて、陸はまったく見えない。その翌日から二日間は靄に雨と霧が取って代わり、霧に視界をほぼ塞《ふさ》がれた状態になって、みんなは低く垂れこめる雲を陸と取り違えた。そういう状況であったため、リングローズは緯度を観測することはできなかった。それ以前に彼は相変わらず腹痛に苦しんでいた。

十一月十二日になって、ようやく霧が晴れ、差しこみも治まったところで、リングローズが、トリニティ号は緯度五十五度二十五分、あるいはピラール岬の百八十マイル南にあると観測した。ピラール岬はマゼラン海峡の入り口の最も南にあり、バッカニアたちはその分岐点を完全に見逃していただけでなく、万が一それを見逃した場合に残された、もうひとつのルートである大陸の南端にある海峡も通り過ぎて四十マイル強も先へ行ってしまったのだ。

紙の上では、大西洋に到達するには南米の先をひたすら東へまわりこんでいくだけでいい。しかしバッカニアたちはそのルートを通るのに尻ごみした。というのも、そこを通るには、ホーン岬と対決しなければならないからだった。そこは、手に負えない潮流、吹き荒れる強風、山のような大波、町と同じ大きさの氷山の群れで騒然としており、通りかかった船を一瞬のうちに難破船に変えてしまう。このホーン岬を通過するために、かつてある船長が悪魔と取引をしたという伝説が残っている。悪魔は船を進めるために船のマストにのぼったものの、まもなく取引をなかったことにしてくれと船長に懇願したという。「ホーン岬を敵にまわしたなら、悪魔でさえ契約を守れない」という教訓なのだった。

ゆえに、南海からもどる十七世紀の船員たちは、ホーン岬を避けて西へ航海を続け、世界を大きくまわりこんで別のルートを取るのだった。一六八一年において、ホーン岬をまわって南海から出るのに成功したイングランド人はまだおらず、最初の成功者になるつもりはバーソロミュー・シャープにはなかった。代わりに彼は、貿易風が後押ししてくれることを願って、マゼラン海峡を通る

ことにしたのだった。
　そんなわけでトリニティ号は南西へ向かうことになった。二日のあいだ、異例の強風が吹いてさらに南へ押され、リングローズの観測では五十七度五十分までたどりついた。その数字が正確なら、バッカニアは今、マゼラン海峡の南へ三百マイル以上下った地点にいる。大陸の西海岸からは、少なくとも二百マイル南にいるということだ。
　夜を徹して東へ針路を取り続け、朝には低く広がる大陸南東の海岸が見えてくると思っていた。しかし十一月十五日に夜が明けると、雪と氷あられしか見えなかった。そして海は例によってトリニティ号の周囲を取り巻いていたが、今朝はさらに上空からも巨大な波が落ちてきて甲板を洗いはじめた。同じ日に風の猛撃を受けて、トリニティ号の頑丈な帆が粉砕された。バッカニアたちには、その日はもう永遠に終わらないように思えていたはずで、それもある意味で正解といえる。その緯度は「夏」になっていて、太陽は沈むことをやめ、船員たちの体内時計が狂ってしまうのだ。二日後には、そこにさらに氷山が加わってバッカニアたちを苦しめた。なかには高さ六十から七十フィート、外周二リーグもある「氷の島」もあったとシャープは書いており、驚きあっけに取られていたのが想像できる。しかしそれは、トリニティ号がこの先身をかわすことが求められる氷の島の群れと比べたら大したことはないのだった。

リングローズの観測では、そこは南緯五十八度二十三分。マゼラン海峡よりも南極大陸——まだそのときには発見されていなかった——に近い。そうであればバッカニアたちはもう、マゼラン海峡を逃亡ルートにすることはあきらめねばならない。たとえ引き返すことができたとしても、ふたつの海峡の入り口でスペイン軍ががっちり防備を固めているはずだった。ホーン岬にはスペイン軍もあえて近づかず、イングランド人は何をしでかすかわからないと思っていたとしても、そこにバッカニアが近づくとはまず考えないはずだった。しかし、凍死や餓死をせずにスペイン人から逃れたいと思えば、バッカニアたちにはほかに選択肢はなかった。彼らは東へ航海を続け、「われわれ以前にそこに近づいた人間はまずいない」とディックが書く、大陸の恐ろしい南端へと近づいていったのである。

31　陸地初認

ホーン岬と戦うには、まず地球上最も恐ろしい水域といわれるドレイク海峡を征服しないといけない。南極大陸のサウスシェトランド諸島とホーン岬のあいだにあって南緯六十度線をまたぐ海峡である。大西洋、太平洋、南極海がぶつかる幅六百マイルの冷たい海域には、「白髪髭」という名でも知られる異常に長く強力な波と「悲鳴をあげる六十度の強風」(「絶叫する六十度」ともいう)が発生する。

ここでは、バッカニアたちの熱帯仕様の装《よそお》いは何の防寒にもならない。この寒さに耐えられない人間は、互いの体温で身を温めようとできるだけくっついて横になる。奴隷にされた捕虜のひとりは凍傷にやられて脚を切断したが、それさえ凍死の時期を遅らせる手立てにしかならなかった。二人目の奴隷も寒冷気候に耐えられずに死んだ。しかし、それ以上に恐ろしいのは飢えだった。トリニティ号が「ヨーク公殿下の諸島」を出て以来、再補給のできる場所が一向に現れない。その諸島でさえ大した補給はできなかったのだ。「われわれは、乏しい食料を極限まで切り詰めるしかなくなった」とリングローズが書いている。

十一月十八日の朝十時、海がふいに静まった。嵐の前には静寂が訪れる傾向がある。不吉だった。二日後、男たちが目覚めてみると、海には濃霧が立ちこめ、甲板の片側に立つと反対側が見えないほどだった。こんなにも視界が悪かったせいだろう。氷山との遭遇をバッカニアたちに最初に教えたのは、胃をかきまわされるような不快な音だったに違いない。船の舳先が氷山にぶつかってぼろぼろに崩れたのだ。昼になって霧が晴れ、リングローズが船の位置を観測できるようになると、トリニティ号は今、「ヨーク公殿下の諸島」から東へ二百リーグ以上も離れているとわかった。つまりホーン岬をまわりこんだだけでなく、そこからさらに百リーグも先へ進んでいたのである。

のちにロンドンで行われた死刑のかかった裁判で、ディックは自分や仲間たちがホーン岬をまわったことは、歴史的快挙であって、公益に資すると主張した。マゼラン海峡を通るより、「北海から南海へ出るのに、もっとずっと楽な航路がある」ことを証明してみせたというのだ。しかしこの時点においてバッカニアを興奮させたのは歴史的快挙ではなく、「小さな白い陸鳥」をつかまえたことだった。同じ鳥がもう三、四羽飛んでいるのも目にし、これは陸が近いのだと期待した。「しかし依然として陸は見えない。これだけ長く過酷な旅を続けているというのに」リングローズがそう書いている。

退屈な時間はしかし、シャープ殺害計画が持ちあがったことでずいぶん緩和された。問題が発生したのは十二月五日の午後。このときシャープは、十四日間連続で航海しながら陸のかけらも目にすることのできない乗員たちを元気づけようと、サント・ロサリオ号から奪った長持に手を突っこんだ。ひとりあたりの取り分は三百二十二ピース・オブ・エイト（通常の報酬の三年分に等しい）。これには全員が心から喜んだ。しかしシャープは、金、アルコール、博打の三つが同じ場所にそろったときの揮発性を考慮に入れず、サント・ロサリオ号から奪ったワインの酒樽を次々とあけたうえに、海上での賭博禁止条項からサイコロ賭博だけは例外だとした。そうして狡猾《こうかつ》な賭博師である彼は、仲間たちから途方もない大金を巻きあげたことで文句をつけられ、殴り合いのケンカが始まったのである。

シャープは船室に走っていき、ピストルを持って甲板にもどってきた。リチャード・ヘンドリックスの頭を狙って銃を構え、引き金を引いた。おそらくアルコールの摂取量が影響したのだろう。射撃の名手の弾は狙ったより低い位置を飛んでいき、ヘンドリックスの首をかすって、その後ろの索具装置に撃ちこまれた。ヘンドリックスは甲板に倒れた。死んでいると思いこんだ仲間たちは復讐するために、それぞれの銃を取りに走った。何もなかったらシャープは殺されていただろうと、ポウヴィーは書いている。しかしそこで、「もっと分別がある」ゆえに「まだ酔い潰れてはいない者たち」があいだに割って入った。ヘンドリックスが意識を取りもどし、怪我もさほどひどくなかったことで、対立していた者たちは頭を冷やした。「和解が成立し、すべては水に流された」とポウヴィーが書き添えている。

しかし実際にはそうではなかった。口にこそしないものの、ヘンドリックスと彼の仲間は水面下で反撃を計画していた。クリスマスの祭日はみんな愉快に過ごすべしというシャープの命令に従って、その日に彼を殺害することにしたのだ。十二月七日、その計画を風のうわさにききつけたシャープは、予防措置として、ワインの配給をひとグループ三本にまで増やした。その量で消費していけば、早晩ワインの備蓄は枯渇し、アルコールがすっかり抜けて素面《しらふ》になった者たちは、陰謀を実行に移すのをやめるだろうと踏んだのだ。しかしサント・ロサリオ号の略奪の際、シャープは魅力的なドナ・ジョアンナ・コンスタンタにぼうっとなっていたせいか、奪ったワインの量を少なく勘定していた。その結果、クリスマスの日にはまるまる数樽が残っていた。

一六八一年のクリスマスは「極めて暑かった」とリングローズが書いている。あるいは南緯二十一度（リオデジャネイロのあたり）の十二月はそれが普通なのかもしれない。リングローズの計算では、トリニティ号は一か月間の航海により、徐々に高まる気温とともに二千五百マイルを航行したことになる。

祭日を祝うため、バッカニアたちはブタを捌《さば》いた。七か月前にニコヤ湾で船に乗せたときには、生まれて三週間の小さな乳飲み子だったのが、今や九十ポンドになっている。その日のディナーは四か月ぶりの肉食で、バッカニアたちの食欲に火がついた。もっと食いたいとなって、みんなの目は、操舵手ジェイムズ・チャペルがかわいがっているスパニエル犬に向けられた。チャペルにはペットを食うつもりなどさらさらなかったが、この男たちは以前、肉を調達するために十万ピース・オブ・エイトを積載した船の捕獲をあきらめたほどなので、慰謝料をもらえるだけでもありがたいと思うしかなかった。コックスを含む一団が四十ピース・オブ・エイト——馬一頭の代金に等しい——で、チャペルからスパニエル犬を購入し、コックスがいうところの「ブタと犬《ホッグ・アンド・ドッグ》」のご馳走を楽しんだ。サント・ロサリオ号から奪ったワインの残りについては、シャープは考えを変えて、「部下たちが叛乱《はんらん》を起こさないよう」好きに呑ませた。それが功を奏して、ヘンドリックスをはじめ共謀者らはしたたかに酔っ払ったにもかかわらず、船長は死ななかった。このクリスマスは誰の目から見ても、愉快極まりないひとときになったのである。

愉快な気分は翌年になっても続き、トリニティ号は一日に三十リーグという快速で海を進み、百二十ポンドのビンナガマグロが獲れるなど釣果も上々で、バッカニアたちはますます気をよくした。

雨が降ったものの、それさえも有利に働いて、「バンプキン（船体から張り出した棒に張った帆）に飲料水が集まった」とリングローズが書いている。彼の観測では、一六八二年一月二日には、南緯六度六分、赤道から四百二十マイル南の地点まで来ていた。五日後には赤道を横断し、それから二週間も経たない一月十八日、北緯十三度十二分に至ったと観測している。カリブ海のバルバドス島と同じ緯度だった。繁栄するイングランド領の植民地バルバドス島は、バッカニアたちが必要とする、ありとあらゆるものを備えているばかりか、世界有数のラムの生産地でもある。「この緯度を保って一気に走りぬけ」、そこに上陸しようと、シャープは西に針路を取った。

二日後、海鳥が一羽飛んできたのを見て、バッカニアたちの身体に電流が走った。リングローズが記すように、「とうとう陸を目にできると、みな大いに期待した」のである。陸を最初に認めた者には仲間たちから一ピース・オブ・エイトずつ与えられると話が決まって、バッカニアたちはご馳走と、それに付き物の酒宴を楽しみにカウントダウンを開始した。

一月二十五日、みな陸を視認しようと、舳先ばかりか全方向に目を走らせている。たとえ海岸ではなくとも、たまたま目をやった方向に土地の隆起らしきものが見えないか期待したのだ。しかし視界に飛びこんできたのは竜巻だけ。トリニティ号はなんとかそれをかわした。続く二日間も、見えるのは竜巻ばかり。固い地面を最後に踏んでから三か月以上経っていた。陸地を最後に認めたのは十週間前で、遠征が始まってから二年あまりが経過していた。食料はおしなべて枯渇しているが、とりわけバッカニアたちは新鮮な果物や野菜を欲していた。そして、それ以上に切実なのは、肉に対する欲求だと本人たちは思った。その日もまったく陸地は見えず、この船に残った最後の愛玩犬が、チャペルのスパニエル犬と同じ運命をたどることになりそうだった。サント・ロサリオ号から奪った毛むくじゃらの犬がマストのそばに引き出され、飼い主によってオークションにかけられた。四十八ピース・オブ・エイトでそれを落札したシャープは、あともう少し待って陸が見えなかったら、厨房へ連れていこうと考える。

翌日一月二十八日、日の出一時間前の時刻になって、水平線の一部に生じたわずかな乱れのように、バルバドス島が四リーグ先に見えてきて、毛むくじゃらの犬はひとまず厨房行きは免《まぬが》れた。それからまもなく、バッカニアたちには数百年の時間が経ったと思えた頃、トリニティ号は岸から一マイル離れた場所までたどりつき、イングランドの軽帆船《ピンネース》と並んで、小刻みに浮き沈みした。「このときの尽きせぬ喜びは簡単には表現できない。ふたたび同郷の人間と出会うことになったのである」

しかし彼の同郷人たちは、トリニティ号に移ってこないかという誘いを断ってきて、リングローズをがっかりさせたのだった。その理由として先方は、ふたつの事実を知らせてきた。第一に、現在本国ではイングランドとスペインは友好関係にあるということ。第二に、このピンネースは王の護衛艦リッチモンド号付属の司令官艇であるということ。リッチモンド号は現在バルバドス島の主要都市ブリッジタウンに停泊しているらしい。いいかえれば、イングランドとスペインの関係が良好になった今、もしトリニティ号がこれより先へ進もうとするなら、リッチモンド号の乗員は、バッカニアたちを刑務所に放りこむしかないということだった。バルバドス島への上陸は叶わず、ニワトリ一羽調達することもできない。ひとたびリッチモンド号がバッカニアのうわさをききつければ、すぐ追跡に動き、海賊行為を働いた罪で逮捕される。バッカニアたちはそれを恐れたのだと、ある人間が語っている。つかまれば、これまでの遠征で蓄えたピース・オブ・エイトをひとつ残らず没収されるのである。それで彼らは、トゲルンスル（トゲルンマストの帆桁にかける帆）やスタンスル（補助帆）をはじめ、すべての帆を張って、早々に退散することにしたのだった。

一六八二年一月三十日の朝八時、バルバドス島から二日かけて三百マイルを航行したところで、バッカニアたちは水平線に巨大なウミヘビに似たものを認めた。高さのある隆起の後ろに、それより小さな丸い土地が三つ盛りあがっている。それは彼らが期待したとおり、アンティグアだとわかった。この百八平方マイルの島には、紀元前二四〇〇年の昔からシボネイ族が住みついていたが、少なくともヨーロッパの歴史では、その土地は一四九三年に、クリストファー・コロンブスが発見したとされている。コロンブスはそこに、セビリア大聖堂のシンボルである、サンタ・マリア・デ・ラ・アンティグア（セント・メアリー・オブ・ザ・オールド）にちなんだ名前をつけた。

一六八二年には、アンティグアはイングランドの植民地でも指折りの繁栄した町になっており、砂糖産業を強みとしていた。それを支えているのは島の全人口の九十四パーセントを占めるアフリカから連れてきた三万七千五百人の奴隷だった。この産業を一手に発展させたのは、バルバドス島の著名な農園主、クリストファー・コドリントン二世大佐で、一六六八年にそこからアンティグアへ事業を拡大し、一六七七年にここへ移ってきた。コドリントンはそのときにはアンティグアの総督になっており、バッカニアたちの目から見れば、彼は神そのものだった。というのも、自分たちの生き死にには、この島に上陸できるかどうかにかかっているからだ。餓死寸前の状況にくわえて、トリニティ号の帆も索具もぼろぼろで、船体はびっしり取りついた巻き貝によって、かろうじて分解せずに済んでいる有様だった。

アンティグアの住民は、支配者層も一般人も等しく甲板にやってきて、バッカニアたちを温かく迎え、島に上陸してもらおうと躍起になった。しかしコドリントンの態度は彼らとは違っていた。バッカニアがこの島に上陸するためには、港に入りたい旨を申請し、総督から許可をもらわねばならない。シャープはコドリントン大佐に手紙を書き、コドリントン夫人に贈呈する宝石類とともに送った。バッカニアたちはそれからハラハラしながら回答を待ったが、その日返事は来なかった。その翌日も何事も起きず、ただ海水が船内にもれだしただけだった。コドリントンから返事がようやく来たのはその翌日、二月一日だった。大佐はバッカニアたちの上陸を拒否し、休息を取るのも許さなかった。宝石も突き返された。

それでバッカニアたちは相談した。町の住人はバッカニアを拒否せず、相変わらず取引をしたいと躍起になっている。ならば、ここで海賊団を解散しようということになった。これからは、九十人余りのメンバーそれぞれが自活しようというのだ。七人だけを船に残して全員がアンティグアに上陸し、休息を取ってから母国へ帰る手立てをさがしはじめた。

リングローズは日誌の最後をこう締めている。

かようにして、わたしと十三人余りの仲間たちは、ロバート・ポーティーン船長の船に乗りこんだ。リスボン商船と呼ばれる船であり、二月十一日にアンティグアを出航し、一六八二年の三月二十六日にイングランドのダートマスに上陸した。

コドリントンから距離を置こうと考えたのか、シャープは二月一日の日が変わらぬうちに、ネイビスめざして早々に出帆した。ネイビスは五十マイル西にある小さな島で、海賊に優しいだけでなく、イングランド領西インド諸島屈指の極上の砂糖を生産している。それはすなわち近隣地域で最高品質かつ強力なラムを生産できるということで、シャープがネイビス上陸の日を勘違いしているのは、そちらの影響を多分に受けているのかもしれない。シャープの日誌の最後はこう締めくくられている。「ネイビスに一月三十日に到着し、そこにしばらく滞在したあとに、イングランドへ帰ったのである」

「イングランドにもどった者もいれば、ジャマイカやニューイングランドなどへ渡った者もいる」と、ロンドンで綴《つづ》った日誌の最後にコックスはそう書いている。ユーモアのかけらもない素っ気ない筆致は彼らしくもないが、おそらくそれは、この日の中心的な出来事が海賊行為による逮捕だったからだろう。「というわけで、あとはみな散り散りになったのである」と共同被告人のひとり、ウィリアム・ディックは遠征の最後の記録をそう締めくくっている。しかし彼はその後、裁判の進行についても少々語っている。

ポウヴィーもまたトリニティ号に残った七人の乗員のひとりだった。残らざるを得なかったのである。全遠征で得た取り分を賭博であらかた失ってしまっていたのだ。下船した仲間たちから船を贈呈された一行は、七百五十マイル西にあるプティ＝ゴアーブに行こうと考えた。フランス領イスパニョーラ島にある海賊の避難所で、そこでバッカニアたちは一六七九年にロッグウッド伐採の許可状を購入していた。そちらはすでに期限切れとなっていたが、新しい許可状を購入できればイングランドへ帰る旅費が稼げるだろうと考えた。残念ながら「船は水もれがひどく、途中のセント・トマス島まででも、ずっと海の上に浮かせているのは難しかった」。しかも、道半ばで、追いかけてくる船を発見したものだから、バッカニアたちはセント・トマス島の近くにある島に上陸しようと考えた。きっとそこも安全な避難所になると彼らが考えていたのにはわけがある。そこはオランダの植民地で、戦争でも裁判でも、スペイン、イングランド、フランスに対して中立の立場を取っていたからだ。そのうえ、奴隷でない住民百五十人のほとんどはイングランド人で、総督のニコライ・エスミットは元バッカニア、アドルフ・エスミットの弟だった。

実際ポウヴィーと仲間たちは温かいもてなしを受けた。エスミット総督はトリニティ号を停泊位置につかせるため、人手を寄越《よこ》してくれたし、ココアをはじめとする、まだ船内に残っている略奪品を購入しようと、住人たちが船にどっと群がってきた。しかし一日経つと錨綱《いかりづな》が切れ、水もれのするトリニティ号は岸に乗りあげ、回復不能なまでに損傷してしまった。それでも、エドワード・ポウヴィーと推測される匿名の人間が残した日誌の最後は堂々たる文言で終わっている。「かようにして、素晴らしき船トリニティ号は……航海を終え、われわれは神の恩寵を受けて同郷の仲間たちのもとへ帰ってきたのである」

しかしその同郷の仲間のひとりが裏切った。三月八日、ジャマイカの副総督と連隊司令官のふたつの肩書きを持つヘンリー・モーガンは、イングランド南部局国務大臣かつ海事最高裁判所の主任法務官であるサー・リオライン・ジェンキンズに、バーソロミュー・シャープの一味捕獲に関する最新情報を送った。その書簡でモーガンは、シャープの乗員四人を逮捕したことを報告。そのうちのひとりがモーガンに自首して三人の仲間の名前を暴露し、その三人は有罪宣告されたと伝えている。判事は、そのうちふたりを「慈悲をかけるに値する」としたものの、三人目は「極悪非道の悪人であり、同類の見せしめに処するのがふさわしい」として絞首刑を宣告した。

自首した人間は恩赦が得られることを期待して、情報提供者になるとともに、遠征の一部始終を記して訴追免除証言（共犯者に対する不利な証言）とすることに同意した。そこに付記された但し書きにより、この情報提供者はエドワード・ポウヴィーと考えられる。「現時点において、これがわたしの思い出せるすべてであり、航海中にわれわれがしでかした行いの真実である。わたしの日誌はセント・トマス島で留め置かれて失われた」

協力したことでポウヴィーは生死を分かつ裁判の代わりに独房を手に入れた。しかしイングランドにいる彼の元船長や仲間たちには、そのような幸運は巡ってこなかった。

32　銀のオール

ロバート・ルイス・スティーブンソンが一八八三年に発表した『宝島』は、老水夫がイングランドのベンボウ提督亭に宿を取るところから幕をあける。船長を自称する水夫は、日が暮れると応接間の暖炉の前にすわり、ラムを飲みながら荒々しい舟歌を歌うのが常だった。架空の宿「ベンボウ提督亭」を、ロンドンの川べりに実際にあった宿「サルピーター岸の錨《いかり》」に代えれば、一六八二年の春にイングランドにもどってきたバーソロミュー・シャープの描写そのものとなるだろう。『宝島』に出てくる宿の名前でさえ、シャープの現実とリンクしている。彼の宿敵のなかで最も有名なひとりが、海軍少将ジョン・ベンボウなのである。ベンボウはイングランド海軍最高司令官として西インド諸島で海賊撲滅に奔走《ほんそう》しているのだった。

部屋が迷路のように入り組んだ「サルピーター岸の錨」の妙な設計の建物内をシャープが抜けていって、宿の酒場「獅子と剣」に入り、煉瓦《れんが》造りの暖炉の前に落ち着いたとき、町の向こう側のセント・ジェイムズ宮殿では、駐イングランド・スペイン大使ドン・ペドロ・ロンキリョ・ブリセーニョが、サー・リオライン・ジェンキンズに、南海を荒らす海賊たちの居場所を突きとめて早急に逮捕するよう求めていた。

ロンキリョは大使として知られているものの、どっしりした体格の五十二歳で、その貴族的な鋭い顔立ちは、肩まで伸びる大渦《おおうず》巻《ま》きさながらのカツラの髪で縁取られている。性格は穏やかでいても、その外見を目にした者は決まって狼狽《ろうばい》するという人物だった。そして、セント・ジェイムズ宮殿において彼は今、穏やかとは対極の状態にあった。海賊たちはスペインの船や港を攻撃して、四百万ピース・オブ・エイト以上を奪って逃げたのであると、そう彼はいいはなった。その途上で二十五隻の船を破壊し、二百人以上のスペイン人を殺害し、殺された者のなかにはサント・ロサリオ号の船長ドン・ディエゴ・ロペスも含まれている。その者たちが今イングランドにいる。ネイビスからホワイトフォックス号に乗って航海し、三月二十五日にプリマスに到着した。こういった、ごろつきどもに、ふたたび社会にもどるのを許すとは、いったいイングランドは何を考えているのか。マドリード条約が結ばれたことを忘れたのか。スペイン人の海外貿易を尊重すると約束したのではなかったか。これでも国王チャールズ二世は海賊行為を終わらせるために全力を挙げているといえるのか。

ロンキリョの熱弁はジェンキンズの心に火をつけ、捜査官たちに、海賊がたむろするロンドンの居酒屋や宿屋をかたっぱしから洗わせた。結果、トマス・キャンプ捜査官が情報を入手。「サルピーター岸の錨」に投宿するある客が、「獅子と剣」にて、別の客相手に酔った勢いで身の上話をしたらしい。自分は十六年にわたって無法者の暮らしを続け、さまざまな国で盗みを働いて、とりわけスペインを食い物にしてきたと、その客はいっていた。名前はバーソロミュー・シャープだと宿の主人はジェンキンズに教えた。「海の向こうで悪いことばっかりやってきたから、オレはまともな死に方はしない」とその男はほざき、それでも、ひょっとしたら恩赦が得られるかもしれないと考えて、西インド諸島からイングランドにもどってきたらしい。シャープの部屋には「メダルに鋳《ちゅう》造《ぞう》したものを含め、金銀宝石そのほかがぎっしり詰まった旅行かばんが数個置いてある」と宿の主人はいった。

金銀宝石が詰まったトランクをいくつも持っているからといって、犯罪にはあたらない。それに、シャープがつむぎだした酔いどれ話だけでは、海事裁判で審議にかけるに値する十分な証拠にはならない。しかしシモン・カルデロンという人物が浮上してきたことで、状況はがらりと変わった。サント・ロサリオ号からトリニティ号に移されて、シャープの従者になることを強制された十五歳のチリ人だ。船長の下で働きながら大西洋を横断したあと、まだ彼はロンドンにいたため、五月十八日に宣誓証言をすることができ、そこでトリニティ号がサント・ロサリオ号を襲撃した顛末《てんまつ》を語った。ここでカルデロンはシャープのほかに、ギルバート・ダイク、スコットという名前で記憶する、ふたりの海賊についても記しており、それをもとに海事最高裁判所は、シャープ、ウィリアム・ディック、ジョン・コックスの逮捕状を発行した。

ジェンキンズの捜査官は、ミドルセックス州のシャドウェルで、当時ウィリアム・ウィリアムの名で通っていたディックを見つけた。コックスはシャドウェルの南で逮捕された。ふたりはシャープとともに速やかにサザークにあるマーシャルシー監獄へ移された。トリニティ号に乗っていたバジル・リングローズとその仲間たちはまだロンドンで野放しになっていたが、シャープたちの巻き添えを食うのを恐れて、逃走したか、隠れ家に逃げこんだ。

マーシャルシー監獄は、のちにチャールズ・ディケンズの小説で不朽の名を残すことになる、一八二四年にディケンズの父親が債務不履行で収監された監獄だ。十五世紀から十六世紀のあいだに建てられた切妻屋根のある三階建ての建物の寄せ集めで、ジャコビアン様式の裁判所庁舎が付随している。ロンドンでは壮麗な建物の部類に入るだろうが、塀のてっぺんの丸太から飛びだして鉄条網と同じ役割を果たす鉄の大釘や、外界と内部を隔てる頑丈極まる門の鉄柵が目に入ったとたん、麗《うるわ》しさは消える。

三人のバッカニアは気がつけば、船員と債務者から成るみじめな囚人の群れとともに、ウサギ小屋のような部屋に押しこめられていた。窓のない小部屋で、不潔な藁の山か、よくてせいぜい厚板とそう変わらない大きさと固さのベッドに身を横たえる。そのあいだずっと、室内に充満するむんむんする悪臭に耐えないといけない。シャープもコックスもディックも債務者ではなかったから、賃貸料金を支払えば、上等な部屋にアップグレードすることもできた。とはいえ「上等」といっても、「最悪な部屋よりわずかにまし」といった程度なのだが。上等な部屋はふたつあって、どちらもとことん狭いひとり部屋だが、監獄の壁のうちにある空き地を眺めることができる。この空き地を囚人たちはパークと呼んでいた。芝などろくに生えていない名ばかりの芝生が大半を占め、うるさい話し声、羽根突き遊びの音、大騒ぎの声が、毎晩九時や十時まで、羽目板に絶え間なく反響する。バッカニアたちが部屋をアップグレードしたかどうかは記録に残っていない。この監獄にいるあいだ、ひとりとして日誌を綴《つづ》らなかったのは当然で、幸いにも、船上で綴っていた日誌が見つかって犯罪の証拠になることもなかった。遠征で犯したあらゆる罪の詳細はしかし、情報提供者に寝返ったかつての仲間、エドワード・ポウヴィーのおかげで、法廷で彼らを待っているのである。

同じ頃、もっと快適なホワイトホール宮殿の一間で、国王チャールズ二世は彼らの事件をつぶさに調べていた。一六八二年の五月二十五日、五十二歳の誕生日を迎える四日前、チャールズは腹心

イングランド王チャールズ2世

のひとりコンウェー伯爵に、サー・リオライン・ジェンキンズ宛てに書簡を送らせた。バーソロミュー・シャープがサント・ロサリオ号から奪ったスペインの本が、現在証拠としてジェンキンズ捜査官の手に委《ゆだ》ねられている旨を王がお知りになった。その本、すなわちデロテロには、スペインの領地と南海の詳細が記されているらしく、王はそれを「ごくごく内密に」寄越《よこ》すようご所望だと。

　デロテロは、六月七日には王のもとに届いていた。南海での植民地獲得競争に参入しようと虎視《こし》眈々《たんたん》と機会を狙っていた帝国にとって、この本は値がつけようにないほど貴重なものだった。しかし、そのコピーを手に入れるには、文字通り手描きで書き写すしかなく、それには何週間もかかる。原本は、裁判が終わったらスペイン人に返さなければならない。裁判は三日後の六月十日火曜日に始まり、海事裁判所の仕事の速さを思えば、同日中に終わるはずだった。また写本は、シャープが監修して注釈をくわえることで、さらに価値があがるが、もし絞首刑に処されれば、当然ながら彼はこれらの仕事を担うことができない。

王はそこで、コンウェー伯爵に再度ジェンキンズへ書簡を送るよう依頼した。裁判を翌週の水曜日か木曜日まで延期してほしいという要請だが、延期によってロンキリョを動揺させることなく、今回の件に王が関わっていることを匂わせてもならないとした。「貴君が到着し次第、王から詳しい事情が説明される」と、伯爵は最後に書き添えてから書簡に署名した。しかしジェンキンズの努力もむなしく、実質上の原告であるロンキリョ大使は裁判の延期を拒否。チャールズ国王は急ぎデロテロを国内屈指の翻訳者と地図製作者の手に託し、七十二時間以内に写本を完成するよう命じた。

裁判は予定どおり一六八二年六月十日に始まった（当時の海事裁判では、記録は取らないのが普通であり、この裁判に限ってたまたま記録が残っていたとしても、その所在は明らかになっていない。それでも、起訴状、宣誓供述書、評決は公文書館に残っていて、裁判の模様を知るのに役立つ）。朝のうちに、マーシャルシー監獄の看守が、起訴された海賊たちをそれぞれの房から、近くにある教会を改修してつくったニューホール裁判所庁舎へ移し、そこからさらに、黒っぽい羽目板張りのいかめしい法廷へ連れていった。その法廷には、日中のある時間になると、二階の縦仕切りの窓から日差しが差しこんできて、まるで天上から判決が下されるように、被告人に十字架形の影が落ちる。

シャープ、コックス、ディックが、室内の前方へ向かってとぼとぼ歩きだしたところで、見物人たちがざわついたであろうことは想像に難くない。当時は劇場の入場料よりも、法廷の桟敷にあがるほうが高くついた。起訴された海賊の顔を見ようと、見物人たちは背伸びして、柱のあいだから精一杯首を長く伸ばしたことだろう。同時に鼻をぎゅっとつまむのも忘れない。「監獄臭」を緩和し、「監獄熱」（昔しばしば刑務所で発生した発疹チフスのこと）にかかるのを防ぐためだ。当時の法廷には、つんとする匂いを放つ薬草と酢が床にふりまかれ、とりわけ臭いがこもりやすい被告人席――この場合、法廷内の手すり前――には入念にまかれた。同じ理由で、まもなく法廷に入ってきて被告人たちと対面する判事たちは、小さな花束を携帯し、自分のベンチに置く。

　木製の太い手すりの前に立ったシャープ、コックス、ディックは、両側の椅子席にすわって小陪審を構成する十二人の陪審員をはじめ、廷内にいる、ありとあらゆる人間たちから首に輪綱《わづな》をかけられた気分だったろう。椅子席に目をやって陪審のようすをうかがうには、強烈な日差しに目をすがめる必要があった。鏡のついた反射板を吊り下げて、窓から差しこむ日差しを被告人の顔に当てるということをする法廷があるのだ。虚偽や罪悪感が表情に出るのを、陪審が見逃さないようにするためだ。同じ理由で、被告人の声を増幅するために、頭上には反響板が設置されている。

　この法廷において特筆すべきは、被告人側弁護人らしき者の姿がどこにもないことだ。一六九六年以前は、被告人が弁護士を雇うことは禁じられており、そればかりか被告に不利となる証拠は裁判が始まるまで本人には伏されているのだった。予備知識なしでそれに接すれば、人は正直な反応を見せるというのがその理由であり、「率直で誠実な弁護」をするのに特別な技術は必要とされず、もし被告人が助けを必要とした場合、判事がその面倒をみるというのが当時の自然な流れだった。

17世紀の裁判

しかし被告人たちが法律について弁護士に相談するのは禁じられておらず、ロンキリョの通信文には、ミスター・モウルが、シャープ、コックス、ディックに助言をしたと記されている。

バッカニアたちが拠《よ》り所《どころ》にしていたのは、国民のあいだに広がる反スペイン感情であり、一六七一年にあのヘンリー・モーガンをパナマ襲撃に駆り立てたのもそれだった。しかしイングランドとスペインのあいだで条約が結ばれ、モーガン自身が百八十度方向転換したこともあって、その感情は下火になった。モーガンの襲撃からわずか一年後、バッカニアの船長ピーター・ジョンソンがカリブ海でスペイン艦隊に強奪を働いたのを受けて、ジャマイカの総督サー・トマス・リンチは、イングランドの船団を追いこんで「(船団を)焼却し、懲りない盗賊たちの見せしめ」にした。ジョンソンは逮捕され、イングランドで裁判にかけられたのち、「マーシャルズ・ダンス」をさせられることになった。特別な巻き方をしたロープをつかうと首を絞められても頸骨《けいこつ》が折れず、海賊は首を吊られたまま絞首台で激しく暴れる。それがダンスをしているように見えるのだ。

最高海事裁判所の判事十人が法廷に入ってくるなり、満場が一斉に起立をした。判事はそれぞれ、緋色の豪華なローブをまとい、糊のきいた襞襟《ひだえり》を首につけ、ウエストに黒い帯を締めている。肩までの長さの髪粉をつけたカツラは被っていたかもしれないし、そうでないかもしれない。このカツラは一六八〇年代初頭から法曹界で流行したが、どこでも見られるようになるのは一六八五年以降だ。とりわけ威風を払うのは、五人の海軍大将と三人の上級弁護士、ひとりの船長と、著名な法務官サー・トマス・エクストンの一団だ。エクストンは、リオライン・ジェンキンズの代理で出席しており、ジェンキンズは逃げたか、そうでなかったら、何か欠席せざるを得ない事情があったのだろう。彼らの先頭に高々と掲げられている精緻な銀のオールは、見るからに神々しい海事裁判所の職杖《メイス》。あくまで儀式的なものだが、そのずっしりとした外見はもうひとつのメイス、すなわち中世において敵の鎧《よろい》を打ち砕くのに用いた鎚矛《つちほこ》を思わせる。このオールは海事裁判所の権能の象徴であって、裁判後に有罪を宣告された海賊たちが列を成してテムズ河畔の海賊処刑所まで行進する際、その行列の先頭に掲げて誰の目にも見えるようにするのが名物となっていた。

判事たちの入場が完了すると、ふたたび一同着席し、裁判所書記官——おそらく緋色のマントを着用した登記官——が、いよいよ三人のバッカニアに声をかける。「あなた方は、海賊及び盗賊行為の罪を問われてここに立たされています。ここでは真実を話さねばなりません。すべての真実を語り、真実のみを語ることを神に誓いなさい」それから起訴状が読みあげられる。そこに挙げられた絞首刑に値する罪のなかには、トリニティ号を「海賊行為によって凶悪な手口で略奪」し、サン・ペドロ号に「不法侵入」し、サント・ロサリオ号の船長ロペスを殺害したことが含まれている。

ロンドンの海賊処刑所

起訴状から顔をあげ、書記官が囚人たちに尋ねる。「起訴された海賊行為及び盗賊行為について、あなた方は有罪か無罪か、どちらを主張しますか？」海賊たちが「無罪」を主張すると、ロンキリョは海事裁判所の弁護士である事務弁護士に助けられながら陳述を開始し、海賊たちが日誌に記した以上に詳細な事実を次々と明らかにしていく。たとえば、彼らがサント・ロサリオ号から略奪した品物の明細を、「五十シリングに相当する堅パン四十ポンド」、「五シリングに相当する大かごに詰めたジャガイモ」、「六ポンド相当の船の帆二枚」というように、信じがたいほどの几帳面《きちょうめん》さで語るのである。ロペス船長が殺害された経緯についてはさらに詳細に、殺害につかわれた武器の価格が十シリングであったことや、それをつかってシャープが船長の「左半身の左乳首の近辺に」与えた傷が「長さ一インチ、深さ四インチの致命傷」であったことなどを明白にしている。一方ディックとコックスは、「海賊ならではの邪悪さと凶悪さで、故意に」シャープを幇助した罪を問われた。

「海賊ならではの邪悪さ」について、さらなる説明をくわえたあとで、ロンキリョは五人の証人を呼んで、自分の訴えの正しさを裏づける。証人は、「サルピーター岸の錨」の主人、シャープの元従者だった十五歳の少年シモン・カルデロン、フランシスコ・ベルナルドの名で知られる西インド諸島の少年、ドミンゴ・フェルナンデスとハシント・デ・ウルビナという、サン・ペドロ号から連れ去られてトリニティ号に乗せられ、奴隷にされたと主張するアフリカ系の船乗りふたりだ。

この五人が法廷でどのような証言をしたか、正確なところはわかっていないが、おそらく宣誓供述書で語られていることを繰り返し、バッカニアたちを地獄に突き落とそうとするものだったと思われる。とりわけサント・ロサリオ号の乗員がトリニティ号と最初に出会ったときのカルデロンの陳述は有力な証拠となった。遭遇したときには、スペインの船舶だと思っていたのに、男たちが乗りこんできて海賊の身分を明かし、マスケット銃を発砲してロペス船長を殺したという。それから海賊はさらにサント・ロサリオ号から捕虜を取り、金品を略奪し、しかるのちに見逃している貴重品がないかどうか確かめるために、乗員を拷問したと、カルデロンの陳述は続く。さらに海賊は、叛乱を目論《もくろ》んでいるとにらんだスペイン人捕虜を殺害したことも少年は明らかにした。サント・ロサリオ号に遭遇したときにトリニティ号に乗っていたウルビナの証言も、カルデロンの陳述の正しさを裏づけた。

　ロンキリョの主張が終わると、自分たちに不利になる証拠に反証して無実を主張するのは、ひとえにシャープ、コックス、ディック本人たちに任された。自分たちの証人を呼ぶ権利はなかったが、原告側の証人に反対尋問をすることは許されている。宣誓供述書の骨子――おそらく法廷でも同じ主張をしたと思われる――は、自分たちは「ダリエン地方のインディアンの王」から正式に委任されたのを受けて、パナマに侵略してきたスペイン人と戦う王に加勢したというものだった。ならばその委任状を見せてほしいというロンキリョに対して、シャープは鼻でせせら笑った。「その手の王が文字を書けないのは周知の事実じゃないか」と。口頭で委任されたからといって、その効力は少しも減じられることはないと、バッカニアは主張する。

　トリニティ号襲撃については、パナマでバッカニアの一団がスペイン船に追われていたので、その船を掌握し、「自分たちの身を守るために」捕獲したとシャープは主張する。それから二年にわたる海賊行為についてはすっ飛ばして、その後「イングランドへ帰るべく南へ航海し、その地域の土地をぐるりとまわり、各地で見聞した新たな発見を王に報告しようと考えていた」という。

　サン・ペドロ号と出会ったことは頭から否定したが、サント・ロサリオ号とはパサド岬の四、五リーグ沖で偶然出会ったとシャープは認めた。しかし、バッカニアが襲いかかったという主張には異を唱え、こちらはサント・ロサリオ号がトリニティ号に発砲してきて初めて、反撃するよう命じたと主張する。それから先方の掌帆長が「尻に傷を負ったのを見たが、船長をはじめ、その船に乗っていたいかなる乗員についても、その争いで殺された」という事実は知らないという。さらに、略奪の件も否定し、「ジャガイモの詰まった小さなかごをひとつかふたつと、いくらかのワイン」

以外には、まったく手をつけていない、それらをいただいたのも「餓死しない」ための窮余の策だったと主張した。

コックスとディックの証言は、窮余の策でサント・ロサリオ号から奪った食料の量に違いがあるだけで、あとはシャープと同じだ。「三百重量のパン」と「ワイン一瓶か二瓶」をいただいたとコックスはいい、ディックは「ブランデー五瓶か六瓶」をもらったといっている。シャープと同様、ディックは南海において、イングランド人は誰に対しても拷問などしていないと主張した。それ以外のロンキリョから起訴された罪については、証拠に欠けると主張。「自分たちの仲間のうち、二、三人の根性悪がいったことなど当てにはならない。しかもそのうちふたりは寝返った黒人で、シャープ船長に恨みを抱いていたのだから」と。当時のイングランド人のあいだには、人種差別が横行しており、前世紀末に、「ニグロとブラック・ムーア」に対してエリザベス女王自らが放った言葉が、そういった国民全体の感情を代弁していると思われる。「このような人種は国外追放に処すべきである」と女王は宣言しており、一八一〇年までは、ブリタニカ百科事典の「ニグロ」の項目には、黒人の性質として、怠惰、変節、復讐、残酷、無礼、盗癖、虚言をはじめ、無数の悪徳が列挙され、「不運な人種」と記されているのである。

蓋をあけてみれば、判事たちはフェルナンデスとウルビナの証言を認めるのに必要な満場一致に達していなかった。あきれてものがいえないといった筆致でロンキリョが書簡に記録しているところによると、法廷は、その船乗りたちが洗礼を受けていないゆえ、真実を語るとの誓いはまやかしではないかと、そこを問題にしたという。判事のひとりがシャープに「すでに結果は決まっている」と耳打ちしたのを盗みきいて、ロンキリョはこの裁判があらかじめ仕組まれていたのだと気づいた。いいかえれば、陪審は買収されていたということだ。それでも、ほかの三人の証言は認められて、ロンキリョが締めくくりの言葉として陪審団に告げたように、彼らの証言だけでも、囚人たちが多方面にわたる残虐な海賊行為を為したことを証明しているのだった。これらの犯罪により、目の前の三人は絞首刑に値するとロンキリョは主張した。

締めくくりの言葉など許されていないシャープ、コックス、ディックはふたたび勾留され、そのあいだに判事は陪審に証拠を概説し、論点について説示したのちに、「議論」して速やかに評決を行うよう命じた。訴訟当事者を海にもどし、貿易船を予定どおり運航させるため、海事裁判所では驚くほどスピーディーに事が進められる。少なくとも法曹界の標準からするとそうだった。このような事件の審理は、はじめから終わりまで一時間以内に終わることもざらだった。

同じ日、シャープ、コックス、ディックは法廷にもどってきて、陪審の評議結果について次のような報告をきいた。

インググランド国王チャールズ二世の三十四年目の治世である六月十日土曜日。サリー州サザークのセント・ジョージ教会の教区ニューホールにある、我らが君主イングランド国王のイングランド海事裁判所で行われた裁判の審理と評決及び未決囚の釈放の件について。バーソロミュー・シャープ、ジョン・コックス、ウィリアム・ウィリアム各自に問われた、数件の重罪、海賊行為の罪、殺人の罪は、いずれも無罪とする。

「公平な裁判」とディックが記している以外に、無罪放免となった男たちの反応について記録は残っていないが、ロンキリョとは正反対だったと考えて差し支えないだろう。ロンキリョはこの判決をきいて、イングランドはあらかじめ裁判を仕組んでいたのだと確信した。市民の見せしめのために処刑して、この三人の死体をさらすより、三人がこれまでに集めた情報を活用するほうが、国家として利口だと考えたのだ。この判決はおかしいと、ロンキリョはチャールズ国王まで話を持っていって反論を仕掛けたが、「法律に関する問題に王は干渉しない」と、本人からつれない返事が返ってきた。王に代わって誰かが干渉したのだとしても、それは王の胸にだけ収めておくということだ。

この判決がきっかけで国際紛争に発展してしまわぬよう、チャールズは人をつかって確実に手を打っておいた。スペインの国務大臣がイングランドの法制度に驚きを表明したのを受けて、リオライン・ジェンキンズが、マドリード駐在のイングランド大使サー・ヘンリー・グッドリック宛てに、王から指示された回答を送った。そこには、わが国の陪審の評決には手が出せないとして介入を拒否する旨と、西インド諸島のスペイン人の圧力に屈して、イングランド人に無慈悲な扱いをすることがどうしてできようかという、相手への非難もこめられていた。

グッドリックがそれを伝えたところ、スペイン国王カルロス二世じきじきに苦情が出された。陪審を責めるだけでは足りない、「イングランドの王の権力と権威をもって評決を覆《くつがえ》す必要があるほど被害は甚大であり」、両国の条約に照らせばなおさらそうであるとスペイン国王はいう。もし立場が逆転して、イングランドの船舶に海賊行為を働いたスペイン人を無罪放免にするという評決が出たなら、両国の関係に資するべく、自ら干渉して評決を覆すだろうとカルロスは続け、きっとイングランドの王も同じようにしてくださるだろうと、最後に期待を述べている。

しかし、記録を見る限り、イングランドの王は何もしなかった。それでスペインは報復措置として、グッドリックを捕らえ、彼の家の門にイングランド王室の家紋を掲げて表向きはイングランドの大使館と見えるようにして、マドリード郊外にあるヒエロニムス修道院に四十歳の男を押しこめた。その数か月後にグッドリックはそこから逃亡し、一六八三年の二月に無事イングランドにもどってきた。その頃にはもうスペイン側も報復の勢いが削がれていたのだった。

二か月後、イングランド国王チャールズは、バーソロミュー・シャープをイングランド海軍の船長に任命した。

33　続　編

無罪放免となって、シャープは出版業に乗りだした。秘密裏に「ワグナー」の製作を監督したのである。ワグナーとは海事用語で、海図や地図を集めた本を指す。オランダ人の地図製作者ルーカス・ワグナーにちなんだ名前で、ワグナーは一五八四年にこの手の収集物を初めて出版した。シャープのワグナーは、サント・ロサリオ号のデロテロから写した手描きの地図と、リングローズの詳細な図表にくわえて、自身の航海日誌と、リングローズの航海日誌が含まれている。起訴を免《まぬが》れたリングローズが唯一受けた罰は、シャープ自身か、あるいはシャープとまったく同じ大言壮語の気質を持つ人間に、自身の記述を勝手に編集されたことだろう。「勇敢な」とか「海の芸術家」といった修飾語句が「シャープ船長」に関するリングローズの記述に挟みこまれているのである。そのなかで最も大胆な改変は、リングローズがリチャード・ソーキンズの死について記した一六八〇年五月二十二日の日誌である。ソーキンズ船長ほど「高潔であっぱれな勇者はいない。彼はわれわれのなかで最も愛された人間だった」というのが、もともとリングローズが記した文章だ。これが編集の手を通ると次のように変わっている。ソーキンズは「高潔であっぱれな勇者であり、同様の素質を持つシャープ船長に次いで、仲間たちから最も愛された男」として、みなの記憶に残ったと。

一六八二年十月二十三日に完成したこのワグナーは、次のような献辞で始められている。

グレート・ブリテン、フランス、アイルランド等を司《つかさど》る君主チャールズ二世王へ。広大な南海について記したこのワグナーを、王の忠実なる臣民であるバーソロミュー・シャープが一六八二年に謹んで献呈する。

それから一か月と二日後の一六八二年十一月二十五日、シャープはボネッタ号の船長に任じられる。五十七トンの優美なスループ型砲艦だ。任務は、春になったらカリブ海を航海して、イスパニョーラ島沖で難破したスペイン船が積んでいた財宝を回収せよというものだった。シャープ船長がカリブ海にもどってきて、ふたたびスペイン船から金銀を奪うという、その図式だけでも国際的な事件が勃発しそうだった。

本人にそうするつもりはなかったとはいえ、スペイン人の怒りの芽を摘み取ったのは、セント・ジェイムズ宮殿内のいかなる人間でもなく、シャープ自身だった。立派な社会的地位が性《しょう》に合わないのか、シャープは長持に手を突っこんで金銀宝石を鷲づかみにし、金に糸目をつけずに飲み食いに散財を始めた。ディックの言葉を借りれば、突如「親交を深める活動」に励みだしたわけで、「まもなく貯蓄が底をついた」。陸にあがったバッカニアたちにはよくあることだった。ボネッタ号がアメリカ大陸に向けて出航する一六八三年四月十三日には、シャープは不摂生がたたって財産をつかい果たしていたうえに、船長の地位からおろされていた。また海賊行為を始めるのではないかと当局は恐れ、イングランド王国のいかなる船であろうと、公的な立場で乗ってはならぬと、明確に禁じた。それに対抗してシャープがカリブ海に向かう海軍船の切符を自腹で買ったことがわかると、海軍本部は追加の禁令を出した。「いかなる船長も彼を船に乗せて、西インド諸島の当該地域へふたたび運んではならない。またもやスペイン人に迷惑をかける恐れがある」

まさに図星をつかれたシャープは、ならば商船に乗って海を渡ろうと考えるものの、あの男を乗せたら、彼にそそのかされて乗員たちが叛乱《はんらん》を起こし、船を乗っ取られてしまうといううわさが方々《ほうぼう》の波止場で渦巻《うずま》いていた。結果、次から次へ商船をあたるものの、シャープはすべて乗船を断られた。誰も自分をイングランドの外へは運んでくれないとわかると、しまいにシャープは二十ポンドをかき集めて、ロンドン橋近くのテムズ川の波止場に浮かぶ古い船を買った。食料としてパン、バター、チーズ、牛肉を、乗員として寄せ集めの十六人の男たちを乗せると、テムズ川を下った。

四十マイル進んだところで、ジグザグ航行で北海へ入る。帆が風をつかまえると、乗員たちは、至福の表情を浮かべて舵を取るシャープ船長の顔を目にしたことだろう。顔に、腕に、海のしぶきを浴び、黒い髪をマントのように風にはためかせながら、白い波頭を切り裂いて、灰色の冷たい陸から遠く離れていく。もはや雇われの身ではない――彼の気持ちを表すには、その一言で十分だろう。

それからまもなく、北海とイギリス海峡が出会う地点でシャープはフランスの船舶を認めた。デイックによると、「彼は勢いよくそれに乗りこんで捕獲し、以降自らを船長とした」という。シャープはその船を牛の放牧が行われているロムニーマーシュの近くまで進め、「補給」のために、そこに男たちを送りこんだ。男たちは大西洋横断の糧食になるだけの十分な量の牛を運んでもどってきた。あと足りないのはブランデーだけだが、その用意もまもなくととのうのである。

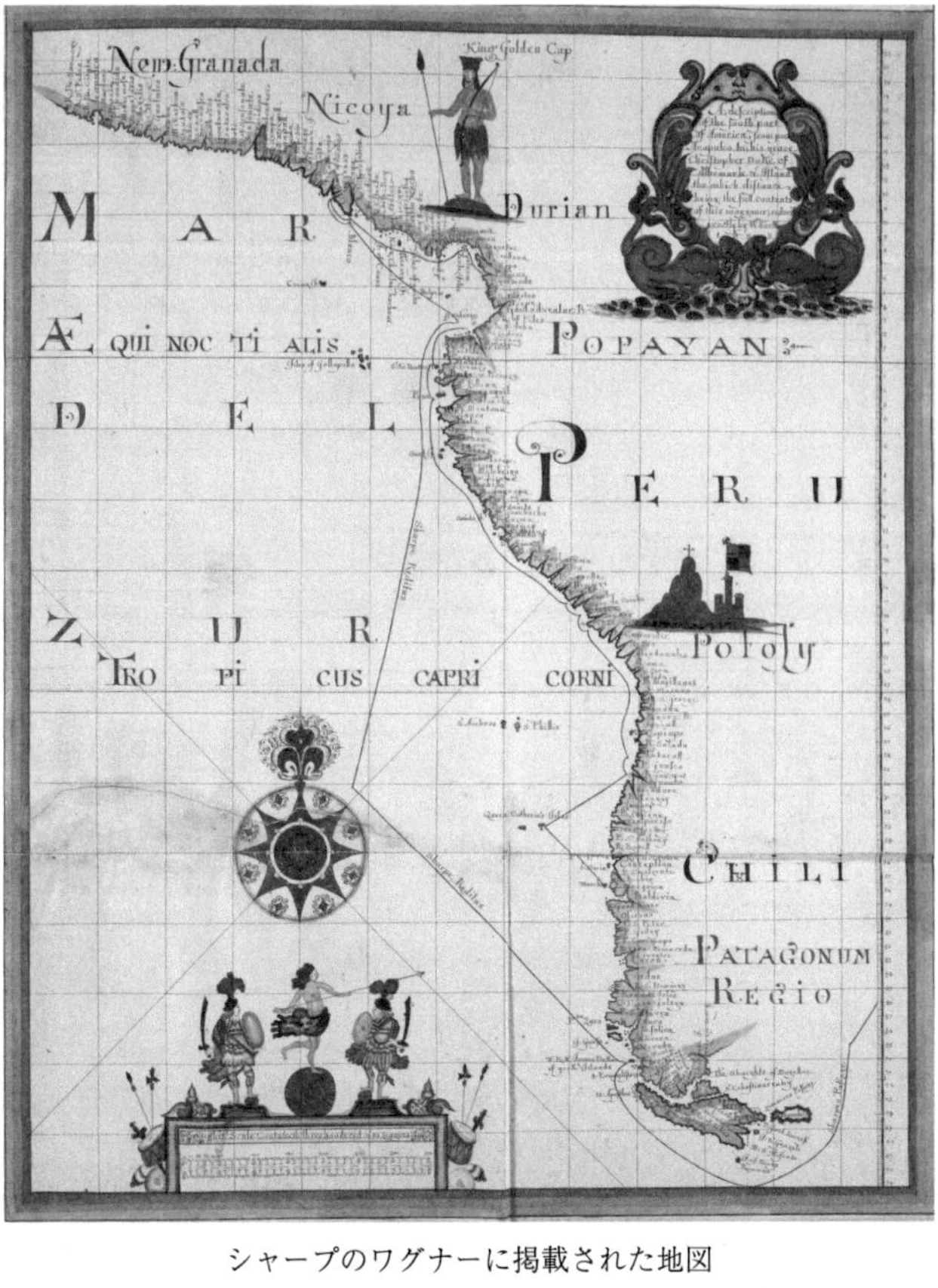

シャープのワグナーに掲載された地図

一年後の一六八四年、シャープと仲間たちは書店攻略に乗りだした。『アメリカのバッカニアの歴史』の英語版の初版が空前の大ヒットを飛ばしたのに続いて、版元のウィリアム・クルックは、十月に刊行した第二版でさらに多くの読者を獲得した。これにはシャープの偉業を記した日誌が含まれており、その内容がタイトルに端的に示されている。すなわち、「ジャマイカからダリエン地方、南海へと足を延ばし、三年にわたって強盗と襲撃を繰り返して、一六八二年にイングランドにもどってくるまでのシャープ船長と仲間たちの活躍をそこに居合わせたバッカニアのひとりが簡潔に語る」というもので、語り部の名前は、己が有罪、あるいはさらなる重罪に問われるのを避けるため、「W・D」としか記されていない。もちろんこれはウィリアム・ディックと考えて、まず間違いない。

一六八四年にはまた、『バーソロミュー・シャープ船長の航海日誌と冒険』が初めて刊行されたが、生憎《あいにく》こちらにはシャープの日誌は含まれておらず、タイトルにある「航海日誌」はジョン・コックスがつけたもので、しかも匿名で出版された。海賊にまつわる数あるノンフィクション本でコックスの名が読者に知られるようになるのは、一六八五年の二月にバジル・リングローズの日誌を取り入れた『アメリカのバッカニアの歴史』第二巻が刊行されてからである。もともとリングローズは『バジル・リングローズの南海行き航海日誌』とタイトルをつけていたが、それが『バーソロミュー・シャープ船長と仲間たちの危険な航海と大胆な襲撃』と題して出版されたものだ。その刊行時には、リングローズは南海へもどっていたのである。さまざまな情報源からすると、新しい本をまとめていたか、あるいは商船の積み荷監督人として雇われていたか、はたまたふたたび海賊行為を働いていたか、そのいずれかの組み合わせであると考えられる。

ダンピアの日誌『最新世界周航記』が刊行されるのは一六九七年だが、そこでダンピアは、リングローズが一六八三年十月一日にスーパーカーゴ（船の積み荷監督人）として百八十トンの商船シグネット号に乗りこんでイングランドから南海へ出港したと記している。「その船に乗ったのは本人の希望ではなく、何かやむを得ない事情があったか、あるいは飢えをしのぐためだった」と友の事情を慮《おもんぱか》っているが、これはおそらく、罪を問われないための弁明と考えていいだろう。結局、リングローズは好きなことを何でもできるだけの戦利品を持ってイングランドに帰ってきたのだから。その後彼は自身の日誌の版権を売り、『アメリカのバッカニアの歴史』第二巻で、コックス、W・D、クルックから、並はずれた海賊と謳《うた》われている。クルックのはしがきには、リングローズは「このうえなく危険なバッカニア対スペインの戦闘において、剣を振るって戦った（のみならず）、ペンを持って、その戦いの真実をわれわれの目の前に明らかにしたのである」と記されている。

そしてリングローズは続編の旅に出る。バーソロミュー・シャープが金をつかい果たしたうえ、陸に長居して嫌われ、あとはもう海に出るしかなくなったという、海賊お決まりの展開をたどったのとは違って、リングローズがふたたび海にもどっていったのは、ダンピアの言には反して、明らかに自分の意志によるものだった。一六八〇年に、「危険な冒険から足を洗って故郷に帰りたい」と記していた、あの気持ちはどこへ行ったのか。一六八二年にイングランドにもどってきたあとに製作したワグナーで、彼は南海を荒らしまわったバッカニアの遠征を満足げにふりかえっている。「スペイン人はそこを『スペインの海』と誇らしげに呼んでいる。しかし、武力が彼らにその土地を所有する権利を与えるなら、われわれにも与えられてしかるべきなのである。何しろ二十二か月にわたって問題の海域を掌握した実績があり、現在もその地に居続けていたかもしれないのだから」

　ダンピアによれば、シグネット号の冒険は、完全にバジル・リンググローズの思いつきだったらしい。バズは、一六八三年にはロンドンで商人として「名を上げ」ており、船に五千ポンド相当の商品を積載して南海で販売する提案をしていた。しかし彼に備わった「機略の才」も、市場分析では役立たなかった。シグネット号は南海にたどりついたものの、財宝を船からおろせなかったのである。

　一六八四年十月二日、シグネット号はプラタ島で新しい南海船団を構成していたバッカニアたちと出会った。十隻の船に九百人が乗り合わせたこの船団は、それまで度々《たびたび》バッカニアたちを悩ませていた人員不足に陥る心配はなさそうだった。営利企業の旗を掲げながらも、シグネット号の乗員の多くは、じつは新しいバッカニアの船団に加わる見こみに引かれるより前から、海賊になりたいと思っていたのだった。

　そしてこのプラタ島で出会ったバッカニアのなかに、ダンピアとウェイファーがいた。リンググローズと再会したのか、新しい船団に彼らが誘ったのか、どちらも記録には残っていないが、その前後の彼らの行動から、そのときの感情がつかめるかもしれない。一六八一年四月にトリニティ号と決別してから、ふたりとも家には帰っていない――ここでいう「家」とは、イングランドにいる家族のもとという伝統的な意味だ。つねに冒険に踏み出している彼らにとって、今の家族はバッカニアたちなのだった。

　ウェイファーは一六八八年までバッカニアの仲間内にいたが、「ちょっとした問題」と彼がいうところのトラブルが起きて、イングランドにもどることを余儀なくされた。ヴァージニアのコンフォート岬で、海賊行為の罪により逮捕されたのだ。結果、ジェイムズタウンの監獄に、ダリエンで、いっしょに遅れを取った仲間ジョン・ヒングソンやエドワード・デイヴィス船長とともに収監されたのち、ロンドンのニューゲート監獄に移された。そこからさらに絞首台へ移されるところを、特定の海賊に適用されるジェイムズ二世の恩赦をもらって免れようとする。しかし、残念ながらジェイムズ二世は、つい最近フランスへ追放の身となり、イングランドの統治者はウィリアム三世と妻のメアリー二世に取って代わられていた。

それでも一六九一年にウィリアムとメアリーは、ウェイファー、ヒングソン、デイヴィスに恩赦を与え、三人は晴れて自由の身になった。これにより、ヴァージニアで没収された略奪品を取りもどす道もひらかれた——ウェイファーの場合は、千百五十八ピース・オブ・エイト、銀百六十二ポンド、黄金二分の一オンス。しかし、植民地であるヴァージニアに大学を設立する費用の補助にあてるため、三人ともに、総額の四分の一を放棄したうえに、追加で三百ポンドを送るよう命じられた。結果、一六九三年にウィリアム・アンド・メアリー大学が設立された。現在のアメリカにおいて、ハーバードに次ぐ古い歴史を持つことで知られる高等教育機関である。

シャープ、ディック、コックスの事件と同じように、ウェイファーには利用価値があると王がにらんだのが、このような結果に反映されていることは十分に考えられる。これ以降彼は、南海の植民地化において重要な役割を果たすようになるのである。その手はじめが、ダリエン時代をふりかえった回想録『新しい航海とダリエン地峡に関する解説』と題した自著である。一六九九年に刊行されたが、まだ原稿の段階で、そこに記された経済発展の可能性に関する洞察が、巨額の公的資金援助を受けてダリエンにスコットランド植民地を設立しようという人々の投資欲に火をつけたのだった。植民地化を進める企業体「アフリカ及びインド諸島を対象とするスコットランド貿易会社」は、ウェイファーに二十ポンドを支払って、出版を一か月ほど差し止めることを約束させる。そこに含まれる情報を独占するためだった。さらにウェイファーは、このプロジェクトに対して専門的に助言するアドバイザーを務めることになり、追加で七百五十ポンドが支払われた。同じ職にダンピアも雇われる。

一六九八年、最初の千二百人が入植を開始。ダリエン湾を挟んで、ゴールデン島のちょうど向かいに、ニュー・エジンバラの都市が建設された。それから九か月経たないうちに、ウェイファーが訪れる機会もないままに、入植者たちの四分の三が熱帯病で亡くなり、生き残った人間もそこを引き払った。あとはジャングルが、入植者たちの努力の痕跡をかき消していった。一七〇四年、ウェイファーは『新しい航海とダリエン地峡に関する解説』の第二版のはしがきで、イングランド政府に向けて、再度ダリエンに植民地をつくるよう働きかける。次は前回の失敗に学んで、クナ族と友好を深めることを強調した。しかし一年後にウェイファーが亡くなると、彼の情熱も死に絶えた。

ウェイファー同様に、ダンピアもまた、最初の南海遠征の罪を免れたあと、「私掠船《しりやくせん》」での活動を続け、カリブ海で数え切れないほど略奪を行ったが、一六八六年になると東インド洋へ移った。そのあいだ唯一陸にあがったのは、スマトラ島にあるイングランド領ベンクーレンの砦で、そこで彼は砲手として働いたが、植民地の総督と衝突して逃げざるを得なくなり、一六九一年にロンドンへ追いやられることになった。イングランドにもどるのも、妻と会うのも十二年ぶりだった。しかしそれからまもなくカリブ海に出て、また海賊行為を続けるのだった。

一六九七年、ダンピア初の著作『最新世界周航記』がついに刊行される。海賊の手記はすでにいくつも出ていたが、読者は一向に飽きなかった。南海遠征に関する既刊本との「無用な重複を避けるため」、有名なパナマ湾での戦いについては、「四月二十三日、パナマ市が視界に入った」という一文だけで終わっている。代わりに、ビンロウジ（ビンロウの種子。嗜好品としてキンマの葉に包んで石灰などとともに嚙む）の説明に数ページを費やしている。これは罪を問われないための方便というだけでなく、学問的にも賢明な処置だった。「人間、場所、物事、植物、魚類、爬虫類、鳥類、哺乳類に関する、じつに詳細な解説」は、十七世紀の読者にとって、その三百年近くのちに視聴者が目にすることになるアポロ十一号が月からもたらした映像と同じぐらい斬新で、興味を引かれるものだったろう。『最新世界周航記』はたちまちベストセラーとなり、わずか九か月で三刷りまで刊行され、それからまもなく数か国語に訳された。そうしてダンピアは、この時代のチャールズ・ダーウィンとなったばかりか、ダーウィンその人にも影響を与えた。進化論の父は、『最新世界周航記』を携えてビーグル号に乗ったのだ。

しかし、そんな高い評判も、水もれのする船で嵐の向こうにある未知の世界をめざす旅から得られる喜びと比べると、色あせて見えるのかもしれない。一六九九年、ダンピアはイングランド海軍本部からの命令を受けて、新オランダ、すなわち現在オーストラリアとして知られている地域の探検に出る。そこで数々の発見をし、新たに二冊の本を出版して好評を博したうえに、オーストラリアの名所や、花を観賞する植物に、彼の名がたくさん冠せられるようになった。それでも、その航海には、飛んでくるマスケット銃の弾をよけるようなスリルがないと思ったのか、一七〇二年にはふたたび私掠船にもどってしまう。ただし今回は、スペイン継承戦争のさなかにあって、イングランドから正式な免許を得ている。以来ダンピアは、私掠船での活動を続け、一七〇九年、五十八歳のときには二十門の大砲と百九十三人の乗員を乗せたマニラの財宝を運ぶガレオン船ヌエストラ・

セニョーラ・デ・ラ・エンカルナシオン・デセンガニョ号を捕獲して、十五万ポンド相当の黄金、宝石、そのほかの貨物を奪った。つねに海にもどっていったダンピアが、とうとうそれをやめたのは、一七一五年、死を迎えたときだった。

そういう事情を知ったうえで、一六八四年十月二日のプラタ島にもどってみれば、ウィリアム・ダンピアやライオネル・ウェイファーが、友のバジル・リングローズに、海賊にもどるのをやめるよう説得したとは、とても思えない。むしろ、よくぞもどってきたと歓迎する場面のほうが想像しやすい。いずれにしても、リングローズはこの船団に加わり、シグネット号のほかの乗員たちもそうした。新しいバッカニア船団は次の年の大半を、二千四百万ピース・オブ・エイトという王の財宝を運ぶスペイン艦隊の追跡に捧げた。その追跡期間だけでも一冊の本ができあがるような冒険だったろう。最終的にダンピア、ウェイファー、リングローズと仲間たちは、スペイン艦隊の航行を遮断することができたのだが、火力で完全に敵に負けているとわかって、退却するしかなかった。

命からがら逃げたあとも、三人は新しいバッカニアの仲間たちと離れず、みんなでメキシコの海岸に運試しに出ることにした。そこで一六八六年の二月、リングローズはシグネット号の船長チャールズ・スワンの一部隊として、食料調達のために岸にあがることになった。カヌーをつかって十五マイル内陸へ進み、そこからは徒歩でサンタ・ペカケ（現在はセンティスパクとして知られており、プエルト・バヤルタの北へおよそ百マイル行ったところにあるナヤリト州の西部に位置する）という小さな町へ行き、これといった抵抗にも遭わずに攻略した。ダンピアの記録によると、そこではスワン船長と仲間たちがひとりの捕虜を取っており、その捕虜が、ここからわずか三リーグしか離れていないところにおよそ千人から成るスペインの大隊が待機しているといったそうだ。こちらの力を上まわる部隊が近くにいるといって、その詳細をもっともらしく語ることで、攻撃をあきらめさせようと考える。そんな捕虜はこれまでいくらでもいた。なので今回もそうだろうと真に受けず、食料調達に出た部隊は、たっぷり時間をかけて仕事に勤《いそ》しんだのだった。しかし、翌日カヌーにもどる道中で、捕虜のいったとおりであることが判明した。待ち伏せしていたスペイン大隊の奇襲攻撃に遭って、五十人のバッカニアが死んだ。「身ぐるみはがれて切り倒され、めった切りにされて、（スワン船長は）誰が誰なのか、ほとんど見分けがつかなかった」とダンピアは記しており、死者のなかには、「機略の才に富むわが友ミスター・リングローズ」が交じっていたと、つけくわえている。

そのときリングローズはわずか三十三歳。誰の目にも早すぎる死であったのは間違いない。それでもリングローズは、海賊たちの憧れる「短いけれど愉快な人生」を送ったのかもしれない。その答えは、彼がシグネット号で綴《つづ》っていた航海日誌に書かれているのだろうが、いまだにそれは見つかっていない。南海での新たな冒険には、きっと広範囲にわたるさまざまな事件があっただろう。それでいてその情報がほとんど得られないことを思えば、リングローズの失われた航海日誌こそが、いまだ見ぬ、海賊の残した一番貴重な宝だといえるのかもしれない。

謝　辞

著作権代理人のリチャード・アベイトの才腕と根性がなかったら、本書は存在していなかっただろう。そして、アメリカ海軍士官学校の歴史学教授ヴァージニア・ランスフォードの助力——実際は介入——がなかったら、この本は三百ページにわたる、海賊にしかわからない隠語の集積になっていただろう。また、ベン・ジョージの明敏かつ鋭利な編集を経なければ、歴史的には信頼に足るものの、読者を退屈させるだけの三百ページの書物になったことと思う。この三人は今後一切グロッグ酒を呑むのに自腹を切らなくていい。

同様にグロッグ酒をおごらなければならない人々がほかにもいる。おそらく世界の七つの海で最高の書籍マーケティング担当者キャサリン・エイキー、既知の宇宙において最も勤勉な進行部長ベン・アレン、きっと大気圏外の誤植も見逃さないだろうから人間の視界の限界である三マイルを超える先にある誤植を見つけるなどお手の物の校正者キャスリン・ブラット、比類無き海洋歴史学者であり著者であり黒髭の霊媒師であるベイラス・ブルックス、あきれるほどに几帳面《きちょうめん》な原稿整理編集者で近い将来作家たちが金を出し合って彫像を建てるに違いないと思えるバーバラ・クラーク、とんでもない才能を持つグラフィック・デザイナーのキリン・ダイモント、海賊アン・ボニーに匹敵するリサーチ助手のタリア・ファイン、学芸を司《つかさど》る女神に等しいルーシー・グレイヴス・ホリス、本来の仕事はもちろん一ダースにわたるさまざまな役を機敏にこなしてくれた編集助手のエヴァン・ハンセン＝バンディ、マーケティングにおいてバッカニアにおけるマスケット銃と同じ働きをしてくれたブランドン・ケリー、最初にして最高の校正者ジョアン・クレッチマー、バジル・リングローズと同レベルの機略の才に富むハシェット・オーディオのプロデューサーであるマイケル・マクゴニガル、卓越した作家で本書を正しい方向に導くアストロラーベといえるキャンディス・ミラード、考古学者とリサーチャーの二役をひとりで見事にこなしてイングランドの古い市政記録を掘り出してくれたサイモン・ニール、本書のために火打ち石式マスケット銃の弾の装塡から発砲までの過程を映像にしてくれた、海に関する専門家かつ傑出した作家であるジム・ネルソン、「海辺の同胞たち」が自らの広告宣伝キャンペーンに雇えたらよかったのにと思える広報係アリッサ・パーソンズ、そしてカレン・シェパードとヘンリー・シェパード、トムソン家のマルコーム、マシュー、トラウザー、さらに海賊関連の調査においてアレキサンドリア図書館級の豊富な資料を提供してくれた *Thistles & Pirates* というそのものズバリのタイトルのウェブサイトを開設した、読者であり海賊の権威であるシンディー・バラール、才能あふれるデザイナー兼地図製作者のジェフリー・ウォード、ウサイン・ボルト級の調査助手ジャック・ウエアハム、本書に必要な資料に光を当てるとともに本書を世に送りだす司令官の役目を負ったクレイグ・ヤング——彼がいなかったら本書にイラストは皆無だった——、そしてここまで読んでくださった読者の皆様に感謝を捧げます。

何か質問やご意見がありましたら、どうぞ kqthomson@gmail.com までお送りください。

参考にした資料について

本書は、南海遠征時にバッカニアが綴《つづ》っていた航海日誌をもとにしている。バジル・リングローズ、バーソロミュー・シャープ、ウィリアム・ダンピア、ライオネル・ウェイファー、ジョン・コックス、ウィリアム・ディック、エドワード・ポウヴィー（仲間を裏切って、訴追免除証言として、遠征の詳細を供述した人間と考えてほぼ間違いない）の、全部で七人の日誌である。ここに再録した彼らの言葉は、半世紀前に出版あるいは複写された通りであるが、綴りの誤り、時代慣習、そのほかリーダビリティを阻害する要因について、わずかに修正をくわえている。日誌の書き手は盗賊であり殺人者であり、しばしば痛飲しており、みなそろって自己を大きく見せようとする一方で、自分に不利な証拠となりそうな事実を省き、真実を粉飾する傾向がある。そのため、本書では彼らに嘘をつかせないよう尽力してきた男たち、主としてヘンリー・モーガン、リオライン・ジェンキンズ、ペドロ・ロンキリョ・ブリセーニョの言葉も拠《よ》り所《どころ》にした。彼らの言葉は、書簡や、主としてイングランドの植民地公文書にうかがうことができる。

同様に、本書は他作家の作品も礎《いしずえ》にしている。とりわけ艦隊司令長官H・デレク・ハウスの著作は大いに参考にした。彼は一九三七年に英国軍艦ロドニー号に少佐として乗りこみ、世界一流の海洋航行の権威となって、カリフォルニア大学ロサンゼルス校の地図製作者ノーマン・スロワーと協力して、『バッカニアのアトラス』と題したリングローズのワグナーを初めて刊行した。両者が几帳面《きちょうめん》に付記した注釈は、読者をその時代にワープさせるとまではいかないものの、筆者がリングローズの話を語り直すうえで、コンパスと同じ役割を果たしてくれた。そして、歴史家ベナーソン・リトルの『海の盗賊の日常——海賊の戦略と技術』と、そのほか四冊の海賊に関する著作、これらだけで基本的な知識はまかなえる、いわば海賊のハンドブックの完成形も参考にした。彼は、リアルな海賊小説を得意とするある作家をして、「ベナーソンなしで、われわれに何ができる？」といわしめている。同様に、南海遠征を再構築するのに欠かせなかったのが、イギリスの作家であり詩人であり海洋歴史家であるジョン・メイスフィールド（一八七八—一九六七）がダンピアの航海日誌集成『ダンピアの航海』に載せている生のデータと皮肉の効いたコメント、及び『スパニッシュ・メインで』に記された洞察である。

最後に、バッカニアの綴った日誌の現物が見られる英国国立図書館の「スローン・マニュスクリプト・コレクション」の価値の凄さは、どれだけ強調しても大げさにはならないだろう。また、英国国立公文書館が所蔵する一六八三年大法官府裁判所の簡易裁判訴訟に関する手書きの記録Bazite Ringrose v Charles Toll and others, re. property in Charing Crossからは、リングローズの父親が所有していた店舗が〈ゴールデン・スウォード〉という名前であり、刀剣を製作して売ることよりも海に出て刀剣をつかって戦うことをリングローズが選んだことなど、新事実の詳細を知ることができた。さらに公文書館の通貨換算サイトnationalarchives.gov.uk/currency-converterも大変役に立った。これは金額を入力すると、一二七〇年から二〇一七年内の任意の年における、その貨幣の購買力（貨幣が一定の時期に購入し得るもの）を教えてくれる。たとえば、一六八〇年に千ポンドあれば、馬なら百八十五頭、雌牛なら二百四十頭、羊毛なら一千六百六十六ストーン（一ストーンは十四ポンド）、小麦なら五百クォーターが手に入り、熟練した職人ひとりを雇った場合の一万一千百十一日分の給金が支払える、といった具合だ。

図版クレジット

第1章：イングランド人の海賊／Howard Pyle, *Howard Pyle's Book of Pirates* (New York: Harper & Brothers, 1921), 13, via Wikimedia Commons.

第4章：タバコを吸うクナ族／Lionel Wafer, *A New Voyage and Description of the Isthmus of Panama* (Cleveland: The Burrows Brothers Company, 1903), 108, via Google Books.

第6章：ヘンリー・モーガンの肖像／A. O. Exquemelin, *Bucaniers of America, Part II* (London: William Crooke, 1684), 60.

第7章：ポート・ロイヤル／John Masefield, *On the Spanish Main* (London: Methuen & Co., 1906), 132, via Project Gutenberg.

第7章：ウィリアム・ダンピアの肖像／"William Dampier," by J. Horsburgh, Christian Isobel Johnstone, *Lives and Voyages of Drake, Cavendish, and Dampier* (Edinburgh: Oliver & Boyd, Tweedale Court, 1837), 181, via Google Books.

第9章：スペイン兵のいう「取り調べ」／Howard Pyle, *Howard Pyle's Book of Pirates* (New York: Harper & Brothers, 1921), 37, via Wikimedia Commons.

第10章：敵船の襲撃／Howard Pyle, *Howard Pyle's Book of Pirates* (New York: Harper & Brothers, 1921), 211, via Wikimedia Commons.

第12章：燃える船／"Burning of the Gaspee"/ Howard Pyle, *Howard Pyle's Book of the American Spirit: The Romance of American History* (United Kingdom: Harper & Brothers, 1923), 197, via Google Books.

第12章：海戦／"Morgan's attack of Maracaibo,"/ F. Whymper, *The Sea: Its Stirring Story of Adventure, Peril, & Heroism, Volume III* (London: Cassell, Peter, Galpin & Co., 1877), 40, via Project Gutenberg.

第13章：外科医の道具／"Fold out chart of instruments,"/ John Woodall, *The Surgions Mate* (London: Laurence Lisle, 1617), via Wikimedia Commons.

第13章：降伏／"And again my captain took the biggest," by Howard Pyle, *Harper's Magazine*, January 1895, 331, via Google Books.

第16章：クラーケン／Pen and wash drawing by malacologist Pierre Dénys de Montfort, 1801, the descriptions of French sailors reportedly attacked by such a creature off the coast of Angola, via Wikimedia.

第18章：司令官の作戦が発表されるのを待つ乗員たち／Howard Pyle, *Howard Pyle's Book of Pirates* (New York: Harper & Brothers, 1921), 13, via Wikimedia Commons.

第 18 章：フランシス・ドレイクの乗員は銀を奪った。それがプラタ島にまだ残っている可能性があった。/ “Thomas Moon began to Lay about him with his Sword,”/ Howard Pyle, *Howard Pyle's Book of the American Spirit: The Romance of American History* (United Kingdom: Harper & Brothers, 1923), 4, via Google Books.

第 19 章：酒場で計画を練る / “He Led Jack up to a Man Who Sat upon a Barrel,”/ Howard Pyle, *Howard Pyle's Book of Pirates* (United Kingdom: Harper and Brothers, 1921), 136, via Project Gutenberg.

第 22 章：船で「火災」発生 / “The Burning Ship,”/ Howard Pyle, *Howard Pyle's Book of Pirates* (New York: Harper & Brothers, 1921), 236, via Project Gutenberg.

第 23 章：マス・ア・ティエラ島のアレグザンダー・セルカーク / William Lee, *Daniel Defoe: His Life and Recently Discovered Writings: Extending from 1716 to 1729, Vol. III*, 388, via Google Books.

第 23 章：ウィリアム・ストライカーの救出 / Copperplate-engraving by Robert Pollard after the drawing by Hubert-Francois Gravelot, in John Hamilton Moore, *A New and Complete Collection of Voyages and Travels* (London: Alexander Hogg, 1790), 55.

第 24 章：アリカ / “Rada de Arica,”/ François Coreal, *Voyages de François Coreal aux des Occidentales* (Paris: Jean-Baptiste Coignard, 1720), via Wikimedia Commons.

第 27 章：バジル・リングローズの描いたドゥルセ湾の地図 / Basil Ringrose, *The South Sea Waggoner shewing the making & bearing of all the coasts from California to the Streights of Le Maire done from the Spanish originall by Basil Ringrose* (1682), 32, courtesy of the National Maritime Museum, Greenwich, London, via Wikimedia Commons.

第 27 章：新兵徴募 / “Brownejohns Wharf ” illustration by Howard Pyle, in John Austin, “Old New York Taverns by John Austin Stevens,” *Harper's Magazine*, May 1890, 847, via Google Books.

第 28 章：ラセンタをかしらとするクナ族 / Lionel Wafer, *A New Voyage and Description of the Isthmus of Panama* (Cleveland: The Burrows Brothers Company, 1903), 136, via Google Books.

第 28 章：ラセンタの妻の瀉血《しやけつ》 / Lionel Wafer, *A New Voyage and Description of the Isthmus of Panama* (Cleveland: The Burrows Brothers Company, 1903), 55, via Google Books.

第 30 章：決闘 / “Why don't you end it?” by Howard Pyle, Johnston, Mary, *To Have and to Hold* (Cambridge, MA: Riverside Press, 1900).

第 30 章：時化《しけ》 / Illustration by E. Duncan, in Samuel Taylor Coleridge, *The Rime*

of the Ancient Mariner (University of California, D. Appleton, 1857), 10, via Google Books.

第32章：イングランド王チャールズ2世 / “Portrait of Charles II of England” by Lambert van den Bos Schauplatz des Krieges, 1675, via Wikimedia Commons.

第32章：17世紀の裁判 / Engraving by CG Lewis of Sir George Hayter's painting “The Trial of William Lord Russell,” 1683, *The Art Journal*, Volume 41, 1879, 180.

第32章：ロンドンの海賊処刑所 / Seventeenth-century engraving, artist unknown, via Wikimedia Commons.

第33章：シャープのワグナーに掲載された地図 / William Hack and Bartholomew Sharpe, *Waggoner of the South Seas* (1682), courtesy of Philadelphia Free Library, Rare Book Department.

参考文献

Adams, Simon. *The Unforgiving Rope: Murder and Hanging on Australia's Western Frontier*. Crawley, Western Australia: UWA Publishing, 2009.

Alexander VI. "Inter Caetera." Papal bull, May 4, 1493. Archives of the Indies at Seville, Patronato, 1-1-1, no. 3. Translation: https://en.wikisource.org/wiki/European_Treaties_bearing_on_the_History_of_the_United_States_and_its_Dependencies_to_1648/Document_05.

Anderson, Charles Loftus Grant. *Old Panama and Castilla del Oro*. Washington, DC: Press of the Sudwarth Company, 1911.

Anonymous [probably John Cox]. *The Voyages and Adventures of Capt. Barth. Sharp And Others in the South Sea, being a journal of the same*. Edited by Philip Ayres. London: P.A., Esq., 1684.

——— [probably Edward Povey]. "Bartholomew Sharp's Men." *Privateering and Piracy in the Colonial Period*. Edited by John Franklin Jameson. New York: Macmillan, 1923.

———. *The Gazetteer of the World, Prominence Being Given to Great Britain and Colonies, Indian Empire, United States of America*. Vol. 9. London: Thomas C. Jack, 1887.

Bancroft, Hubert Howe. *The Works of Hubert Howe Bancroft*, vol. 7, *History of Central America vol. II: 1530–1800*. San Francisco: A. L. Bancroft & Company, 1883.

Bassett, Fletcher S. *Legends and Superstitions of the Sea and of Sailors in All Lands and at All Times*. Chicago: Belford, Clarke & Company, 1885. Kindle.

Berry, B. Midi, and R. S. Schofield. "Age at Baptism in Pre-Industrial England." *Population Studies* 25, no. 3 (November 1971): 453–63.

Black, Clinton. *Pirates of the West Indies*. Cambridge, UK: Cambridge University Press, 1989.（クリントン・V・ブラック『カリブ海の海賊たち』増田義郎訳、新潮選書）

Bowditch, Nathaniel. *The New American Practical Navigator*. Washington, DC: Government Printing Office, 1868.

Bown, Stephen J. *Scurvy: How a Surgeon, a Mariner, and a Gentleman Solved the Greatest Medical Mystery of the Age of Sail*. New York: Thomas Dunne Books, 2004.（スティーブン・R・バウン『壊血病――医学の謎に挑んだ男たち』中村哲也監修・小林政子訳、国書刊行会）

Bradley, Peter T. *The Defence of Peru 1579–1700: Royal Reluctance and Colonial Self-Reliance*. Self-published, Lulu, 2009.

Brandon, Pepijn, Sabine Go, and Verstegen Wybren, eds. *Navigating History: Economy, Society, Knowledge, and Nature*. Library of Economic History 11. Leiden, Netherlands: Brill, 2018.

Breverton, Terry. *Admiral Sir Henry Morgan: King of the Buccaneers*. Gretna, LA: Pelican Publishing, 2005.

Brochu, Christopher A. "Phylogenetics, Taxonomy, and Historical Biogeography of Alligatoroidea." *Memoir* (*Society of Vertebrate Paleontology*) 6 (June 1999): 9–100.

Burkett, Josiah. *A Complete History of the Most Remarkable Transactions at Sea*. London: W.B., 1920.

Cary, Henry Nathaniel. *The slang of venery and its analogues*. Chicago, 1916.

Chamberlayne, John. *The Natural History of Coffee, Thee, Chocolate, Tobacco*. London: Christopher Wilkinson, 1682.

Climate-Data.org. https://en.climate-data.org/.

"Currency Converter: 1270–2017." National Archives, www.nationalarchives.gov.uk/currency-converter/#currency-result.

Curtler, W. H. R. *English Agriculture*. London: Clarendon Press, 1909.

Dampier, William. "The Campeachy Voyages." In *Dampier's Voyages*, vol. 2, edited by John Masefield. London: E. Grant Richards, 1906. First published by James Knapton, London, 1697.

———. "A New Voyage Round the World." In *Dampier's Voyages*, vol. 1, edited by John Masefield. London: E. Grant Richards, 1906. First published by James Knapton, London, 1697. ダンピア『最新世界周航記』(メースフィールド編、平野敬一訳、岩波文庫)

———. *A Voyage to New-Holland, &c. In the Year 1699*. London: James and John Knapton, 1729.

Darwin Correspondence Project. University of Cambridge. https://www.darwinproject.ac.uk/.

Dick, William. *William Dick's South Sea Voyage: From Jamaica unto the Province of Darien, and South-Seas*. The Dampier Collection, vol. 13. N.p.: Tomes Maritime Press, 2018. First published in *Bucaniers of America: The Second Volume*. London: William Crooke, 1685.

Durston, Gregory. *The Admiralty Sessions, 1536–1834: Maritime Crime and the Silver Oar*. United Kingdom: Cambridge Scholars Publishing, 2017.

Emsley, Clive, Tim Hitchcock, and Robert Shoemaker. "History of the Old Bailey Courthouse: The Courtroom." *Old Bailey Proceedings Online*, April 17, 2011,

https://www.oldbaileyonline.org/static/The-old-bailey.jsp#courtroom.

———. "Trial Procedures: How Trials Were Conducted at the Old Bailey." *Old Bailey Proceedings Online*, April 17, 2011, https://www.oldbaileyonline.org/static/Trial-procedures.jsp.

Exquemelin, Alexander O. *The Buccaneers of America*. Overland Park, KS: Digireads, 2010. First published in Dutch as *De Americaensche Zee-Roovers* (Amsterdam: Jan ten Hoorn, 1678). Kindle.

Falconer, William. *An Universal Dictionary of the Marine*. Glasgow: Good Press, 2019. First published by T. Cadell, London, 1780. Kindle.

Fish, Shirley. *The Manila-Acapulco Galleons: The Treasure Ships of the Pacific*. Self-published, Author House, 2011.

Fortescue, J. W., ed. *Calendar of State Papers Colonial, America and West Indies*, vol. 11, *1681–1685*. London: Her Majesty's Stationery Office, 1898. Reproduced in *British History Online*, https://www.british-history.ac.uk/cal-state-papers/colonial/america-west-indies/vol11.

Friedenberg, Zachary B. *Medicine Under Sail*. Annapolis, MD: Naval Institute Press, 2002.

Fuss, Norman. "You Say Huzzah! They Said Huzzay!" *Journal of the American Revolution*, April 22, 2014, https://allthingsliberty.com/2014/04/you-say-huzzah-they-said-huzzay/.

Gammon, Katharine. "The 10 Driest Places on Earth." *Live Science*, July 22, 2011, https://www.livescience.com/30627-10-driest-places-on-earth.html.

Garner, Richard L. "Long-Term Silver Mining Trends in Spanish America: A Comparative Analysis of Peru and Mexico." *American Historical Review* 93, no. 4 (1988): 898–935.

George, James, and Kenneth Rockwood. "Dehydration and Delirium — Not a Simple Relationship." *Journal of Gerontology: Medical Sciences* 59, no. 8 (August 2004): M811–12.

Gerhard, Peter. *Pirates on the West Coast of New Spain, 1575–1742*. Glendale, CA: A. H. Clark Company, 1960.

Ginger, John. *Handel's Trumpeter; the Diary of John Grano*. Hillsdale, NY: Pendragon Press, 1998.

Gisolfi, Carl V. "Water Requirements During Exercise in the Heat." In *Nutritional Needs in Hot Environments: Applications for Military Personnel in Field Operations*, edited by Bernadette M. Marriott. Washington, DC: National Academies Press, 1993.

Goodricke, Charles Alfred. *History of the Goodricke Family*. Aylesbury, UK: Hazell, Watson, and Viney, 1885.

Gosse, Philip. *The Pirates' Who's Who.* New York: Burt Franklin, 1924.
Hansen, Valerie, and Ken Curtis. *Voyages in World History*, vol. 2, *To 1500.* Boston: Cengage Learning, 2013.
Harding, Christopher. "'Hostis Humani Generis' — The Pirate as Outlaw in the Early Modern Law of the Sea." In *Pirates? The Politics of Plunder, 1550–1650,* edited by Claire Jowitt. London: Palgrave Macmillan, 2006.
Healey, Jonathan. "Just a Quick List of 17th Century Euphemisms for Being Drunk. . . ." *The Social Historian*, August 30, 2016, https://thesocialhistorian.wordpress.com/2016/08/30/just-a-quick-list-of-17th-century-euphemisms-for-being-drunk/.
Helms, Mary W. *Ancient Panama: Chiefs in Search of Power.* Austin: University of Texas Press, 1979. Kindle.
"History of Court Dress." Courts and Tribunals Judiciary, https://www.judiciary.uk/about-the-judiciary/the-justice-system/history/.
Howe, James. *The Kuna Gathering: Contemporary Village Politic in Panama.* Tucson, AZ: Fenestra Books, 2002.
"Howler Monkeys." *National Geographic*, https://www.nationalgeographic.com/animals/mammals/facts/howler-monkeys.
Howse, Derek, and Norman J. W. Thrower, eds. *A Buccaneer's Atlas: Basil Ringrose's South Seas Waggoner.* Berkeley: University of California Press, 1992.
Hunt, James. "On the Negro's Place in Nature." *Journal of the Anthropological Society of London* 2 (1864): xv–lvi.
Jacobus de Voragine. *The Golden Legend; Readings on the Saints.* Princeton, NJ: Princeton University Press, 2012.
Jameson, John Franklin. *Privateering and Piracy in the Colonial Period.* New York: Macmillan, 1923.
Johnson, Charles. *A General History of the Robberies and Murders of the most notorious Pyrates.* London: T. Warner, 1724.（チャールズ・ジョンソン『海賊列伝——歴史を駆け抜けた海の冒険者たち』朝比奈一郎訳、中公文庫）
Joyce, Lilian Elwyn Elliot. Introduction to *A New Voyage and Description of the Isthmus of America* by Lionel Wafer, Edited by Lilian Elwyn Elliot Joyce. London: Hakluyt Society, 1934. First published by James Knapton, London, 1699.
Kehoe, Mark C. "Theriaca Londonensis (London Treacle)," in "The Sea Surgeon's Dispensatory, Page 21," *The Pirate Surgeon's Journals*, http://www.piratesurgeon.com/pages/surgeon_pages/dispensatory21.html#london_treacle.
Kemp, Peter. *The Oxford Companion to Ships and the Sea.* Oxford, UK: Oxford University Press, 1976.
Kemp, P. K., and Christopher Lloyd. *Brethren of the Coast: Buccaneers of the*

South Seas. New York: St. Martin's Press, 1960.

Koerner, Brendan I. "Last Words: Why Are We So Sure That Death and Honesty Go Together?" *Legal Affairs*, November/December, 2002, https://www.legalaffairs.org/issues/November-December-2002/review_koerner_novdec2002.msp.

Konstam, Angus. *The Pirate Ship 1660–1730*. Oxford, UK: Osprey Publishing, 2003.

Kritzler, Edward. *Jewish Pirates of the Caribbean: How a Generation of Swashbuckling Jews Carved Out an Empire in the New World in Their Quest for Treasure, Religious Freedom — and Revenge*. New York: Doubleday, 2008.

Labat, Jean-Baptiste. *Voyage aux Isles de l'Amérique*. 2 vols. Paris: Editions Duchartre, 1931.

Lancaster, H. O. *Expectations of Life: A Study in the Demography, Statistics, and History of World Mortality*. Sydney: Springer Science and Business, 1990.

Langbein, John H. "The Prosecutorial Origins of Defence Counsel in the Eighteenth Century: The Appearance of Solicitors." *Cambridge Law Journal* 58, no. 2 (July 1999): 314–65.

Las Casas, Bartolome de. *A Short Account of the Destruction of the Indies*. Seville, 1552.

Lea, Henry Charles. *A History of the Inquisition of Spain*. Vol. 2. New York: Harper & Brothers, 1887.

Leslie, Charles. *A New History of Jamaica*. Cambridge, UK: Cambridge University Press, 2015. First published as *A New and Exact Account of Jamaica* (Edinburgh: R. Fleming, 1739).

Little, Benerson. *The Buccaneer's Realm: Pirate Life on the Spanish Main, 1674–1688*. Washington, DC: Potomac Books, 2007. Kindle.

———. "Eyewitness Images of Buccaneers and Their Vessels." *Mariner's Mirror* 98, no. 3 (August 2012): 313–28.

———. *The Golden Age of Piracy: The Truth Behind Pirate Myths*. New York: Skyhorse Publishing, 2006.

———. "Gunpowder Spots: Pirates & 'Tattoos.'" *Swordplay & Swashbucklers*, January 28, 2018, www.benersonlittle.blog/2017/08/16/gunpowder-spots-pirates-tattoos/.

———. *How History's Greatest Pirates Pillaged, Plundered, and Got Away with It: The Stories, Techniques, and Tactics of the Most Feared Sea Rovers from 1500–1800*. Beverly, MA: Fair Winds Press, 2010.

———. "The Myth of Sharp's Buccaneers, the Wreck of the *Santa Maria de la Consolación*, and Isla de Muerto." *Swordplay & Swashbucklers*, February 13,

2019, https://benersonlittle.blog/2019/02/13/the-myth-of-sharps-buccaneers-the-wreck-of-the-santa-maria-de-la-consolacion-and-isla-de-muerto/.

———. "Of Pirates & Wooden Legs." *Swordplay & Swashbucklers*, December 4, 2017, updated March 6, 2019, https://benersonlittle.blog/2017/12/04/of-pirates-wooden-legs/.

———. *The Sea Rover's Practice: Pirate Tactics and Techniques, 1630–1730.* Washington, DC: Potomac Books, 2005.

Lloyd, Christopher. "Bartholomew Sharp, Buccaneer." *Mariner's Mirror* 42, no. 4 (1956): 291–301.

Loveman, Kate. "The Introduction of Chocolate into England: Retailers, Researchers, and Consumers, 1640–1730." *Journal of Social History* 47, no. 1 (Fall 2013): 27–46.

Lunsford, Virginia. "A Model of Piracy: The Buccaneers of the Seventeenth-Century Caribbean." In *The Golden Age of Piracy: The Rise, Fall, and Enduring Popularity of Pirates*, edited by David Head. Athens: University of Georgia Press, 2018.

Luscombe, Stephen. "Nevis: Brief History." *The British Empire: Where the Sun Never Sets*, www.britishempire.co.uk/maproom/nevis.htm.

Malt, Ronald A. "Lionel Wafer — Surgeon to the Buccaneers." *Journal of the History of Medicine and Allied Sciences* 14, no. 10 (October 1959): 459–74.

Mangas, Fernando Serrano. "El proceso de pirata Bartholomew Sharp." *Temas Americanistas* 4 (1984): 38–49.

Marley, David F. *Pirates of the Americas*. Vol. 1, *1650–1685*. Santa Barbara, CA: ABC Clio, 2010.

Masefield, John. *On the Spanish Main: Or, Some English forays on the Isthmus of Darien*. New York: Macmillan, 1906.

McKay, Rich. "Sunken Treasure Beckons Hunters." *Orlando Sentinel*, October 26, 2003, https://www.orlandosentinel.com/news/os-xpm-2003-10-26-0310260412-story.html.

Morgan, Sam. "How to Use an Astrolabe." *Sciencing*, April 24, 2017, https://sciencing.com/use-astrolabe-4495712.html.

National Aeronautics and Space Administration Earth Observatory, https://earthobservatory.nasa.gov/.

National Aeronautics and Space Administration Eclipse Web Site, https://eclipse.gsfc.nasa.gov/.

National Oceanic and Atmospheric Administration. https://www.noaa.gov/.

New Zealand Maritime Museum. https://www.maritimemuseum.co.nz.

O'Conner, Patricia T., and Stewart Kellerman. "Hip Hip Hooray." *Grammarphobia*,

March 5, 2012, https://www.grammarphobia.com/blog/2012/03/hooray.html.

O'Shea, J. G. "'Two Minutes with Venus, Two Years with Mercury' — Mercury as an Antisyphilitic Chemotherapeutic Agent." *Journal of the Royal Society of Medicine* 83, no. 6 (June 1990): 392–95.

Paré, Ambroise. *The Workes of that Famous Chirurgion Ambrose Parey*. London: R. Coates and W. Dugard, 1649.

"Pig Iron." International Iron Metallics Association, https://www.metallics.org/pig-iron.html.

Pratt, George, ed. *Papers Relating to the Ships and Voyages of the Company of Scotland Trading to Africa and the Indies, 1696–1707*. Edinburgh: University Press, 1924.

Prescott, William Hickling. *History of the Conquest of Peru*. Philadelphia: J.B. Lippincott & Company, 1843. Kindle.（W・H・プレスコット『ペルー征服』石田外茂一・真木昌夫訳、講談社学術文庫）

Preston, Diana and Michael. *A Pirate of Exquisite Mind: Explorer, Naturalist, and Buccaneer: The Life of William Dampier*. New York: Walker & Company, 2004.

"The Procedure for the Trial of a Pirate." *American Journal of Legal History* 1, no. 3 (July 1957): 251–56.

Rediker, Marcus. *Between the Devil and the Deep Blue Sea: Merchant Seamen, Pirates and the Anglo-American Maritime World, 1700–1750*. Cambridge, UK: Cambridge University Press, 1987.

———. *Villains of All Nations: Atlantic Pirates in the Golden Age*. Boston: Beacon Press, 2004.（マーカス・レディカー『海賊たちの黄金時代――アトランティック・ヒストリーの世界』和田光弘ほか訳、ミネルヴァ書房）

Ringrose, Basil. *Baz Ringrose's Journal into the South Seas*. The Dampier Collection, vol. 12. N.p.: Tomes Maritime Press, 2010. First published in *Bucaniers of America: The Second Volume*. London: William Crooke, 1685.

Ruffhead, Owen, ed. *The Statutes at Large*, volume 2, *From the First Year of King Edward the Fourth to the End of the Reign of Queen Elizabeth*. London: Basket, Woodfall, and Strahan, 1763.

———. *The Statutes at Large*, volume 6, *From the Ninth Year of the Reign of King George the Second to the Twenty-fifth Year of the Reign of King George the Second*. London: Eyre & Strahan, 1786. Reprinted in an edition edited by Charles Runnington. London: Eyre & Strahan, 1786.

Sainsbury, W. Noel, ed. *Calendar of State Papers Colonial, America and West Indies*, vol. 5, *1661–1668*. London: Her Majesty's Stationery Office, 1889. Reproduced in *British History Online*, https://www.british-history.ac.uk/cal-state-papers/colonial/america-west-indies/vol7.

———. *Calendar of State Papers Colonial, America and West Indies*, vol. 7, *1669–1674*. London: Her Majesty's Stationery Office, 1889. Reproduced in *British History Online*, https://www.british-history.ac.uk/cal-state-papers/colonial/america-west-indies/vol7.

Sainsbury, W. Noel, and J. W. Fortescue, eds. *Calendar of State Papers Colonial, America and West Indies*, vol. 10, 1677–1680. London: Her Majesty's Stationery Office, 1898. Reproduced in *British History Online*, http://www.british-history.ac.uk/cal-state-papers/colonial/america-west-indies/vol10.

Schön, M. A., "The Anatomy of the Resonating Mechanism in Howling Monkeys." *Folia Primatologica* 15 (1971): 117–32.

Sellegren, Kim R., MD. "An Early History of Lower Limb Amputations and Prostheses." *Iowa Orthopeadic Journal* 2 (1982): 13–27.

Senior, William. *Doctors Commons and the Old Court of Admiralty*. London: Longman Green and Company, 1922.

Sepúlveda, Juan Ginés de. "Democrates Alter, Or, on the Just Causes for War Against the Indians" (1544). From *Boletín de la Real Academia de la Historia* 21 (October 1892). Originally translated for *Introduction to Contemporary Civilization in the West* (New York: Columbia University Press, 1946, 1954, 1961), www.columbia.edu/acis/ets/CCREAD/sepulved.htm.

Sharp, Bartholomew. *Captain Sharp's Journey Over the Isthmus of Darien and Expedition into the South Seas: The Journal of his Expedition, Written by Himself*. The Dampier Collection, vol. 14. N.p.: Tomes Maritime Press, 2010. First published in *A Collection of Original Voyages*, edited by William Hacke (London: James Knapton, 1699).

Sheridan, Richard. *Sugar and Slavery: An Economic History of the British West Indies, 1623–1775*. Kingston, Jamaica: Canoe Press, 1974.

"Shipbuilding: 800–1800: Discover How Many Trees It Took to Build One 18th Century Warship." Royal Museums Greenwich, www.rmg.co.uk/stories/topics/shipbuilding-800-1800.

"Silvagenitus." In *International Cloud Atlas*. World Meteorological Organization, https://cloudatlas.wmo.int/en/silvagenitus.html.

Simon, Rebecca. "Pirate Executions in Early Modern London." *English Legal History*, July 9, 2014, https://englishlegalhistory.wordpress.com/2014/07/09/pirate-executions-in-early-modern-london/.

Stevenson, Robert Louis. *Treasure Island*. London: Cassell and Company, 1883. (ロバート・L・スティーヴンソン『宝島』鈴木恵訳、新潮文庫)

Steward, David J. *The Sea and Their Graves: An Archaeology of Death and Remembrance in Maritime Culture*. Gainesville: University Press of Florida,

2011.
Talty, Stephan. *Empire of Blue Water: Captain Morgan's Great Pirate Army, the Epic Battle for the Americas, and the Catastrophe That Ended the Outlaws' Bloody Reign*. New York: Three Rivers Press, 2007.
Tanner, Joseph Robson, ed. *A Descriptive Catalogue of the Naval Manuscripts in the Pepysian Library at Magdalene College, Cambridge*. Vol. 1. Cambridge, UK: Naval Records Society, 1903.
Thomas, Graham A. *The Pirate King: The Incredible Story of the Real Captain Morgan*. New York: Skyhorse Publishing, 2015.
Thomas, Hugh. *Rivers of Gold: The Rise of the Spanish Empire, from Columbus to Magellan*. United Kingdom: Random House Publishing Group, 2013.（ヒュー・トーマス『黄金の川――スペイン帝国の興隆』岡部広治監訳、林大訳、大月書店）
Tiffin, Helen, Bill Ashcroft, and Gareth Griffiths. *The Post-colonial Studies Reader*. United Kingdom: Routledge, 2006.
Vallar, Cindy. "Notorious Pirate Havens — Part 4: Port Royal." *Pirates and Privateers: The History of Maritime Piracy*, www.cindyvallar.com/havens4.html.
Verrill, A. Hyatt. *The Real Story of the Pirate*. New York: D. Appleton and Company, 1923.
Vivian, Evelyn Charles. *Peru: Physical Features, Natural Resources, Means of Communication, Manufactures and Industrial Development*. New York: D. Appleton & Co., 1914.
Wafer, Lionel. *Wafer's New Voyage and Description of the Isthmus of Darien*. The Dampier Collection, vol. 10. N.p.: Tomes Maritime Press, 2010. First published by James Knapton, London, 1699.
W. D. [probably William Dick]. "A brief account of Captain Sharp and companions; their voyage from Jamaica unto the province of Darien and South Sea; with the robberies and assaults they committed therefore the space of three years, till their return for England in the year 1682. Given by one of the Bucaniers who was present at those transactions." In Alexandre Exquemelin, *Bucaniers of America: or, A true account of the most remarkable assaults committed of late years upon the coasts of the West-Indies, by bucaniers of Jamica and Tortuga, both English and French*. London: William Crooke, 1684.
Westergaard, Waldemar. *The Danish West Indies Under Company Rule (1671–1754)*. New York: Macmillan, 1917.
White, Jerry. *London in the Eighteenth Century: A Great and Monstrous Thing*. New York: Random House, 2012.

———. *Mansions of Misery: A Biography of the Marshalsea Debtors' Prison*. London: Bodley Head, 2016. Kindle.

Whitenton, Brian. "The Difference Between Pirates, Privateers and Buccaneers Pt. 1." *Mariners' Blog*, Mariners' Museum and Park, September 20, 2012, https://blog.marinersmuseum.org/2012/09/the-difference-between-pirates-privateers-and-buccaneers-pt-1/.

———. "The Difference Between Pirates, Privateers and Buccaneers Pt. 2." *Mariners' Blog*, Mariners' Museum and Park, October 4, 2012, https://blog.marinersmuseum.org/2012/10/the-difference-between-pirates-privateers-and-buccaneers-pt-2/.

"A wicked time in 17th century Jamaica." *Antiques Trader Gazette*, October 15, 2015. www.antiquestradegazette.com/news/2012/a-wicked-time-in-17th-century-jamaica/ (2012).

Wonderopolis. "Why Do Pirates Say 'Arrr!'?," www.wonderopolis.org/wonder/why-do-pirates-say-arrr.

Wood, Michael. *Conquistadors*. Oakland: University of California Press, 2001.

Woodall, John. *The Surgions Mate: The First Compendium on Naval Medicine, Surgery and Drug Therapy* (*London 1617*). Edited by Irmgard Müller. Classic Texts in the Sciences. Cham, Switzerland: Birkhäuser, 2016. First published by Laurence Lisle, London, 1617.

World Register of Marine Species. http://www.marinespecies.org/.

Yeomans, Donald K. "Great Comets in History." NASA Jet Propulsion Laboratory, April 2007, https://ssd.jpl.nasa.gov/sb/great_comets.html.

Zahedieh, Nuala. "Trade, Plunder, and Economic Development in Early English Jamaica, 1655–89." *Economic History Review* 39, no. 2 (May 1986): 205–22.

本書には、今日の人権意識に照らして適切ではないとされる語句・表現があります。しかしながら、作品の時代的背景などを鑑みそのまま翻訳しました。

Born to Be Hanged

The Epic Story of the Gentlemen Pirates
Who Raided the South Seas,
Rescued a Princess, and Stole a Fortune

by Keith Thomson

海賊たちは黄金を目指す
日誌から見る海賊たちの
リアルな生活、航海、そして戦闘

2023年7月28日　初版

著者――キース・トムスン
訳者――杉田七重（すぎた　ななえ）
発行者――渋谷健太郎
発行所――（株）東京創元社
〒162-0814 東京都新宿区新小川町1-5
電話　03-3268-8231（代）
URL　http://www.tsogen.co.jp
装丁――中村聡
カバー写真―podtin/Shutterstock.com
CSA-Printstock/Getty Images
印刷――萩原印刷
製本――加藤製本

ISBN 978-4-488-00398-2　C 0022